KB096356

마음껏 누릴 수 있다면

어쨌든, 책

김선(金仙) 지음

어쨌든, 책

발　행 | 2024년 01월 02일
저　자 | 김선
펴낸이 | 한건희
펴낸곳 | 주식회사 부크크
출판사등록 | 2014.07.15.(제2014-16호)
주　소 | 서울특별시 금천구 가산디지털1로 119 SK트윈타워 A동 305호
전　화 | 1670-8316
이메일 | info@bookk.co.kr

ISBN | 979-11-410-6097-8

나만의 책상에서 뭔가를 읽고 쓰며 공상을 즐기던
어린날의 나에게 이 책을 선사합니다.

어쨌든, 책

목차

Epilogue　　*　335

♣ 길을 잘못 들어섰다고 해서 걱정하거나 후회할 필요는 없다.

Prologue

♧ 책 읽고 이야기 나누고 글 쓰는 즐거움

저는 어린시절 호기심이 참 많은 아이였습니다. 늘 주변의 인물과 상황에 관심을 기울이고, 가까이에 있는 사람과 사물을 관찰자 시점으로 예의주시할 때가 많았습니다. 그럴 때면 조용히 응시만 하고 지켜보는 것에서 끝나는 것이 아니라, '무슨 일일까? 왜 그럴까? 어떻게 될까?' 하는 궁금증을 항상 가졌던 것 같습니다. 그래서 질문이 많은 아이였고, 그러니 다른 사람과의 상호작용이 활발한 편이었던 듯합니다.

경주 김씨 상촌공파 종가집의 장손인 내 아버지 덕에 얼굴도 모르는 몇몇 대 조상님들의 기제사를 비롯해 매번 찾아오는 명절까지, 제사가 빈번하다 못해 일상인 환경에서 어린 시절의 한때를 보냈습니다. 참빗으로 빗어 단정하게 말아 올린 흰 머리카락에 은비녀로 쪽을 진 증조할머니가 항상 분주하게 움직이시며 집안의 대소사를 진두지휘하던 모습이 아직도 기억납니다.

제사가 있는 날이면 대청마루가 널찍했던 기와집 본가였던 경기도 시흥군 군자면 신길리의 종가에 종중의 어르신들이 모여들었습니다. 양복으로 단정하게 격식을 갖춰 차려입은 집안의 남자들만이 제사에 참여할 수 있었는데, 개중에는 덥수룩한 흰 수염에 도포를 입고 갓을 쓴 옛날 할아버지들도 계셨습니다. 어린 제 눈에는 꽤 흥미로운 모습이었는데, 여자아이인 저는 차마 문틀을 넘지 못하고 방문 뒤편에 기대서서 재미있게 구경했던 제사 광경이 또렷한 기억으로 남아 있습니다. 왜 그런지는 몰라도 만약 그 제사 장면을 묘사하라고 하면 구체적인 그림을 그릴 수 있을 정도로 생생하게 남아 있는 기억의 조각들이 한 번씩 떠오릅니다.

알 수 없는 운명에 의해서인지 아니면 어쩌다 발생한 자연스러운 흐름인지는 알 수 없지만, 당시만 해도 종가의 대를 이어야 할 의무가 있었던 저의 부모님은 딸만 내리 셋을 낳으셨습니다.

집안 어른들의 대화를 관찰하던 어린 저는 집안의 대가 끊겼다고 걱정하시며, '저 녀석이 고추 하나만 달고 나왔다면 얼마나 좋았겠누…' 하는 한탄 섞인 증조할머니의 한숨 소리에 뜻 모를 송구함 비슷한 감정을 느꼈던 순간과 그때 뜻모르고 겸연쩍었던 마음이 지금도 어렴풋하게 기억납니다.

근원을 알 수 없는 아련한 슬픔 같았던 그 느낌은 '내가 상기할 수 있는 내 인생 최초의 기억'이라 할 수 있겠습니다. 명확하게 설명하기 어려운 제 슬픈 감정선은 증조할머니의 한숨 섞인 한탄에서부터 그렇게 시작되었을지도 모르겠다는 생각을 해봅니다.

또 저는 어린 시절부터 그림이나 활자로 구성된 것이면 무엇이든 보고 읽는 것을 좋아했고, 뭔가를 끄적이며 써대고 그리는 것을 재미있어했습니다. 하다못해 아버지가 자주 들춰보시던 대한민국 전국지도책과, 방안지에 열심히 그려대시던 아버지의 건축설계 도면을 비롯하여 오른쪽 하단에 쓰여 있는 조그만 축척 비율까지 자세히 들여다보았습니다. 그 외 집에 굴러다니던 신문쪼가리에 이르기까지 눈에 띄는 것들을 자세히 읽었고, 종이와 필기구만 있으면 낙서 같은 쓰기와 그리기를 끄적거리며 혼자서도 잘 놀았습니다.

돌이켜보면 내 부모님이 어린 세 자매에게 주었던 가장 큰 선물은 책상과 책이었다고 생각됩니다. 부모님은 어린 딸 셋에게 당시 꽤 고가의 오동나무 책상을 개인별로 각각 사주셨습니다. 그리고 출판사 방문판매 판촉 사원에게 영업을 당했던 것인지는 몰라도, 계몽사/삼성당/금성 출판사 등등 당시 유명했던 출판사들의 대표 전집들을 세트로 사들여 꽤 그럴싸한 인테리어 효과를 덤으로 얻었던 듯합니다.

세계문학전집, 위인전집, 식물도감 전집, 백과사전전집 등 참 다양한 종류와 꽤 많은 분량의 책들이 손만 뻗으면 닿을 수 있는 곳에 있었던 덕분에, 책 내용이 궁금해지는 호기심이 발동하는 순간이나 심심해지는 때에는 자연스럽게 책을 읽는 습관이 생길 수 있었습니다.

저는 나만의 책상에서 참 많은 시간을 보내며 자랐습니다. 딸 셋중 둘째인지라 언니와 동생의 가운데에 끼어서 위와 아래로 이리저리 치이는 입장이었지만, 내 책상에 앉아있을 때 만큼은 온전히 나만이 누릴 수 있는 편안하고 자유로운 세상으로 옮겨갈 수 있었습니다. 제가 내 책상에 앉아 읽고 쓰고 그리기를 할 때에는 등 뒤에서 어린 동생이 장난을 치며 떠들어대도 큰 상관이 없었으며, 무엇보다도 책상에 앉아 뭔가를 하고 있는 나에게는 어른들이 심부름을 시키지 않는다는 것도 참 좋았습니다.

그렇게 개인 책상과 다양한 책이라는 똑같은 환경이 주어졌지만,

음악을 좋아하던 언니와 그림을 즐기던 동생에 비해 아마도 제가 훨씬 더 많이 그 책들을 사랑했었던 것 같습니다. 또한 그 환경을 충분히 활용하며 마음껏 '누린 최고의 수혜자는 읽고 쓰기를 좋아하는 바로 저였다는 생각이 듭니다.

그런데 어쩐 일인지, 결론적으로 저는 그토록 좋아하는 읽고 쓰는 일을 평생의 업으로 삼거나 꾸준히 즐길 수 있는 삶으로부터 차차 멀리 밀려나서 살아오게 되었습니다.

지금껏 반백의 나이까지 살아오면서, 누구라도 그러하듯이 저 또한 고군분투하는 삶 속에서 여러 부침을 겪으며 뜻밖의 방향으로 흘러가기도 했던 것 같습니다. 그래도 일과 결혼, 육아 등 삶의 변화를 겪으며 주어진 상황 속에서 성실한 생활인으로 사회적으로 온전하게 기능하며 무탈하게 살고자 노력하며 살기는 했습니다. 위치하는 곳에서의 제 역할을 나름대로 열심히 소화해 냈고, 삶의 롤러코스터에서 그때그때 만나게 되었던 다채로운 나의 인생을 최선을 다해 꾸려왔다고 생각합니다.

닥친 현실을 어떻게든 살아내다 보면 좋아하는 것만 추구하며 살 여유를 갖기는 참 어려운 일이라는 게 현실 생활인의 어쩔 수 없는 한계일 수 밖에 없습니다. 저 또한 좋아하며 즐기던 읽고 쓰는 일을 본업으로 삼으며 살 수는 없었습니다. 그래서인지 항상 정서적인 목마름을 느끼며 뭔가에 대한 욕구불만이 스멀스멀 올라오는 감정을 한 번씩 동반하였던 듯합니다.

그럼에도 불구하고 일상 속에서 꾸준히 책을 읽는 루틴은 유지하려고 노력하였습니다. 삶의 고비고비마다 저를 붙잡아 주며 가장 다정한 친구가 되어 준 것은 '어쨌든, 책'이었기 때문입니다. 언젠가 때가 되면 현실 생활인으로서 일과 가정에서 주어진 역할을 해야 하는 부분들이 어느 정도 마무리될 것이고, 온전히 나 자신에게 집중할 수 있는 자유로운 시점에 도달할 것을 기대하며 기다리는 마음이었을지도 모르겠습니다.

여전히 호기심이 많고 사람에 대한 관심도 많은 저는 휘몰아치는 듯 바쁜 현실 속에서도 관심사를 찾아 탐색하며 중간중간 하고 싶은 일들을 찾아 그것을 깊은 고민 안하고 그냥 하였습니다. 남들이 한 분야를 좁고 깊게 파서 석/박까지 이어가고 일정한 성취를 이루어 나가면서 전문가로서의 경지에 이를 때, 저는 넓고 얕게 여러 개의 전공 분야를 공부하였고, 문득문득 관심이 가는 분야에 대해서도 살짝살짝 넘나들었습니다. 결과적으로는 혼자만 뿌듯한 장롱면허가 되어버리긴 했지만, 다양한 자격증들도 여러 개 취득하였습니다. 그것이 가능했던 것은 아마도 제가 읽고 쓰기를 좋아했기 때문에 책상에 앉아 공부하고, 보고서 쓰고, 시험 보는 일을 그다지 힘들어하지 않았던 까닭에 가능했던 일이 아니었을까 하는 생각을 해보게 됩니다.

이런 공부를 왜 또 시작해서 이 생고생을 사서 하나 후회 섞인 투덜거림을 입에 달고 산 때도 있긴 있었지만, 일단 시작하면 끝까지 마무리를 해내는 성실한 태도가 저에게는 습관화되어 있었던 것 같습니다. 유종의 미를 거두는 과정에서 큰 도움이 되는 것이 바로 성실한 태도와 마무리하는 습관인 듯합니다. 아마도 해병대 출신으로 베트남전 참전용사이자 국가유공자이신 제 아버지가 규칙적이고 근면 성실한 자세를 늘 강조하셨던 것으로부터 알게 모르게 영향을 받은 결과가 아닐까 싶습니다.

어느덧 세월이 흘러 어린 아들은 대학생이 되었고 일적으로나 가정적으로도 어느 정도 안정기에 들어서면서, 일과 가족이 아닌 오롯이 나 자신에게 집중할 수 있는 개인적인 자유의 시간이 차차 늘어가는 시기가 저에게도 찾아왔습니다. 여유시간이 생길 때마다 도서관과 서점 나들이를 하였고, 가장 좋아하는 취미처럼, 습관처럼 틈만 나면 손에 책을 잡았습니다.

독서량이 늘어갈수록 좋은 작품들도 많이 만나게 되었습니다. 감동이 깊은 책을 접했을 때면 누군가와 그 책에 대해 공감의 수다를 나누고 싶다는 마음이 스멀스멀 올라왔습니다. 안타깝게도 20대 청춘기에 만나 중년이 되도록 적지 않은 세월을 한 집에서 같이 살고 있는 남편은 오리지널 공학도 출신답게 단순명료한 성향의 현실남편이었고, 섬세한 정서적 소통과 예민한 감수성을 동반하는 대화가 잘 통하는 영혼의 단짝과는 거리가 좀 있었습니다. 그가 좋아하는 액션이나 스릴러 영화를 함께 볼 수는 있을지언정, 문학에 관한 대화를 나누며 문화/예술을 함께 즐길 수 있는 취미친구는 아니었습니다.

혼자 하는 독서가 심심해질 무렵 집 근처 도서관에서 열린 한 작가의 특강에 우연히 참여하게 되었습니다. 그것이 그간 어쩌다보니 반 포기 상태로 살아왔던 제 글쓰기에의 의욕을 불러일으키는 계기가 되었습니다. 이후로 책특강, 작가강연, 책모임에 참여할 기회가 있을 때마다 부지런히 움직였습니다. 그러면서 책을 읽고 공통의 주제로 관심을 집중하여 생각을 공유할 수 있는 누군가와 대화를 나누면서, 다른 사람과 다양한 의견을 교류한다는 것이 참 흥미롭고 재미있는 일이라는 것을 깨닫게 되었습니다.

호기심이 많고 공상을 잘하는 저는 고민을 길게 하는 걸 싫어하는 데다가, 번뜩이는 아이디어를 현실에서 실천해 보는 일에 그다지 신중하거나 망설이지는 않는 편입니다. 그래서인지 마음이 끌리는 일이 있으면 일단 시도해보고 혹시 아니면 조용히 접으면 된다는 실험정신으로 시작은 어렵지 않게 할 때가 종종 있습니다. 그래서 보기보다 단순하고 꽤 추진력이 있다는 말을 듣기도 합니다. 그런 가벼운 마음이었던지 어느날 즉흥적으로 스치는 생각에 힘입어 작은 인터넷 플랫폼을 개설하였습니다. 그리고 커뮤니티를 통해 책친구님들을 만나 독서토론 비슷한 어설픈 책모임을 진행하게 되었습니다.

사실 그 전에 다른 독서토론 모임에 참여해볼 기회가 있었는데, 그 모임의 주최자가 책보다는 친목에 더 방점을 찍고 있었던지 책모임의 형식이 없어도 너무 없었습니다. 어쩌다 보면 책이야기보다도 일상수다 시간이 되면서, 책모임이라는 본질은 흐려지고 배가 산으로 가는 상황을 경험하게 되었습니다. 그때 책모임을 알차고 의미 있게 하려면 일정한 형식과 진행순서가 필요하겠다는 생각을 했습니다.

이후로 제가 개설한 커뮤니티에서 책모임을 추진하는 상황이 되었을 때, 각자가 귀한 시간을 내어 책모임에 참여하는 것이니만큼 되도록이면 재미도 있고 의미도 있는 시간이 되면 참 좋겠다는 바람을 갖고 있었습니다. 그리고 회원님들 중 누구는 조용한 구경꾼 모드이고 누구는 자기 말만 계속하는 독점적인 수다쟁이가 아닌, 참여자들 모두가 균등하게 발언권을 갖고 함께 토론하는 시간이 골고루 분배되어야 한다고 생각했습니다. 남의 말을 집중해서 듣고 자기 의견을 적극적으로 표현할 수 있는 가운데 편안하고 즐겁게 참여할 수 있는 자리가 되길 바랐습니다. 좀 더 알찬 책모임으로 나아갈 수 있는 다양한 방법을 모색하느라 고민이 참 깊어졌던 시기였습니다.

함께읽기책을 선정하는 일은 그다지 어렵지 않았습니다. 회원님들의 추천과 투표에 의한 동의, 또는 도서관 사서님들이나 북에디터들에 의해 손꼽히는 책 등 참고할 만한 기준이 다양했기 때문입니다. 그러나 독서토론 논제를 정하는 일은 그 중요도와 필요성에 비해 마땅한 참고자료가 없었습니다. 처음에는 독서토론 논제를 뽑아 모아놓은 독서토론 지침서 같은 성격의 책은 없을까 하여 열심히 찾아보았습니다. 독서토론 모임의 노하우나 책모임을 성공적으로 이끌어갈 수 있었던 경험담, 독서토론 논제를 발췌하는 방법에 대한 안내서 성격의 책들은 다양하게 있었습니다. 그러나 우리 책모임에서 그달의 함께읽기책으로 선정된 딱 그 책을 정확하게 다룬 맞춤자료를 찾는 것은 결코 쉬운 일이 아니었습니다. 할 수 없이 리더인 제가 책모임을 준비하며 그달의 함께읽기책을 먼저 완독한 후 독서토론의 논제를 발췌해 필요한 토론자료를 직접 만들었습니다. 그렇게 북토크 주제를 구체화 시킨 토론논제를 중심으로 하여 일정한 토론순서를 정해 진행했더니 좀 더 밀도 있게 토론하면서 집중할 수 있었습니다. 공통의 주제에 대해서 저마다의 경험과 생각이 다양하게 나오게 되면서 훨씬 풍성하고 알찬 내용의 책모임 시간이 될 수 있었습니다.

기록하는 것을 매우 중요하게 생각하는 저는 직접 만든 토론 논제 자료는 물론이고, 북토크 현장에서 나온 회원님들의 발언 내용을 그냥 흘려보내지 않고 키워드 위주로 빠르게 메모하였습니다. 독서토론이 끝나면 개인적인 독서리뷰까지 꼼꼼하게 작성하고 커뮤니티 게시판에 꾸준하게 업댓하여 회원님들과 공유하였습니다.

그렇게 읽고 쓰는 작업에 탄력이 붙던 어느 날 우연히 '다음 브런치'라는 작가플랫폼을 알게 되었고, 무작정 브런치 작가 신청을 하였습니다. 그런데 운좋게도 브런치에 글을 쓸 수 있는 기회를 얻게 되었습니다. 이후로 브런치 계정에 책리뷰/영화리뷰/전시리뷰/일상을 사유하는 소확행 에세이 등의 글을 쓰고 있습니다.

처음에는 나만의 브런치 계정에 내 글을 지속적으로 올려서 독자들과 소통할 수 있는 브런치 작가로 활동할 수 있게 되었다는 것이 기뻤고, 너무 길지 않은 일정한 텀을 두고 꾸준히 글을 써서 업데이트 할 거라는 결심을 하였습니다. 그러나 가정의 일과 회사 일도 해야 하고 이런저런 변수와 처리해야 할 일들은 왜 그렇게 많이 끼어들던지, 본격적으로 글을 쓸 수 있는 여유는 잘 주어지지 않았습니다. 일상에 치이고 당장 해야 할 일의 우선순위에서 글쓰기가 뒤로 밀리면서 생각만큼 꾸준한 글쓰기를 실천하지는 못하고 있는 안타까운 현실이 되어버려서 늘 아쉬운 마음이었습니다.

한편 가족이나 친구 등을 비롯하여 여러 지인들처럼 저를 아는 사람들에게 내 글을 보여준다는 것에 대해 다소 부끄러운 마음도 있었습니다. 그런 샤이한 마음에 의한 자기합리화였던지 누군가에게 보여주고 널리 읽히기를 추구하기보다는 나의 기록을 차근차근 쌓아간다는 것에 더 큰 의미를 두었기 때문에 브런치의 독자 수가 몇 명이 늘어나는가에 대해서는 별로 연연하지 않았습니다.

그럼에도 불구하고 저의 브런치 계정에 자연스럽게 찾아와 제 글을 읽어주시고 구독자가 되어 주신 소수의 귀한 독자님들이 생기는 것이 참 신기하고 감사한 일이 아닐 수 없었습니다. 또 제 글에 댓글을 남겨 다양한 의견을 주시는 다른 브런치 작가님들과 소통하게 되는 경험은 정말 흥미롭고 즐거운 일이었습니다.

브런치 계정에 글이 어느 정도 모이게 될 무렵 좋은 기회를 얻어 열정 넘치는 한 에디터 선생님을 만날 수 있었습니다. 그간의 누적된 글로 책을 출간하고자 막연히 생각해왔던 희망사항을 현실로 구체화시키기 위해 한 걸음 더 앞으로 나아갈 수 있었던 귀한 만남이었습니다. 그러나 열정 넘치는 에디터님과의 미팅 과정에서 부딪친 이런저런 현실적인 이유로, 아쉽게도 전문성 있는 북에디터의 도움을 받아 출판사와 계약하여 책 출간을 진행하는 일은 결국 접게 되었습니다.

해야 할 숙제를 마무리하지 못한 듯한 느낌으로 책출간에 대한 방법을 생각하던 그 무렵, 제가 참여하고 있는 중앙도서관 책모임 회원님들과 더불어 원고를 모아 공동 집필한 작은 문집이 나왔습니다. 그때 요청받은 원고를 작성하고 취합하는 과정에서 출간할 책의 서식을 받아보게 된 일을 계기로 '자가출판플랫폼'이라는 유연한 출판체계가 있다는 것을 알게 되었습니다. 게다가 자가출판의 옵션이 매우 다양하며 독립출판의 길도 많이 열려 있다는 것을 깨닫게 되었습니다. 결국 전문적인 북에디터의 도움과 출판사와의 계약에 의한 것이 아닌 자기주도적인 출판 방법을 선택해 책을 출간하는 것으로 방향을 잡게 되었습니다.

처음에는 제 브런치 계정에 모아진 글들 중에서 책과 영화라는 테마를 잡아 목차를 두 갈래로 구성하려 했었는데, 원고를 정리하는 과정에서 분량이 너무 많다고 느꼈습니다. 고민 끝에 첫 책 출간이니만큼 너무 욕심을 부리지 말고 폭을 좁혀 집중하기로 마음먹었습니다. 영화는 다음 기회로 미뤄놓고 일단 책 하나만 컨셉을 잡아 첫 책 출간을 진행하기로 확정하였습니다. 그리하여 마침내 '어쨌든, 책'이 탄생하게 된 것입니다.

우선 독서토론 모임에서 다루었던 여러 책들 가운데 일단 10편의 책을 골랐습니다. 책모임을 좀 더 알차게 진행하기 위해 토론 주제를 직접 발췌해 작성한 독서토론 논제 발제문을 수록하고, 독서토론에서 제가 의견을 발표한 부분만 선별해 취합하였습니다. 그리고 저의 개인적인 책리뷰를 연계성 있게 이어 붙여 '어쨌든, 책'의 목차를 구성하였습니다.

북토크 자리에서 나왔던 책친구님들의 다양한 의견들도 책에 함께 수록하여 공유할 수 있다면 더욱 다채로울 수는 있겠지만, 제가 주도적으로 정리한 핵심 메시지와 저의 의견 발표 부분, 그리고 책과 독서에 관한 지극히 개인적인 감상과 리뷰로 책의 내용을 구성하였습니다. 그 외 다른 회원님들의 감상과 토론해 주신 발언 내용은 배제하였습니다. 독서토론 참여자님들의 주옥같은 견해와 다양한 의견들이 포함된 더 많은 생각들은 그 내용을 정리하기에는 분량이 너무 방대하기도 하였고, 무엇보다도 제 책에 타인들의 생각을 함께 싣는 것은 온당치 않다고 판단했기 때문입니다.

그리고 책모임에서 별점주기를 하는 것은 책에 대한 개인적인 느낌과 감상을 자유롭게 표현하기 위해 수치화하여 발표해보는 재미의 한 부분이고, 별점이 그 책과 저자에 대한 공신력 있는 평가와는 거리가 멉니다. 사람마다 자기 주관에 따라 느끼는 바가 참 다채롭다는 것이 흥미롭게 작용하여, 독서토론 현장의 분위기를 더욱 다이내믹하게 견인해 주는 하나의 장치가 되는 진행상의 묘미일 뿐, 큰 의미는 없습니다.

그런 관점에서 이 책 속에 수록된 '책 별점 주기' 코너에서 부여한 제가 준 별점 또한 전문 평론이나 비평을 할 수 있는 역량이 없는 저의 지극히 주관적인 의견에 기초한 것이므로, 그 의미에 경중을 둘 필요가 절대 없는 소소하고 개인적인 의견임을 밝힙니다.

특히 이 책은 거의 가내수작업 수준의 셀프기획과 구성, 직접 편집으로 진행된 만큼, 편집과 교정에서 부분적인 오류를 포함하여 부족함이 있을 수 있고 다소 어설픔이 느껴질 수도 있습니다. 그럼에도 불구하고 출판 과정에서 결정해야 할 크고 작은 일들을 포함하여 출간의 모든 프로세스를 온전히 저 스스로 선택하며 진행했기 때문에 개인적으로는 그 의미가 매우 깊습니다.

아무쪼록 이 책이 제가 독서토론 모임의 초창기에 그토록 애써 찾아 헤매었던 토론논제가 필요하신 분들께 참고자료가 될 수 있다면 참 좋겠습니다. 그리고 책모임에서 '함께읽기'하고 '독서토론'을 진행했던 만큼 저에게 특별하게 머물렀던 책들을 지금 어딘가에서 읽고 계신 분들을 응원합니다. 이 책이 독서리뷰를 공유하며 공감대를 형성하고 소통할 수 있는 작은 매개체가 되기를 희망합니다.

끝으로 마음껏 누릴 수 있다면 '어쨌든, 책'의 책제목과 표지 디자인을 함께 고민해 주며 항상 아무런 대가 없이 아낌없는 응원을 보내주었고, 존재 자체가 든든한 지원군이 되어 주는 나의 최측근인 두 남자, 즉 20대에 만나 50대를 넘어선 현재에 이르기까지 곁에 존재하며 산전수전 속에서 동고동락을 함께해온 애증과 우정의 친구이자 인생의 동지이며 삶의 동반자인, 근면/성실하고 스마트한 남편 민승환 씨와, '눈에 넣어도 아프지 않은……'이라는 말의 참뜻을 너무도 잘 이해하게 만들어준, 이 세상에서 유일무이한 존재이며 언제까지나 사랑스럽고 지극히 지적인 내 아들 민준서 군에게 감사와 축복을 담은 나의 온 마음을 전합니다.

2023년 12월, 소래빛도서관에서
김선(金仙)

♧ 토론시 유의할 사항 ♧

❶1인 발언 시간을 되도록 1인 1회당 3분 전후로 의견을 정리하여 말함.
--> 토론자 상호 간에 발언 시간을 균등 분배되도록 서로 배려하되, 맥락상 이 말을 다 못하면 후회된다 싶을 땐 충분히 발언하는 것을 서로 긍정적으로 허용함.

❷다른 토론자의 발언 중 말 끊기/끼어들기는 지양하며, 상대의 발언이 끝난 후 자신의 다른 의견을 첨언하는 방식으로 토론함.

❸토론의 프롤로그 격인 '책 별점 주기 & 읽은 소감 말하기'와 에필로그 격인 책과 토론에 대한 '전체적인 소감 및 마무리 발언' 그리고 '인상 깊었던 문장이나 핵심 메시지 & 한 줄 총평' 은 토론자 모두가 의무적으로 나누고, 그 외 나머지 자유 논제 & 선택 논제 토론은 '발언할 의견이 있는 토론자' 중심으로 자유롭게 진행함.

❹토론하는 시간에는 자신의 사회적 페르소나를 내려놓고 솔직하고 자유롭게 임하고, 나와 다른 의견에 대해서도 귀 기울이며 서로를 존중하는 '오픈 마인드'로 즐겁고 활발하게 토론에 참여함.

제1화 『깊이에의 강요』

파트리크 쥐스킨트 著

제1화 『깊이에의 강요』를 읽고

파트리크 쥐스킨트 著

♣ 내 삶의 주인공으로 자존감 있는 삶을 살아가기 위하여

▶ 독서토론 발제문

이번 '함께 읽기' 책은 독일 작가 '파트리크 쥐스킨트'의 단편소설집 『깊이에의 강요』였습니다.

3편의 재미있는 단편소설과 1편의 의미 있는 에세이로 구성된 작품인데요, 얇은 두께감이나 간단해 보이는 분량이 무색할 만큼 인간과 삶의 본질을 차분하게 되돌아보게 하여 묵직한 사유의 세계로 인도하는 지극히 철학적인 내용의 이 책을 여러분들은 어떻게 읽으셨나요?

별점과 함께 읽은 소감을 나눠봅시다.

(1점부터 5점까지 별점을 주세요.)

◎**별점(1~5점, 소수점가능)** ☆☆☆☆☆
독창성/짜임새/재미/깊이/소장가치에 근거하여(   )점

◎**읽은 소감(별점을 준 이유)**

❶선택논제

<깊이에의 강요>

이 소설의 주인공인 여류화가는 평론가의 평가에 자신의 예술과 인생이 전부 흔들려 버리다가 급기야 죽음에 이르게 되는데요, 여러분은 타인의 평가에 휘둘려서 자신의 정체성이 흔들렸던 경험이 있었나요? 있었다면 그 원인이 무엇이라고 생각되나요? 한 가지를 선택하여 의견을 나누어 봅시다.

A : 자존감이 낮은 탓이었다.

B : 남을 의식하는 허세 때문이었다.

C : 그 이외의 원인이 있었다.

❷자유논제

<깊이에의 강요>

이 소설에서 평론가는 신인 여류 화가의 작품에 대해 별 깊은 생각 없이 너무 쉽게 평론과 비평을 해 버리고, 뜻밖에도 그 여파는 여류 화가를 죽음에 이르게까지 하는 큰 일로까지 확대되어 버렸는데요,

여러분은 지금까지 살아오면서 남이 무심코 한 말을 너무 깊게 생각한 나머지 정신이 피폐해져서 불행하다는 절망감에 빠져보았던 경험이 있었나요?

반대로 남이 가볍게 건넨 한마디로 인해 큰 행복감을 느끼거나 도움이 되었던 경험이 있었나요?

전자와 같은 순간이 있었다면 그때 어떻게 처신했으며, 그 절망 감을 어떤 방법으로 극복했었는지 자신의 경험을 이야기 나누어 봅시다. 후자의 경험이 있었다면 그 때 마음이 어땠는지 이야기 해 주세요 (꼭 자신의 직접적인 경험이 아니어도 간접경험이나 비슷한 사례를 들어 공감해 보아도 좋습니다.)

❸선택논제
<깊이에의 강요>

'나를 내버려 두란 말이에요! 나는 깊이가 없어요!'라고 소리치며 혼자 칩거에 들어가 망가져 가는 주인공을 걱정한 친구들이 '그 녀를 돌봐 주어야겠어. 그녀는 위기에 빠져 있어.'
(열린책들 p14)

라고 말하며 그녀를 도울 방법을 찾기 위해 의논을 합니다.

①인간적인 위기이다.
–>첫 번째 경우라면 어떻게 해볼 도리가 없다.
②그녀의 천성이 너무 예술적이어서 그런지도 모른다.
–>그녀 자신이 극복할 문제이다.
③아니면 경제적인 위기일 수도 있다.
–> 우리가 그녀를 위한 모임을 개최할 수 있을 것이다. 하지만 그것조차 그녀에게는 고통스러운 일일지도 모른다.

여러분은 이 세 가지 중 어디에 더 마음이 가고 공감이 되었나요? 한 가지를 선택하여 의견을 나누어 봅시다.

❹자유논제

<깊이에의 강요>

이 소설 속 주인공인 여류화가는 죽을 수밖에 없었던 운명이었을까요? 우리 사회에서도 젊은 창작자가 경제난을 견디지 못하고 생을 마감한 사건이 있었습니다. 우리나라의 자살률이 세계적으로 상위에 랭크되고 있는 상황이고, 특히 노인과 젊은이의 자살률이 높은 퍼센트를 차지하고 있는 게 참 마음 아픈 현실입니다. 우리 사회의 자살률 증가에 대해 '예술가나 창작자, 노인이나 젊은이, 현대 사회의 전체적인 병폐' 등 어떤 관점이든 좋습니다. 여러분의 생각을 자유롭게 나누어 봅시다.

❺자유논제

<승부>

'승부'에서 늙은 체스 고수인 '장'과 어느 날 느닷없이 등장한 도전자인 '젊은 청년'의 체스 게임을 참관하는 '구경꾼'들이 이 체스 판에 가진 '유일한 관심사는, 낯선 젊은이가 승리하고 늙은 고수가 바닥에 고꾸라지는 장면을 보는 것뿐이었다.'(열린책들 p35)

여러분은 이 부분을 어떻게 보셨나요?
오래 지켜보며 인정했던 고수가 고꾸라지고, 새롭게 등장한 낯선

젊은이가 승리하기를 바라는 '구경꾼'들의 이런 심보에 대해, 각자의 생각을 이야기 나누어 보아요

❻자유논제

<승부>

체스 고수 '장'은 '젊은 청년'의 도전게임에서 당연히 다시 승리했는데요, 왠지 모를 비참함과 혐오스러운 감정을 느끼며, 그 게임을 마지막으로 체스를 영영 그만두기로 결심하면서 이 이야기가 끝납니다.

'앞으로 다른 퇴직자들처럼 불레(야외에서 하는 프랑스의 공놀이), 도덕적인 요구가 별로 없고 남에게 해가 되지 않는 사교적인 놀이를 할 것이다.'

라는 이 소설의 마지막 부분에서 '장'은 어떤 마음으로 체스 은퇴를 결심했을지, 각자의 생각을 나누어 봅시다.

❼자유논제

<장인(匠人) 뮈사르의 유언>

주인공 '뮈사르'는 '보석 세공사'로서 기술력을 인정받아 오를레앙 공작의 궁중 보석 세공사로 임명되는 등 사회적으로 성공하게 되는데요, 그리고 다음과 같이 말합니다.

'우리 사회 고상한 계층과의 교분은 내 정신적인 능력의 함양과

성격 형성에 상당한 영향을 미쳤다.'(열린책들 p51)

여러분이 지금껏 살면서 교류한 사람 중에서 자신의 삶에 크든 작든 간에 어떤 영향을 주었던 인연이 있었다면 소개해 주세요 딱히 사례로 생각나는 인연이 없다면, 나에게 매력적으로 느껴지고 좋은 인연이라고 생각되는 사람은 어떤 부분에서 호감인지에 대해 이야기 나누어 주세요

❸자유논제

<장인(匠人) 뮈사르의 유언>

'장인(匠人) 뮈사르'는 이 세상이 석화되어가고 있다는 진실을 깨닫게 되면서 '우리의 삶과 우리가 살고 있는 세계, 전 우주의 처음과 종말에 대한 진실이 한 조각 한 조각 내게 모습을 드러낸 것'이라고 하며 '진실의 얼굴은 소름 끼치고, 메두사의 머리처럼 그것을 본 사람은 죽음을 면할 수 없다.'(열린책들 p54)

여러분은 이 부분을 어떻게 읽으셨나요?
지금껏 살아오면서 '진실'에 직면해 소름 끼치며 절망했던 경험이 있다면 함께 이야기 나누어 보아요
또한 그 당시에 자신이 어떤 결정을 하고 어떻게 대처했는지에 대해서도 덧붙여 보면서 서로의 생각을 공유해 봅시다.

❾자유논제

<문학적 건망증-...그리고 하나의 고찰>

작가는 이 에세이의 서두에 '질문이 뭐였더라?'라고 익살스러운 첫말을 하면서 '아 그렇지, 어떤 책이 내게 감명을 주고 인상이 남아 마음 깊이 아로새겨지고, 송두리째 뒤흔들어 <인생을 새로운 방향으로 이끌거나>, <지금까지의 생활을 뒤바꾸어 놓았는가> 하는 것이었지.'라며 책에 대한 사유를 써보고자 하는 이 에세이의 대전제를 꺼내 놓고 있습니다.

여러분의 삶에 영향을 준, 일명 '내 인생의 책', '최고로 애정하는 책'이 있다면 소개해 주세요

또는 '재미있게 읽은 책'을 이야기해 보아도 좋겠습니다.

❿선택논제

<문학적 건망증-...그리고 하나의 고찰>

이 책의 후반부에 수록된 이 책의 번역자인 '김인순' 선생님의 '옮긴이의 말' 중에서 다음과 같은 설명이 있습니다.

'파트리크 쥐스킨트'의 작품들이 우리에게 친숙한 작가로 자리잡게 된 이유를 '사변적으로 전개되는 난해한 내용 때문에 독일 문학은 지루하고 어렵다는 일반적인 통념의 벽을 깨고 우리에게 가까이 다가온 저변에는, 쥐스킨트의 뛰어난 문학성과 독자를 매료시키는 남다른 묘미가 숨어 있다.'(열린책들 p91)

여러분은 어떤 종류의 책을 선호하시는지 한 가지를 선택하여 그

이유와 함께 의견을 나누어 봅시다.

A : 지루하지 않고 긴장감 있게 극적으로 사건을 전개시켜 독자를 부지불식간에 빨려 들어가게 하며 재미와 흥미를 주는 책이 좋다.

B : 모름지기 '문학'이란 '인간과 삶의 문제들을 다각도로 밀도 있게 파헤쳐 들어가는 깊은 철학이 있어서 감동과 교훈을 주어야 좋은 책이다.

⓫기타 보충사항
그 밖에 함께 이야기 나누어 보고 싶은 자유논제 또는 선택논제가 남아 있다면 자유롭게 내어놓고 함께 얘기해 보아요.

⓬전체적인 소감 및 마무리 발언
이번 '함께읽기책'과 오늘의 '독서토론'에 대한 소감 및 전체적인 마무리 평가를 해 주세요.

⓭인상 깊었던 문장이나 핵심 메시지 & 한 줄 총평
'기억에 남는 의미로운 구절이나 핵심 메시지 한마디' 또는 '한 줄 총평'을 해주세요.

▶ 책리뷰

►내가 준 별점 (4.5)

내가 '파트리크 쥐스킨트'의 작품을 처음 접한 것은 '좀머씨 이야기'였다. 책에 구체적으로 언급된 바가 없으니 독자는 짐작만 할 뿐 정확히 알 수 없는 일이긴 한데, 그가 겪어온 어떤 삶의 여정 속에서 입은 정신적인 상흔으로 인해 도저히 현실 생활인으로 살아갈 수 없어서 현실의 외부세계를 매일 걸어 다닐 수밖에 없었던 좀 이상한 동네 아저씨 '좀머씨'가 등장하는 소설이었다.

그를 바라보며 성장해 가는 주인공 소년의 청순한 눈을 통해 세상살이를 힘겹게 만드는 우울과 혐오를 천연덕스럽게 표현했던 작가의 맑은 영혼을 느낄 수 있어서 참 흥미로웠던 작품으로 기억에 남아 있다. 그래서 이번달의 함께읽기책으로 다시 만난 독일 작가 '파트리크 쥐스킨트'가 너무 반가웠는데, 그의 단편 소설집 '깊이에의 강요'를 읽고 작가에 대한 독자로서의 팬심이 더욱더 커지는 계기가 되었다.

짧은 세 편의 단편소설과 한 편의 에세이를 한데 엮어 인간과 삶의 모순을 정면이 아닌 측면으로 슬쩍 비껴가듯 무심히 건드려주는 듯한 작가의 메시지가 잘 녹아 있는 이 책에서, 인간과 세상에 대해 면밀히 관찰하고 깊게 사유하면서 삶의 아이러니에 대해 조용히 성토하며 소극적인 반항을 하는 듯한 느낌을 받았다.

책을 읽는 동안에 나 또한 삶의 이치와 진리를 자연스럽게 깨달아가게 되는 듯해서 참 의미로웠다.

그런데 <승부>에서는 체스의 규칙을 잘 모르는 내가 이해하기에는 좀 지루한 디테일들이 있어서, 호기심과 궁금함에 인터넷을 검색해 가며 읽느라 다소 성가셨던 탓에 별점주기에서 0.5점을 차감하여 4.5점을 주었다.

► 소감 및 마무리 발언

나는 원래 책을 참 좋아하는 사람이었는데, 주어진 현실을 열심히 살다 보니 독서를 등한시하는 때가 많아서 내심 책에 대한 갈증이 늘 있었다. 그런데 의무적으로라도 다시 책을 잡고 독서에 집중하게 되는 시간을 갖는 계기를 마련해 준 이 독서토론 모임이 고맙다. 무슨 일이든 물고를 터주는 터닝포인트를 만난다는 게 중요하나 그게 참 말처럼 쉬운 일이 아닌데, 책모임에 참여하기 위해서 반강제 독서라도 꾸준히 하게 된 것은 무척 반가운 일이 아닐 수 없다.

독서토론을 통해 책친구님들과 주제가 있는 대화를 하면서 '사람마다 생각이 참 많이 다르구나' 하는 차이점을 느끼기도 한다. 나 아닌 타인과 아무리 대화를 주고받아도 자신의 고정관념을 변화시킨다는 것이 대단히 어려운 일이라는 것을 재확인하게 되기도 하고, 생각의 방향이 항상 변함없는 듯한 나 자신의 모습에 대한 자각이라도 할 수 있으면 그나마 다행스럽다. 누구나 그렇듯이 한 사람의 모습이 단편적일 수는 없고 여러가지 면모를 '다중이'처럼 갖고 있는데, '내 안에 내가 너무 많다.'는 것을 책수다 시간을 통해서도 깨닫게 된다.

한편, 오늘은 투표에 대한 이야기가 나왔었는데, 어떤 모임이든 종교와 정치 이야기를 하게 되면 사람들마다 천차만별인 그 갭을 메꾸어 나가기가 너무 어려운 주제라는 것을 다시금 생각하게 되었다. 민감한 주제에 있어서는 서로의 생각을 존중하되 이해와 절충의 시간이 필요하니, 불필요하게 깊이 들어가며 당장 해결점을 찾으려고 무리할 필요 없이 살짝 빗겨 가는 것도 하나의 요령이 될 수 있다는 생각을 해 볼 수 있었던 오늘의 독서토론이었다.

►핵심 메시지 & 한 줄 총평
✔모처럼 가슴이 벅차오르는 책을 만났다.
✔즐거운 삶이 좋고 지나치게 진지한 것은 부담스럽고 싫다.
✔사람은 겪어봐야 알 일이다.
✔내 자존감을 스스로 높여야 한다.
✔나는 참 괜찮은 사람이다.
✔선입견을 가지면 안되겠다.
✔타인에 대해 평가하는 것은 조심스럽다.
✔'아이러니'로 가득 찬 삶을 문학의 아름다움으로 극복해 나가자.
✔'비유와 상징'은 '여운과 파장'을 남긴다.
✔삶의 작은 변화라도 도모하기 위해서는 늘 읽고 쓰고 소통해야만 한다.
✔너는 네 삶을 변화시켜야 한다.

내 삶의 주인공으로 자존감 있는 삶을 살아가기 위하여
-『깊이에의 강요』(파트리크 쥐스킨트 著)를 읽고 -

♣ 누구나 한 번쯤은 그것을 보았을 것이다. 그러나 보았다고
해서 모든 사람이 다 깊이 생각하지는 않는다.
-파트리크 쥐스킨트-

'파트리크 쥐킨트'의 작품 중 '좀머씨 이야기'가 몇 년 전 독서토론의 함께읽기 책이었는데, 재미있게 읽고 책수다를 나누었던 덕분에 아주 자세한 부분까지도 기억에 남아 있었다. 나는 개인적으로는 성장소설류의 스토리를 좋아한다. 그래서 주인공인 어린 꼬마가 유년 시절에 같은 마을에 살고 있었던 '좀머 아저씨'를 중심으로 여러 가지 에피소드들을 풀어내면서, 어린아이가 청년으로 자라나면서 어느새 철이 들고 성장해 가는 과정을 그린 이야기였던 그 책을 더욱 큰 호감으로 받아들였던 듯하다. 또한 이야기 전개의 평범한 일상성과 등장인물들의 순수함이 마음을 정화시켜주듯 잔잔하면서도 의외의 파장을 불러일으키는 감동을 받았었다. 그때 이런 어여쁜 작품을 쓴 작가는 어떤 사람일까에 대해 자연스럽게 관심을 갖게 되면서 독일 작가인 '파트리크 쥐스킨트'에 대해 찾아보게 되었다. 그러면서 '지극히 자발적인 은둔형 외

툴이'라는 그의 특이한 개성과 독특한 작품세계에 빠져들어서 쥐스킨트에 대한 팬심이 상당히 확장되게 되었다.

때마침 그 시점에서 참 좋은 책친구님으로부터 책선물을 받았었는데 그 책이 바로 '깊이에의 강요'였다. 책의 분량도 적었고 두께도 얇았는데, 간단해 보이는 단편 3편과 에세이 1편이 수록되어 있었던지라 가볍게 읽기 좋은 책인 줄 지레짐작하였다. 언제든 짬이 날 때 후딱 읽어야겠다는 생각으로 책꽂이 한켠에 꽂아두었다가 다른 책들에 밀려 어쩌다 잊혀진 책이 되었다. 그러다가 '깊이에의 강요'가 이번달 독서토론 모임의 '함께읽기책'으로 결정된 덕분에 이 책을 다시 찾아 진지하고 깊이 있게 정독하는 계기가 되어 참 좋았다.

[깊이에의 강요]는 4편의 짧은 단편들의 구성인데, 부담 없이 단출한 페이지수의 책 분량과 얇은 책 두께가 무색해질 만큼 내용상의 그 무게감에 있어서는 여느 두꺼운 책들과 비교해도 결코 밀리지 않을 정도로 생각할 부분이 상당하고 메시지가 깊은 책이었다. 무엇보다도 인간의 존재성과 삶의 본질에 대한 묵직한 여운을 남기고, 그 공감의 파장이 아주 깊고 길게 느껴지는 지극히 철학적인 작품이었다.

철학의 본고장이라 일컬어지는 독일의 작가인 '파트리크 쥐스킨트'의 단편인 이 책에는 「깊이에의 강요」, 「승부」, 「장인(匠人) 뮈사르의 유언」과 에세이 「문학의 건망증(… 그리고 하나의 고찰)」등

총 네 편의 각기 다른 주제의 작품이 한데 묶여져 있었다. 그런데 네 작품들에 공통적으로 흐르고 있는 맥락은 신기하게도 일맥상통하고 있다는 느낌이 들었다. 어떤 큰 주제를 정해 놓고 네 작품을 써서 한 책 안에 엮어 낸 것인지, 아니면 이미 써 놓았던 짧은 이야기들 중에서 일맥상통하는 주제의식을 표현할 수 있는 작품들을 골라서 한 권의 책으로 묶은 것인지는 알 수 없으나, 이 책 한 권에 담긴 네 작품들을 읽고 난 이후에 남겨지는 기나긴 여운 속에서 작가 '파트리크 쥐스킨트'가 세상을 어떤 시각으로 보고 있으며 어떤 관점에서 인식하고 있는지를 자연스럽게 깨달을 수 있었던 훌륭한 작품집이었다.

첫 번째로 수록된 단편소설인「깊이에의 강요」는 한 젊은 여성 미술가를 등장시켜서 예술가와 평론가의 문제적 관계를 전개하면서 '삶과 예술의 아이러니'를 예리하게 표현하고 있었다. '작품에 깊이가 없다.'라고 어느 평론가가 무심하게 던진 한마디의 말을 듣고 한 젊은 예술가는 끝없이 고민하고 고뇌하다가 결국에는 자살해 버리고 만다. 그런데 그녀가 죽고 난 후 그 평론가는 평론의 관점을 호떡 뒤집듯이 후딱 뒤집어서 '그녀의 그림에는 삶의 본질을 파헤치고자 하는 끝없는 열정과 깊이에의 강요를 느낄 수 있다'며 전혀 상반된 평론을 다시 한다. 소설의 이 마지막 부분에서는 '이 평론가 참 대책 없이 무책임하네. 평론이란 게 뭐 말장난하는 거야 뭐야?!' 하며 어이없는 실소가 저절로 나올 수밖에 없었다.

그런 가운데 여기서 작가 '파트리크 쥐스킨트'가 표현하고자 했던 것은 '삶의 허무'와 '인생의 아이러니'가 아니었을까 하는 것을 자연스럽게 깨닫게 된다. 이렇듯 냉소적인 주제의식을 슬쩍 내려놓듯이 조용히 흩뿌리며, '웃기면서도 슬프다'라는 의미의 '웃프다'라는 말이 저절로 나올 정도로 독자들을 들었다 놓았다 하는 능력이 있는 작가가 바로 '파트리크 쥐스킨트'라는 것을 느낄 수 있어서 작가에 대한 흥미와 궁금증이 더해졌다.

두 번째 수록작인 「승부」는 동네에서 범접할 자가 없을 챔피언과도 같은 체스 고수와, 그에게 패기 넘치게 도전장을 내민 젊은이라는 두 명의 체스꾼을 등장시켜서 이 두 사람 간의 체스 게임판과 주변 구경꾼들의 반응을 중심으로 이야기가 전개되었다. 늙은 체스 고수 '장'은 기존 사회의 규칙과 관습을 원래 하던대로 따르고 지키며 최고의 자리에 오르기는 했지만, 정작 최고점을 찍은 자의 행복과는 너무도 거리가 멀게도 고독하게 버티듯 지내고 있었다. 그 알량한 챔피언의 자리를 고수하고 지켜내기 위해 늘 속을 끓이고 조마조마해 하는 괴로운 마음속에서 상당히 불행한 상태였다.
그러한 늙은 체스 고수 <장>에게 겁도 없이 도전장을 내민 한 젊은이는 인습이나 관습에 대한 개념도 없는 사람처럼 깡그리 무시한다. 결과가 어찌 되든 말든 전혀 상관없다는 듯이 자유롭고 호기롭게 체스판에 뛰어들어 배짱도 두둑한 도전 게임을 전개하며 여태껏 듣도 보도 못한 과감한 방식으로 체스게임을 전개해 나간다.

한편 체스판에서 한참 승부를 불사르고 있는 체스꾼 당사자인 고수 '장'과 도전자 '젊은이' 말고도 또 한켠을 차지하고 있던 것은 바로 '구경꾼'들이었다. 그 구경꾼들은 '장'처럼 인습과 관습, 기존의 룰을 충실히 지키면서 열심히 노력하여 실력을 갈고 닦은 결과로 고수가 된 것도 아니고, 그렇다고 해서 '젊은이'처럼 기존 룰을 과감하게 무시하고 결과에 연연하지도 않으면서 열정적으로 게임에 달려들어서 용기 있게 돌격하는 정열과 두둑한 배짱이 있는 것도 아니다. 그러면서도 찌질한 시기심과 욕망은 있어가지고 '누가 저 고수를 좀 꺾어서 고꾸라지게 만들어주면 참 좋겠다.' 하는 심술통 대리만족의 욕구만 가득해서, '어디서 온 사람인지, 얼마나 능력이 있는 것인지' 근본도 모르는 낯선 젊은이를 맹목적으로 추종한다. 그런 '구경꾼' 그들의 모습에서 우리 주변에서 흔히 볼 수 있는 평범한 소시민인 '너와 나와 우리'가 깊은 마음 저변에 어쩔 수 없이 갖고 있는 부끄러운 시기와 질투심의 단면을 살짝 엿볼 수 있었다.

어떤 일이든 그 과정 속에서 속단하거나 선입견을 갖게 되면 그 결말을 예측하면서 잘못된 판단을 하기도 하고 실수하게 되는 경우가 생길 수 있다. 그런 만큼 세상 일이란 걸 그 어떤 것도 미리 결과를 단정 짓거나 추측해서는 안 되는 것이다. 막상 뚜껑을 열어보면 생각했던 것과는 180도 다른 것이었다는 사실을 뒤늦게 알게 되거나, 명확한 근거도 없는 섣부른 선입견과 맹목적인 믿음으로 인해 나중에 뜻밖의 뒤통수를 제대로 얻어맞는 일도 비일비재하다는 것을 깨닫게 되었다.

세 번째 단편소설인 「장인 뮈사르의 유언」은 18세기 프랑스를 배경으로 한 작품인데, 아마도 독일 작가 '파트리크 쥐스킨트'가 프랑스에서 유학을 한 경험이 있어서 작품의 배경으로 프랑스가 자주 등장하는 것 같다는 생각이 들었다. 주인공 '뮈사르'는 '보석 세공사'로서 뛰어난 기술력을 인정받아 오를레앙 공작의 궁중 보석 세공사로 임명되는 등 사회적으로 성공하게 된다. 그런데 보석 세공 장인 '뮈사르'가 죽음을 앞둔 상황에서 자신이 성공한 보석 세공업자가 되기까지의 인생 여정과 삶에 대한 통찰을 유언의 형식으로 비유적이고 함축적으로 토로하고 있는 내용이었다.

보석 세공 장인 '뮈사르'는 기술자로서의 정점을 찍고 성공한 상황을 누리다가 현업에서 은퇴하는 시점이 되어 본업을 내려놓고 자연 속으로 귀의하고자 한다. 그러던 어느 날 자기 집의 정원에서 우연히 돌조개를 발견하게 되면서 이 이야기가 시작된다. 이 돌조개의 발견을 계기로 '뮈사르'는 인간과 세상에 대한 자기만의 통찰을 어떤 논리로 구성하여 맹목적으로 믿어버리게 된다. 인간과 세상은 살아 숨쉬고 있는 부드럽고 유연한 속살을 절대 밖으로 드러내지 않고 조개껍데기 속에서 입을 꽉 다물고 있는 조개와 같고, 세상과 인간이 점점 돌조개로 변화해 가고 있으며, 언젠가는 모두 다 석화되어 부서져 버릴 거라는 왜곡된 자신만의 확신을 갖게 된다.

무엇이든 진실을 알아간다는 것은 통쾌하고 즐거운 일이기도 하지만 동시에 두려운 일이기도 하다. 그것이 '불편한 진실'인 경우

엔 차라리 그 진실을 알지 못했던 시절로 돌아가고 싶어지는 마음이 들기도 한다. 또한 맹목적인 믿음과 근거 없는 자기확신은 스스로를 파멸의 길로 인도하기도 하는 것이니만큼, 사람들과의 교류를 통해 좀 더 근거가 확실하고 합리적인 생각으로 다듬어 나가는 것이 필요하다. 어떤 논리나 학설이 구축될 때에는 최소한의 객관성이 담보되어야 바람직할 것 같다는 생각도 하게 만드는 소설이었다.

마지막으로 수록된 에세이 [문학적 건망증]은 '파트리크 쥐스킨트'의 책에 대한 고찰을 담은 에세이로, '……그리고 하나의 고찰'이라는 부제를 가지고 있으며 초판본에서는 목차 제목에 부제가 명시되어 있었는데 개정판에서는 빠져있었다. '문학적 건망증'에서 작가가 독서 생활에 대해 느끼는 솔직하고 현실적인 상황을 익살스럽게 표현하고 있는데, 독서를 좋아하는 사람이라면 누구나 공감할 내용일 듯하다. 수시로 책을 손에 잡으며 참 많은 책들을 읽었지만, 무슨 책을 읽었는지, 그 책 내용이 무엇이었는지, 막상 떠올려 보려고 하면 기억이 잘 나지 않는 것, 또 내용은 대략 기억이 나더라도 결말이 어떻게 되었던지 헷갈리기는 경험을 안해 본 사람은 아마 없을 것입니다. 작가는 이런 증상을 '문학적 건망증'이라고 규정하며 자신이 수많은 독서를 했고 웬만한 도서를 다 읽어 재꼈으나 기억이 잘 나지 않는 것에 수치심을 느끼기도 하였다고 고백하고 있다.

그렇지만 쥐스킨트는 비록 그 책 내용이 무엇이었는지 기억이 나지 않는다 하더라도 그 느낌만큼은 생생하게 남아 있다고 말하며, 책을 통해 아마도 '너는 네 삶을 변화시켜야 한다.'라고 강력하게 외치고 있었다. '맞아, 맞아! 나도 그래! 나도 수많은 책을 읽었지만, 시간이 지나면 다 잊어버리고 말아! 문학적 건망증...... 그게 바로 내가 하고 싶었던 말이라구!' 하며 맞장구를 치고 싶은 심정이 저절로 올라오게 만드는 재미와 공감의 에세이였다.

이번 북클럽에서는 다양한 토론논제들을 발제하여 북토크 멤버님들과 더불어 활기찬 의견교환이 이루어질 수 있었다.
'여류화가'처럼 타인의 평가에 휘둘려서 자신의 정체성이 흔들렸던 경험이 있는지, 남이 무심코 던진 한마디로 정신이 피폐해져서 불행하다는 절망감에 빠져본 경험이 있는지, 예술가들의 정서적 예민함에 관한 이야기, 우리 사회의 병폐 중 하나인 '자살률 증가'에 관하여, 챔피언(1등)의 자리에 있는 자의 고독과 불안, 그리고 사람들의 시기, 질투에 관한 이야기. 정상의 자리에 있을 때 은퇴할 수 있는지에 대하여, 나의 삶에 영향을 주었던 인연이나 나에게 매력적으로 느껴졌던 사람에 관하여, '진실'에 직면하여 소름 끼치며 절망했던 경험에 관한 이야기, 인생을 새로운 방향으로 이끌거나 내 삶을 변화시킨 '내 인생의 책', '최고로 애정하는 책'의 소개, '재미와 흥미' 또는 '감동과 교훈' 중 어떤 종류의 책을 더 선호하는지에 대한 생각들 등 다양한 논제들로 2시간의 책수다 시간이 부족할 정도로 활발하고 적극적인 독서토론 시간이 되었다.

나는 사실 아주 오래전에 '파트리크 쥐스킨트'의 작품인 '좀머씨 이야기'를 처음 읽고 너무 좋아서, 이후로 부지불식간에 작가 '파트리크 쥐스킨트'에 대한 독자로서의 큰 팬심이 생겼다.

그가 우리가 흔히 지나쳐 버릴 수 있는 일상의 소재를 아주 독특한 관점으로 '비틀어보기', '낯설게 보기'를 하는 면이 너무 재밌으면서도 참 대단해 보이고 존경스럽다. 쥐스킨트의 작품들의 공통특성을 말해 보자면, 어린아이처럼 순수함이 느껴질 만큼 익살스럽게 스토리를 전개해 나가기 때문에 얼핏 읽으면 별 내용이 없어 보이는 간단한 이야기 같으면서도, 다시 한번 곱씹어 볼수록 내면에 깔린 깊은 의미를 깨닫게 되면서 철학적인 사유를 하게끔 자연스럽게 이끈다는 것이다. 문체가 간결하면서도 사건 전개에 있어서는 휘몰아치듯 긴박감을 주면서 독자를 순식간에 몰입하게 만들고, 책을 다 읽은 후에는 인간의 본성에 대한 모순과 비틀어진 현실을 인식하게 한다.

그러면서 '이 세상 사람들아~ 쯤! 뭣이 중헌디! 생각이라는 걸 좀 하고들 살지?!' 하는 돌직구를 날리는 듯한 느낌을 받게 만드니, 작가로서 이 얼마나 대단한 능력을 갖고 있는 것인가? 그의 관찰력과 상상력, 작가로서의 필력, 그리고 인간적으로 고매한 철학적 고찰력...... 여러모로 부러워하며 흠모하게 만드는 매력적인 작가 '파트리크 쥐스킨트'였다. 털끝만큼 작은 고민의 여지도 없이 이렇게 그는 내 최애 작가로 등극하였다.

단지 사람 만나기를 극도로 싫어해서 각종 문학상을 준다고 해도 수상하러 안가면서 상을 거부해 버리고, 소수의 지인들하고만 교류하면서도 자신에 대해 발설하는 자는 그 상대가 가족들이라 할지라도 절연해 버리는 기이한 운둔자라는 점은, 다소 괴팍한 사람인가? 아니면 샤이한 사람인가? 헷갈리게 만들면서도 아무튼 사람 좋아하는 나로서는 별로 호감이 가지 않는 삶의 방식이다. 하지만 그런 고독을 수반하기에 삶을 철학적으로 고찰하며 깊이 있는 작품들을 쓰는게 가능한 것일지도 모르겠다는 이해는 간다.

이번달 북클럽 모임은 멤버님들과 북토크 시간에 앞서 조금 일찍 만나 브런치를 함께한 이후에 책수다를 나누었다. '밥수다 2시간+책수다 2시간'을 하고도 못내 아쉬워하는 상황이라니…… 역시 책친구님들과의 수다는 '무한궤도'를 질주하는 것과 같이 '네버엔딩'이 가능하고, 쌓인 스트레스를 수다로 날려 보낼 수 있다는 것을 다시 한번 확인하게 하는 이달의 즐거운 책모임 시간이었다. 특히 이번에는 책모임 장소를 홍대에서 강남으로 이동했는데, 남산까지 바라다보이게 시야가 탁 트인 스카이라운지 뷰 맛집에서 눈도 시원하고 입도 즐거운 브런치도 하였다. 이어서 우리 북토크 팀이 전세 낸 듯 편안하게 책수다를 나눌 수 있는 카페로 안내해 주신 책친구님께 감사드린다. 또한 이번달의 책모임을 함께 즐겨 주신 책친구님들께 반갑고 고마웠던 마음을 표하며 다음번 북토크 모임을 또 기약한다.

2

제2화 『리스본행 야간열차』

파스칼 메르시어 著

제2화 『리스본행 야간열차』를 읽고

파스칼 메르시어 著

♣ 타고난 것들은 결정할 수 없지만,
어떻게 살아갈지는 스스로 결정할 수 있다.

▶ 독서토론 발제문

이번달 '함께읽기책'은 유럽 문학의 현대고전이 된 '파스칼 메르시어(Pascal Mercier)'의 장편소설 『리스본행 야간열차』였습니다.

독일의 철학과 교수이자 작가인 '파스칼 메르시어'가 일상이 낯설어진 한 남자의 돌연한 일탈을 통해, 인간의 내면을 탐구한 장편소설인 이 책을 여러분은 어떻게 읽으셨나요?

별점과 함께 읽은 소감을 나눠봅시다.
(1점부터 5점까지 별점을 주세요.)
◎별점(1~5점, 소수점가능) ☆☆☆☆☆
독창성/짜임새/재미/깊이/소장가치에 근거하여(   )점

◎읽은 소감(별점을 준 이유)

❶자유논제

그리스어 교사인 '그레고리우스'는 일면식도 없는 포르투갈인 '프라두'가 쓴 책을 우연히 만나면서, 불현듯 '리스본행 야간열차'에 오르게 됩니다. 그리고 자신의 내면을 찾기 위해 리스본으로 여행을 하며 '프라두'의 삶을 파헤칩니다. 또 지금까지의 삶과 자신의 모습, 그리고 타인과 세상을 '낯설게 보기'에 돌입합니다.

나는 그의 시선이 되어 나를 바라보았다. 내 안에 그의 시선을 만들고, 그 시선에서 나온 나의 모습을 내 안에 받아들였다
(들녘 1권 p127)

그는 프라두가 했던 대로 낯선 사람의 시선으로 자신을 바라보고, 이 낯선 시선을 자기 안에서 만들고, 그런 시선에서 나온 자기 모습을 자기 안에 받아들였다. 이제 막 만난 이방인처럼 스스로를 바라보는 것......(들녘 1권 p130)

이렇듯 '그레고리우스'는 자신에 대해 더 잘 알기 위해 타인의 삶을 먼저 이해하려는 태도로 자신과 타인과 세상에 대해 '낯설게 보기'를 시도하는데요,

여러분은 이 부분을 어떻게 생각하시나요?
타인의 삶에 대한 이해와 자신, 타인, 세상을 '낯설게 보기'가 진정한 자기 자신을 이해하는 데에 도움이 된다고 생각하시나요?
함께 의견을 나누어 봅시다.

❷자유논제

'그레고리우스'는 '아마데우 프라두'의 글을 몇 문장을 번역하고 나서 흥분에 휩싸여 번역한 것을 종이에 쓰기 시작하면서, 책의 서두에 쓰여 있었던 다음 문장에서 저절로 깊은 사유에 빠져듭니다.

———————————————————————

뚜렷하지 않은 심연. 인간 행위의 표면 아래에 우리가 알지 못하는 어떤 비밀이 있을까? 아니면 인간은 자신이 만천하에 드러내는 행동과 완벽하게 일치할까? (들녘 1권 p42)

———————————————————————

여러분은 의식과 무의식의 경계와, 의식과 무의식의 일치 또는 불일치에 대하여 어떻게 생각하시나요?
함께 이야기 나누어 봅시다.

❸자유논제

'그레고리우스'는 호텔 앞 길거리에서 인라인스케이트를 탄 몸집이 거대한 남자가 그를 스치며 팔꿈치로 관자놀이를 치고 가는 바람에 피를 흐리며 안경이 떨어졌고, 더듬거리며 몇 발자국 옮기다가 자기 발에 밟혀 안경이 부서져서 시야가 흐려지고 공포심에 빠지는 사건사고를 당했습니다.(들녘 1권 p97)

여러분은 지금껏 살아오면서 이렇듯 뜻밖의 사고나 봉변을 당한 경험이 있었나요?
또는 뜻하지 않게 타인에게 피해를 입혀본 적이 있나요?

자신이 피해자 또는 가해자가 되었던 일에 대하여 함께 이야기 나누어 봅시다.

❹자유논제

헌책방 주인인 '줄리우 시몽이스'는 '그레고리우스'에게 책방 먼젓번 주인인 '코우팅뉴' 노인을 알려주면서 다음과 같이 말합니다.

"그분과 이야기를 하려면 인내심이 필요합니다."
"살면서 불행한 일을 많이 겪어 늘 뭔가 언짢아하는 노인이지요 하지만 기분만 잘 맞추면 아주 친절해져요 어떻게 해야 기분을 맞출 수 있는지 알 수 없다는 게 문제이긴 해도 말이죠"
(들녘 1권 p105)

여러분은 '노인과의 대화법'에 대하여 어떻게 생각하시나요?
함께 이야기 나누어 봅시다.

❺선택논제

아마데우 드 프라두는 인기가 좋은 의사였소 존경도 받았지. 사람들이 인간백정이라고 부르던 비밀경찰 후이 루이스 멩지스의 목숨을 구하기 전까지는 말이오...... 그때부터 사람들은 그를 피했고, 그 사람은 상처를 아주 많이 받았지. 그다음부터 그 의사는 사람들 모르게 저항운동에 참여하였오 인간백정을 구한 죄를 그렇게 씻으려는 듯이...... 저항운동을 했다는 건 그 사람이 죽은 다

음에야 알려졌소. (들녘 1권 p116)

의사인 '프라두'는 리스본의 인간백정 '후이 루이스 멩지스'의 목숨을 살렸다는, 혹은 그의 죽음을 방치하지 않고 도와주었다는 것에 대해 비난을 받습니다. 그리고 스스로도 죄책감에 시달립니다. 생명의 존엄을 최우선시 해야 하는 의사로서의 의무와, 국민으로서의 인간적인 정의감 사이에서의 프라두의 선택에 대해 여러분은 어떻게 생각하시나요?
한 가지를 선택하여 보고 각자의 의견을 나누어 봅시다.

A : 의사로서 생명을 구하는 선택을 한 것이 옳았다.
B : 인간적으로 정의롭지 못한 잘못된 선택이었다.

❻자유논제

그레고리우스는 뭘 해야 좋을지 모를 때마다 독서를 하곤 했다
……
아버지는 텅 빈 박물관 전시실의 무료함을 잊는 수단으로 독서를 시작했고, 읽는데 취미를 붙이고부터는 손에 잡히는 책은 무엇이든 읽었다.
"이제 너도 책 속으로 도망치는구나."
독서의 기쁨을 발견한 아들에게 어머니가 한 말이었다.
(들녘 1권 p122~123)

여러분은 이 부분을 어떻게 읽으셨나요?

여러분이 '뭘 해야 좋을지 모를 때, 현실도피를 하고 싶을 때' 붙잡거나 집중하는 활동에는 어떤 것들이 있나요?

함께 이야기 나누어 보아요

❼자유논제

이런 의식이 불러오는 다른 사람들과의 거리는, 스스로의 눈에 비치는 우리의 바깥 모습이 다른 사람들이 보는 모습과는 다르다는 사실을 깨달을 때 더욱 커진다. 사람들이 타인을 보는 방식은 집이나 나무, 별을 볼 때와 사뭇 다르다. 이들을 특정한 형식으로 만날 수 있기를 바라며, 이를 통해 다른 사람들을 자기 내부의 한 부분으로 만들려는 기대를 가지고 보는 것이다. 각 사람의 상상력은 다른 사람들을 자신의 소원과 기대에 맞게, 하지만 또한 그들로부터 자신의 불안과 선입견이 옳다는 확신을 받을 수 있도록 이들을 각자의 구미에 맞추어 가지런히 정리한다. 우리는 편견 없이 확실하게 다른 사람들의 외적인 윤곽에조차 다다르지 못한다. (들녘 1권 p128)

여러분은 '선입견'과 '편견'에 대하여 어떻게 생각하시나요?

지금껏 살면서 선입견과 편견을 가졌던 어떤 것에 대해 확신을 확인했던 경우나, 반대로 선입견과 편견으로 인해 낭패를 겪었던 적이 있었다면 함께 이야기 나누어 봅시다.

❽자유논제

우리는 많은 사람들과 오랫동안 마주 보고 앉아 있다. 함께 먹고 일하며 옆 자리에서 잠을 자고, 한 지붕 아래서 산다. 스쳐 지나가는 덧없음이 어디에 있단 말인가? 하지만 지속성과 신뢰감과 친밀한 이해심을 보이는 이 모든 것이 마음을 진정시키기 위해 만들어낸 속임수는 아닐까? 매순간 견딜 수 없으므로 불안하고 혼란스러운 이 덧없음을 은폐하고 없애려는 시도.....

(들녘 1권 p149)

여러분들은 이 부분을 어떻게 읽으셨나요?

우리는 누구나 사람들과 관계를 맺고 살아가는데요, 그것이 좋기도 하고 싫기도 합니다. 사람들과의 관계에서 매우 중요한 '지속성과 신뢰감과 친밀한 이해심'에 대해 여러분은 평소 어떤 생각을 갖고 있는지 함께 이야기 나누어 보아요.

❾자유논제

글을 읽고 쓰는 일은 밤에 잠이 오지 않을 때 했어요 아니, 어쩌면 읽고 쓰고 생각해야 한다는 느낌 때문에 잠을 잘 수 없었는지도 모르지요, 어쨌든 불면증은 오빠에게 저주였다고 생각해요 이런 괴로움, 한없이 숨차게 계속되던 단어를 향한 갈망이 아니었다면 오빠의 뇌는 훨씬 오랫동안 버텼을 거예요 아직 살아 있을 수도 있겠지요. (들녘 1권 p164)

'프라두'의 여동생 '아드리아나'가 뜻밖의 방문자 '그레고리우스'를 오빠의 서재로 안내하며 한 말 중 이 부분을 여러분은 어떻게 읽으셨나요?

'불면증'에 관한 여러분의 생각과 경험들, 그리고 잠 못 이뤄 괴로운 불면의 밤에 할 수 있는 자신만의 행동 패턴이나 특별한 방법이 있다면 서로 이야기 나누어 봅시다.

❿자유논제

오빠는 이렇게 잘난 척하는 거만한 사람들을 아주 싫어했어요...... 오빤 정치가나 의사나 언론인들이나 어떤 분야든 상관없이 이런 사람들을 싫어했어요. 아주 냉혹하게 비판적이었지요. 나는 자기 자신에 대해서도 무자비하고 타협하지 않는 오빠의 비판을 좋아했어요. 하지만 그 비판이 사형집행처럼 느껴지고 파괴적으로 보이는 건 싫었어요. (들녘 1권 p217)

여러분은 이 부분을 어떻게 읽으셨나요?

여러분에게 사람을 판단하는 자신만의 엄격한 기준이 있다면 어떤 것이 있을까요? 또한 타협할 수 없게 싫은 인간형은 어떤 사람인가요? 함께 이야기 나누어 봅시다.

⓫자유논제

두 번째로 오는 느낌은 처음과 같지 않다. 그것은 반복의 의식함으로써 퇴색된다. 너무 자주 오고 오래 지속되는 감정은 우리를 지치고 싫증나게 한다. 불멸하는 우리의 영혼 속에는 이런 것들이 결코, 절대로 끝나지 않을 것임을 아는 데서 오는 어마어마한 권태감과 절규하는 절망감이 자랄 것이다. (들녘 1권 p268)

여러분은 이 부분을 어떻게 읽으셨나요? '프라두'가 고찰한 '인간의 감정'에 관하여 여러분은 어떻게 생각하시나요?
인간이 살아가는 동안 계속되는 '싫증과 권태감과 절망감'에 대한 생각과 자신만의 극복법이 있다면 함께 이야기 나누어 봅시다.

⓬자유논제

아마데우는 사랑을 믿지 않았소 유치하다고 생각하며 그 단어를 피했지. 그는 사랑에는 욕망과 만족과 편안함밖에 없다고 말하곤 했소 이 모두가 헛된 것이라고 했지. 제일 허무한 건 욕망이고 그다음이 만족이며, 누군가에게서 보호를 받는다는 편안한 느낌도 언젠가는 결국 부서지는 것이라고 했소 삶이 우리에게 요구하는 것, 우리가 해야 할 일들이 너무 많고 힘들어서 우리 감정을 다치지 않고 그 일들을 견디어 내기는 힘들다는 것이었소 그래서 신의가 중요하다고 했지. 그는 신의란 감정이 아니고 의지요 결정이며, 영혼의 견해 표명이라 말했소 우연한 만남과 감정을 필연으로 바꾸는 그 무엇이라고, 영혼의 숨결이라고 했지. "그저 낮은 숨결에 불과하지만, 그래도 어쨌든 영혼이 한 부분이지"

라며. (들녘 1권 p347)

여러분은 이 부분을 어떻게 읽으셨나요?
'사랑과 필연과 영혼'에 대해서, 특히 '신의'를 중심으로 연결지어서 함께 이야기 나누어 봅시다.

⑬자유논제

'아마데우가 나에게 약국을 사주었소. 가장 길목이 좋은 약국을 아무런 이유 없이 그냥 사준 거요.'

············

'너 언제나 네 약국을 갖고 싶어했잖아. 이제 넌 약국 주인이야.' 그는 약국의 온갖 기물들도 모두 지불했소. 그런데 그거 아시오? 씁쓸한 기분이 전혀 들지 않더군. 난 너무 기뻐. 처음 한동안은 매일 아침 눈을 비볐소. 가끔 그에게 전화를 해서 이렇게 말했지. '나 지금 내 약국에 있어.' 그러면 그는 편안하고 행복한 웃음을 터뜨렸는데, 해가 지날수록 그런 웃음소리를 듣는 일이 드물어졌소(들녘 1권 p349)

············

우리 사이가 멀어졌을 때 난 약국을 팔아 아마데우에게 돈을 돌려주려고 했소. 그러다가 그건 오랫동안 지속된 행복한 우정의 시간을 모두 부정하는 일이라는 걸 깨달았지. 지나간 친근함과 예전의 신뢰에 소급해서 독을 뿌리는 행위..... 그래서 난 약국을 그냥 계속 소유하게 됐소. 그런데 이렇게 결정하고 나서 며칠 지나지 않아 참 이상한 느낌이 들더군. 약국이 예전보다 더 확실하게 내 소유라는 생각이 드는거요. 왜 그런지 당시에도 알지 못했고, 지금도 이해하지 못하겠지만. (들녘 1권 p350)

여러분은 '프라두'와 '조르지'의 우정을 어떻게 보셨나요?
아울러 우리의 삶에서 '친구와 우정'이란 어떻게 작용하는가에 대하여 함께 이야기 나누어 봅시다.

⑭선택논제

기대를 줄임으로써 더 현실적이 되고, 단단하고 신뢰할 만한 본질만 남아 실망의 고통에 맞서는 저항력을 지니게 되리라는 희망을 품는 사람도 있을 것이다. 그러나 포괄적이고 원대한 기대를 금지하고, 버스의 도착 여부와 같은 무의미한 기대만이 존재하는 삶은 과연 어떤 모습일까? (들녘 1권 p358)

사람은 누구나 '이루지 못한 상황에 대한 실망'에 의해 절망했던 경험이 있을텐데요, 여러분의 생각은 어떠신가요?
'우리가 우리에게서 바라고 기대하는 것'에 관해 한 가지를 선택하여 자신의 의견을 이야기 나누어 주세요.

A : 자신의 모자람에 실망하며 고통에 맞설 용기가 없어서, 애초에 기대치를 낮추거나 결과가 확실히 예정된 기대만을 하는 것이 낫다고 생각한다.

B : 자신의 한계를 넘어서는 도전이나, 아니면 자신이 사실은 아주 다른 사람이었다는 것을 깨닫는 기회를 얻을 수 있도록, 용기 있는 기대를 하며 도전하는게 낫다고 생각한다.

⓯자유논제

계획된 것도 아니고 겉으로 드러나지도 않지만, 부모들이 아이들에게 남기는 불가피하고도 쉴 새 없는 부담의 흔적-절대 없애지 못하는 화상의 흉터처럼-은 생각만 해도 가슴이 떨려. 부모들이 지닌 의도나 불안의 윤곽은, 완벽하게 무기력하고 자기가 어떻게 될지 전혀 알지 못하는 아이들의 영혼에 달군 철필로 쓴 글씨처럼 새겨지지. 우리는 낙인찍힌 글을 찾고 해석하기 위해 평생을 보내면서도, 우리가 그걸 정말 이해했는지 결코 확신할 수 없어. (들녘 2권 p77)

저항할 수 없는 아이에게 매일 한 방울 한 방울씩 떨어뜨리는 인식, 아이가 전혀 깨닫지도 못하는 사에에 소리 없이 자라는 인식도 있으니까요 눈에 보이지 않은 이 인식은 음험한 독처럼 아이에게 퍼져 육체와 영혼의 조직에 스며들고, 아이 인생의 색깔과 명암을 결정해요 (들녘 2권 p138)

숨어 있는 실존감, 반대되는 가면을 쓴 채 내 인생을 결정한 부모의 실존감이 나에게도 있었을까? (들녘 2권 p139)

'그레고리우스'는 '프라두'가 아버지와 어머니에게 썼으나 결국 부모에게 닿을 수 없었던 이 편지를 읽고 위와 같이 많은 생각에 빠집니다. 여러분은 이 부분을 어떻게 읽으셨나요?

자녀에게 있어서 부모의 존재와 기대는 가늠할 수 없는 무게로 아로새겨진다는 것에 대하여 여러분의 생각은 어떠한지,

부모의 입장과 자녀의 입장이라는 각각의 관점에서 함께 이야기 나누어 봅시다.

⑯자유논제

"마지막 해에 오빠는, 우리 모두가 두려워하는 외로움의 본질이 도무지 무엇인지 모르겠다는 말을 자주 했어요. '우리가 외로움이라고 말하는 그게 도대체 뭐지? 단순하게 다른 사람의 부재를 의미하지는 않아. 혼자 있으면서도 전혀 외롭지 않을 수도 있고, 사람들과 함께 있으면서도 외로울 때가 있으니까. 그러니 그게 뭘까?' 오빠는 사람들이 온갖 소란 가운데서도 외로울 때가 있다는 생각에 골몰했어요."(들녘 2권 p150)

'프라두'가 마지막으로 쓴 '외로움'이라는 단어가 적힌 메모지의 메시지를 여러분은 어떻게 읽으셨나요?

인간의 본질적인 '외로움'과 '고독'에 관한 자신의 생각을 함께 이야기 나누어 봅시다.

⓱자유논제

아마데우에 따르면 사람의 마음이란, 틀에 박히고 무미건조한 논리가 그럴듯하게 설명하는 것보다 훨씬 복잡했다. "모든 것이 훨씬 더 복잡해. 매 순간마다 아주 더 복잡하지. 서로 사랑해서 삶을 함께하려고 결혼하지. 돈이 필요해서 훔치고, 상처주지 않기 위해 거짓말을 해. 이 얼마나 우스운 이야기인지! 우린 천박함으로 가득한 꾸며진 존재요, 쉬지 않고 움직이는 수은과 같은 영혼, 게다가 끝없이 흔들리는 요지경처럼 색과 형태가 변하는 감정을 지닌 존재들이 아닌가." 조르지는 그 말이 그저 더 복잡하기는 하지만 영혼은 있다는 말로 들린다며 이의를 제기했다고 말했다. (들녘 2권 p174~175)

여러분은 이 부분을 어떻게 읽으셨나요?
사람의 '마음'과 '영혼'은 '사실'의 실체가 있긴 있는지, '사실이라고 생각하는 거짓 그림자들에 불과한 것'인지,
여러분의 생각들을 함께 이야기 나누어 봅시다.

⓲자유논제

□메멘토 모리 (memento mori:죽음의 경고)
'종말은 종말이야. 올 때가 되면 오는 거지.'
'시간을 낭비하지 말고, 뭔가 가치 있는 일을 하라고.'
'네가 언젠가 죽으리라는 걸 기억해. 어쩌면 내일일지도 몰라.'

1. 원래 하고 싶었던 어떤 일에 의식을 집중하기.

2. 흘러가는 유한한 시간에 대한 자각을 자신의 습관과 기대, 특히 다른 사람들의 기대와 위협에 대항할 힘의 원천으로 삼기.

3. 유한 시간에 대한 자각을, 미래를 닫지 않고 열 수 있는 그 무엇으로 삼기.

4. 오랫동안 생각해온 소원을 실현하기 위해 움직이기.

5. 나중에도 언제나 시간이 있다고 생각하는 잘못을 고치기.

6. 메멘토(경고)를 안락함과 자기기만과 꼭 필요한 변화에 대한 불안에 대항할 도구로 사용하기.

7. 오래 꿈꾸어오던 여행하기.

8. 이런 언어들을 배우고, 저런 책들을 읽기.

9. 이 보석을 사고, 저 유명한 호텔에서 하룻밤 묵기.

10. 스스로에게 잘못을 저지르지 않기.

11. 좋아하지 않던 직업을 그만두고, 싫어하던 환경을 떠나기.

12. 더 진실해지고 자기 자신에게 가까워지는 일들을 하기.

13. 아침부터 저녁까지 해변에 누워 있거나 카페에 앉아 있기.

14. 내일 죽을지도 모른다는 생각을 내내 해서 직장을 빼먹고 햇볕을 쬐고 있기'

15. 죽음을 생각해서 다른 사람들과의 관계를 바로 세우기.

16. 적대관계를 청산하고 자신이 행한 잘못을 사과하며, 속 좁은 마음 때문에 하지 못했던, 다른 사람을 인정한다는 말을 소리 내어 발음하기.

17. 다른 사람들의 빈정댐, 잘난 척, 그것 말고도 이들이 누군가에

대해 지닌 변덕스러운 판단 등 지나치게 중요하다고 생각했던 일들을 더 이상 중요하게 생각하지 않기.

18. 메멘토(경고)를 다르게 느끼라는 권유를 받아들이기.

(들녘 2권 p185~187)

여러분은 이 부분을 어떻게 읽으셨나요?

어두운 수도원의 담, 내리깔은 시선, 눈으로 덮인 묘지, 그리고 메멘토 모리 (memento mori:죽음의 경고)에서 나열된 여러 내용 중 가장 공감이 가는 부분을 선택하여 자신의 생각을 이야기 나누어 봅시다.

⓭자유논제

분노라는 들끓는 독. 타인 때문에-그들의 뻔뻔함과 부당함, 타인을 배려하지 않는 태도-우리가 화를 낸다면 우리는 그들의 권력 아래에 놓인 것이다. 그들은 우리의 영혼을 갉아먹고 자란다. 분노는 들끓는 독과 같아서, 부드럽고 우아하며 평화로운 감정들을 파괴하고 우리에게서 잠을 빼앗아가기 때문이다. 우리는 잠을 이루지 못하고 일어나 불을 켜고, 우리를 빨아먹고 기운을 빼는 기생충처럼 우리 안에 자리를 잡은 분노에 분노를 터트린다. 우리가 입은 피해에만 분노하는 것이 아니라 분노가 오로지 우리 안에만 퍼져간다는 사실에도 분노한다. 우리가 지끈거리는 관자놀이를 감싸며 침대 끝에 걸터앉아 있는 동안, 우리를 희생자로 만든 원인 제공자는 분노의 파괴력에 전혀 영향을 받지 않고 멀찍

이 떨어져 있으니까. (들녘 2권 p246)

여러분은 이 부분을 어떻게 읽으셨나요?
'프라두'가 고뇌한 '분노'에의 고찰에 대해 자신의 생각을 융합하여 함께 이야기 나누어 봅시다.

⑳자유논제

'그러니까 언어가 사람들의 빛이로군. 사물은 말로 표현되고서야 비로소 존재하기 시작한 거군.'
'말은 시(詩)가 되고 나서야 진정으로 사물에 빛을 비출 수가 있어. 변화하는 말의 빛 속에서는 같은 사물도 아주 다르게 보이지.'(들녘 2권 p286)

여러분은 '말의 효용'에 관하여 어떻게 생각하시나요?
사람들 사이에서 '언어'를 통해 소통을 하게 되는데, '말'은 인간의 삶에서 어떻게 작용하는지, 특히 시(詩)를 비롯한 문학이 인간의 삶의 끼치는 영향에 관해 함께 이야기 나누어 봅시다.

㉑자유논제

사람의 정체성은 언제 유지되는가. 늘 그래왔던 그 모습일 때? 스스로를 바라보았을 때처럼? 아니면 들끓는 생각과 감정의 용암이 온갖 거짓과 가면에 자기기만을 묻어버릴 때? 달라졌다고

불평을 하는 사람들은 대부분 스스로가 아닌 다른 사람들이다. 그렇다면 사실 이 말은, 어떤 사람이 이제 더 이상 우리가 원하는 그 모습이 아니라는 뜻인가? 그러니까 타인의 안녕에 대한 걱정과 염려라는 가면을 썼을 뿐, 결국 익숙한 것이 흔들릴까 봐 대항하는 투쟁 문구의 일종인가? (들녘 2권 p294)

────────────────────────────────

여러분은 이 부분을 어떻게 읽으셨나요?
'정체성의 유지'와 '변화에 대한 두려움'이라는 관점에서 자신의 생각을 함께 이야기 나누어 봅시다.

㉒기타 보충사항
그 밖에 함께 이야기 나누어 보고 싶은 자유논제 또는 선택논제가 남아 있다면 자유롭게 내어놓고 함께 얘기해 보아요.

㉓전체적인 소감 및 마무리 발언
이번 '함께읽기책'과 오늘의 '독서토론'에 대한 소감 및 전체적인 마무리 평가를 해 주세요.

㉔인상 깊었던 문장이나 핵심 메시지 & 한 줄 총평
'기억에 남는 의미로운 구절이나 핵심 메시지 한마디' 또는 '한 줄 총평'을 해주세요.

▶ 책리뷰

►내가 준 별점 (5.0)

별 5개를 꾹꾹 눌러 주고도 부족할 만큼 대단한 책을 만났다. 나는 평소 독일 문학에 관심이 많은 편이었다. 철학적인 깊이가 바탕에 깔려 있는 독일 작가들과 그들이 쓴 책들은 뭔가 차분하고 진지하게 다가오면서 인간적인 품격을 갖추게 도와주는 것 같았고, 내가 꽤 인격적으로 업그레이드되는 듯해서 독서시간이 즐거웠다. 이 책의 저자는 스위스 태생으로 독일 베를린자유대학에서 언어철학을 가르치고 있는 '페터 비에리'인데, 사실 나는 몇 년 전 한 모임에서 그의 철학서 <교양 수업>을 접한 바 있었다. 단행본과 같이 두께가 얇은 책이었는데, 책 전체를 다 밑줄 쳐야 할 만큼 한줄한줄이 온통 '명언밭'이었던 기억이 남아 있다.

이 책은 그가 '파스칼 메르시어'라는 필명으로 쓴 장편소설이었다. 소설이라기보다는 차라리 철학서라 해도 어색하지 않을 정도로 역시 깊은 철학적 사유로 이끄는 수작이었다. 내용이 쉽지 않아서 이해하며 읽느라 장 한 장 넘기기가 쉽지 않아 애먹었으나, 곱씹어 볼수록 하나도 버릴 게 없는 삶의 철학들을 다양하게 접하며 깊은 사유에 빠져들었고 큰 감명을 받았다.

사실 줄거리라고 하기에는 주인공의 동선과 사건의 변화 자체가 단조롭고 서술구조에 큰 변화는 없었으나, 관념적인 사색으로 이끄는 철학적 사유의 끝판왕이라고 칭하고 싶을 만큼 책 페이지를 넘길 때마다 깊은 생각을 하게 만드는 책이었다.

수많은 저자와 책들이 삶에 대한 해답을 찾기 위해 고군분투하고 있고, 많은 사람들이 '어떻게 살 것인가'에 대해 늘 고민하며 살고 있다. 이 책은 딱히 명확한 정답이 없는 삶에서 가장 중요한 것은 '자기인식'이라는 깨달음을 안겨준 책이어서 그 여운이 길게 남을 듯하다. 오직 인간만이 삶과 죽음에 대해 자기 스스로에게 진지하게 물을 수 있고, 진실한 자아를 탐구하려는 욕구를 지니고 있다는 것을 이 책을 통해 다시 한번 인지하게 되어서 의미가 컸다.

자기 앞에 놓인 생을 어떻게 살아갈 것인지, 지금의 내 삶이 정말 내가 원하는 것인지 자문하게 만들어준 이 책을 만난 것이 반갑고, 가장 좋아하고 추천하고 싶은 베스트책 랭킹 안에 이 책을 새롭게 추가하고 싶어졌다.

▶소감 및 마무리 발언

이 책을 완독하는 과정은 쉽지 않은 시간들의 결합이었다. 앉은 자리에서 한 번에 휘리릭 읽어내기에는 너무 깊은 의미들을 빼곡하게 담고 있었기 때문에 한 문장 한 문장 음미하느라 페이지가 쉽게 넘어가지지 않았다. 그러나 꽤 장시간을 투자하면서도 아주 소중한 무언가를 숨겨놓고 여유로운 시간에 하나씩 다시 꺼내 보며 흡족해하는 기분으로 이 책을 읽었다. 지극히 철학적인 문장들의 향연에 푹 빠져서 나도 모르게 깊은 사색에 잠기기도 했다. 삶과 인간의 근원에 대해 진지하게 생각해 보면서 어느덧 인간으로서의 품격을 스스로 갖추어 나가는 듯한 느낌이 들었는데, 그 감정이 참 행복했다.

이렇게 좋은 책을 소개해주신 책친구님께 감사한 마음이며, 지극히 철학적인 이 책으로 북토크도 나눌 수 있어서 참 좋은 시간이었다. 분량이 만만치 않아서 혹시 완독을 못한 회원님들이 계시다면 기회 될 때 꼭 완독하시라고 권하고 싶을 만큼 이 책은 완벽한 책이었고 '절대소장각'이다. 오늘도 같은 책을 읽고 만나 즐거운 책수다 시간을 함께 나눌 수 있어서 행복했다.

►핵심 메시지 & 한 줄 총평

✔새로운 인생에 시동을 걸기 위한 사유의 힘! 깨달음!

✔우리가 우리 안에 있는 것들 가운데 아주 작은 부분만을 경험할 수 있다면, 나머지는 어떻게 되는 걸까?

✔실망이라는 향유. 실망은 불행이라고 간주되지만, 이는 분별없는 선입견일 뿐이다.

✔무엇을 할 수 있었으며, 뭘 해야만 했을까?

✔완전한 삶을 위한 사소함의 강력한 힘!

✔단조로운 일상에서 호기심을 잃지 않고 관심을 갖는 노력을 게을리하면 안되겠다.

✔상상력은 우리의 마지막 성소다.

✔하루는 작은 인생이다.

✔터널은 희망의 상징이다.

✔타고난 것들은 결정할 수 없지만, 어떻게 살아갈지는 스스로 결정할 수 있다.

✔대단한 사건만이 인생의 방향을 바꾸는 순간이 되는 것은 아니다.

✔운명이 결정되는 순간은 사소한 일들이 대부분을 차지한다.

**타고난 것들은 결정할 수 없지만, 어떻게 살아갈지는
스스로 결정할 수 있다.**
- 『리스본행 야간열차』(파스칼 메르시어 著)를 읽고 -

♣ 실패한 일을 후회하는 것보다, 해보지도 못하고 후회하는
것이 훨씬 더 바보스럽다.   -탈무드-

몇 년 전 도서관 토론 모임에서 다룬 여러 책 가운데에서 '페터 비에리(Peter Bieri)'의 '교양수업'을 만났다. 그 책의 제목에서 떠오르는 '교양 있는 사람'이란 '많이 배운자'와는 구별되는 사람이었다. 전반적인 내용에서 인간이 가장 인간답게 존재하기 위해 의식적으로 노력하는 특정한 방식에 대해 다룬 책이었는데, 저자는 삶의 방향성과 깨어 있는 의식, 내적인 성숙과 도덕적 감수성, 진정한 인간으로서 행복을 누리기 위한 조건 등에 관해 논하면서 독자들로 하여금 가치로운 교양의 개념에 눈뜰 수 있도록 다각도로 일깨워주고 있었다.

나는 책을 읽을 때 보통은 포스트잇을 붙이고 밑줄을 그어가며 세밀하고 꼼꼼하게 분석적으로 독서를 하는 편이다. 그런데 그 책을 읽을 당시에 얼마나 많은 부분을 체크해야 했던지, 두께도 얼마 되지 않게 적은 분량이었던 『교양수업』은 온통 밑줄 투성이

가 되어 완독 후 책이 거의 너덜너덜해져 보일 지경이었다. 그때 그 유명한 독일의 저명 철학자인 '페터 비에리'의 존재감이 강렬하게 각인되었다. 인간의 정신세계와 철학적인 사유의 깊이, 그리고 언어적 감수성이 매우 폭넓고 심도 있는 학자라는 것을 확실하게 느낄 수가 있었다.

그러다가 우리 책모임에 새로 합류하신 신입회원님으로부터 '함께읽기' 할 책을 추천받게 되었는데, 그 책은 '파스칼 메르시어(Pascal Mercier)'의 『리스본행 야간열차』였다. 이번달의 북토크 책으로 결정한 이후에 책을 찾아보니, 『교양수업』의 바로 그 '페터 비에리(Peter Bieri)'가 '파스칼 메르시어(Pascal Mercier)'라는 필명으로 세상에 내어놓은 장편소설이었다.

『리스본행 야간열차』는 2004년 첫 출간 이래로 독일에서만 200만부 이상이 판매되었으며, 아마존 베스트셀러 10위권 안에 해를 거듭하며 연속적으로 상위랭킹을 고수할 정도로 발간 직후로부터 지속적으로 그 유명세를 떨쳤던 작품이었다. 그런데다가 이 책은 세계 각국 30여개 이상의 언어로 번역되어 베를린자유대학의 언어철학 교수인 '페터 비에리(Peter Bieri)'를 세계적인 소설가로 자리매김하게 만든 베스트셀러가 되었고, 작가 '파스칼 메르시어(Pascal Mercier)'의 이름을 확고부동한 인기 작가로 정착하게 만들어주었다.

『리스본행 야간열차』는 '라이문트 그레고리우스'라는 주인공을 내세워 '우리가 우리 안에 있는 것들 가운데 아주 작은 부분만을 경험할 수 있다면, 나머지는 어떻게 되는 건가?'라는 질문을 화두로 던진다. 그러면서 인간의 삶에 대한 실존적이고 철학적인 질문들과 그에 따른 해답을 찾아가는 여정을 담담하면서도 격정적으로 풀어낸 소설이었다.

이 소설을 전반적으로 이끌고 나가는 역할을 하는 주인공 '그레고리우스'는 김나지움에서 고전문헌학을 가르치는 선생님이었다. 곧 60을 바라보는 경륜의 나이에 놓여 있는 그의 삶은 마치 '박물관의 조형물' 같다고 표현할 수 있을 정도로 무미건조하고 단조로운 일상의 연속이었다.

그러던 어느 날, 여느 때와 다름없이 학교로 출근을 하던 길에 우연히 한 낯선 여인을 만나게 된다. 스스로 목숨을 끊으려는 행위를 하는 그녀의 상황을 눈앞에서 목격하게 되면서, 부지불식간에 그녀의 자살행위를 막는 장면으로부터 이 소설이 시작되었다. 그는 그 위태로운 순간에 전혀 어울리지 않게도 그녀에게 모국어가 무엇이냐는 질문을 했으며, 의외의 질문을 받은 그녀는 '포르투게스'라고 대답했다. 그 순간 '그레고리우스'는 그 독특한 단어에서 커다란 울림을 느끼게 되었다.

이후로 그는 우연히 입수하게 된 '아마데우 드 프라두'라는 포르투갈인이 쓴 자서전적 서사인 『언어의 연금술사』라는 책을 손에 들고서 지금까지와는 전혀 다른 곳으로 시선을 돌리게 된다. 그간의 단조롭게 반복되던 삶에서 돌연 이탈하여 전혀 다른 낯선 방식을 선택하고 새로운 세계로 발을 디디게 되는 행위로써 '리스본행 야간열차'에 몸을 싣게 된 것이다.

나는 이 소설의 도입 부분에서 두 남녀 주인공이 나눈 짧은 대화에서부터, 저자가 '언어'에 대해 방점을 찍고 집필을 하였겠구나 싶은 짐작이 들 정도로 이상하게도 '언어'가 이 소설에서 중심적인 메타포로 작용하게 될 듯한 느낌을 받았다. 인간에게 있어 '언어'가 얼마나 중요하며 상상도 못하게 큰 비중을 차지하는 요소인지에 대해 독자들이 스스로 인식하게 만들고 싶은 작가의 의도가 깔려 있다는 생각이 들었다.

주인공 '그레고리우스'는 '언어'를 다루는 학자였고, 출근길에 우연히 만나 목숨을 구해준 낯선 여자에게 했던 첫 질문이 '언어가 무엇이냐'는 것이었으며, 때마침 손에 넣게 된 책이 그녀의 모국어였던 포르투갈의 언어로 쓰여진 책이었다. 그리고 『언어의 연금술사』를 손에 들고 그 책의 저자인 포르투갈인의 행적을 찾아 '리스본행 야간열차'를 타게 된다.

나는 이 책을 읽기 시작하기 전에 이미 이 책의 작가 '파스칼 메르시어(Pascal Mercier)'가 언어철학 교수인 '페터 비에리(Peter Bieri)'와 동일 인물인 것을 알고 있었기 때문인지, 이 저자는 왜 이렇듯 '언어'에 대해 예민한 감수성을 갖고서 '문학' 즉 '소설'이라는 틀 안에서 인간과 삶의 본질적인 문제를 풀어내려고 노력했을까에 대해 상상해 보게 되었다. 깊이 생각할수록 자연스럽게 이어지는 부분은 '인간'과 '언어'의 상관관계에 대한 중요성이었다.

인간이 다른 생명체들과 확연히 구별되는 수많은 특징들 중 가장 큰 것은 무엇일까에 대해 종종 생각해 보곤 한다. 그것은 바로 인간은 언어를 사용하여 소통한다는 면이라고 확신할 수 있었다. 그러니 '인간과 언어의 상관관계'에 따른 연구 논문이 이미 수도 없이 많이 나왔고, 현재도 진행 중이며, 앞으로도 그 연구는 이어질 것이다. 결론적으로 말하자면 인간이 언어를 사용한다는 것은 인간의 두뇌가 고차원적이기에 가능한 일이라는 것이다. 인간이 생명체들 가운데 가장 지능이 높고, 그래서 지혜롭고 합리적인 생각들을 할 수 있다는 것이 가장 특징적이라는 것에는 반론의 여지가 없을 것이다. 이러한 인간들의 특징을 가장 잘 나타내는 말이 '호모 사피엔스(Homo Sapiens)'라 할 수 있을텐데, 즉 '합리적인 생각을 하는 사람'을 의미한다. 태초의 인간이 생각하는 인간으로서 진화하며 그 표현이 고등화되면서 자연스럽게 '언어'가 생겨나게 되었고, 이후로 인간은 '언어'를 통해 의사소통을 한다.

다시 한번 정리하자면, 언어를 구사하는 능력은 인간이 다른 동물과 구분되는 이유이자, 인간이 인간으로 존재할 수 있는 가장 큰 특징인 것이다. 언어는 자연계에서 일어나는 수많은 현상에 인간의 상상력을 보탤 수 있게 도와주었고, 눈에 보이는 현상 그 너머의 어딘가까지 내다보거나, 실존하지 않는 어떤 것들을 머릿속으로 시뮬레이션 해본 후 그것을 현실로 구현하고 창조해 내는 창의력까지 불러일으켰다.

또한 '언어'는 '문자'로 정립되어 기록을 남기는 수단이 되어 주었으니, 인간의 역사를 기록으로 남길 수 있었기에 후대에까지 전승되는 일이 가능해진 것이다. 인간의 역사는 자연계에서 일어나는 있는 그대로의 현상 그 이상을 상상하게 하면서, 그 상상을 현실화하기 위해 끊임없이 노력하게 되었다. 그것은 인간의 삶을 계속해서 발전시켜왔다. 이렇듯 인간이 여타의 다른 동물들과 크게 구별되게 자연을 초월하고 현실을 발전시킬 수 있는 힘이 바로 '언어'를 사용하는 고등동물로서 기록의 역사를 이어왔다는 데에 있다고 해도 지나친 비약이 아닐 것이다.

작가가 이러한 인간의 근원적인 존재성에 관하여 근본적으로 파고 들어가기 위해 이 소설의 주인공 '그레고리우스'로 하여금 '언어'를 다루는 학자로 역할을 주어 소설 속에 등장시켰다는 것을 책을 읽어 나가면서 어렴풋하게나마 깨닫게 되었다.

'그레고리우스'는 수많은 단어들과 서로 다른 각각의 언어를 파고 드는 삶을 살아왔기에 그 사람 자체가 언어로 이루어졌다고 해도 과언이 아닐 정도의 인간이었다. 그는 스위스 베른에 살고 있는 60이 코앞인 나이의 남성이었으며, '언어'를 활용하여 인간을 어떻게 이해할 것인지에 대해 늘 고심하며 살아왔다. 30년 이상을 고대언어를 연구하고 후학을 가르치는 '고전문학교사'로서 그리스어, 라틴어, 헤브라이어에 능통하고 '파피루스'라는 별명을 꼬리표로 붙이고 다닐 만큼 언어에 몰입한 학자로서 인생의 대부분을 심취해 살고 있었다. 그런 그에게 비오는 어느 날 출근길에 예기치 못하게 맞닥뜨린 한 여자의 목숨을 구하게 되는 사건이 일어났다. 그 낯선 여자의 '포르투게스'라는 말에 이끌리면서, 그녀의 모국어가 그에게는 생소한 언어라는 것으로부터 그가 지금까지 살아왔던 기존의 삶에 대해 '낯설게 보기'를 자연스럽게 시도하게 된 것이다.

사실 이 지점이 우리 모두의 삶과 너무도 닮아 있는 것이 아닐까 싶었다. 어제가 오늘 같고 오늘이 내일 같이 그저 그렇게 유유히 흘러가는 일상을 살아가다가, 어느날 문득 생경스러운 상황을 만났을 때, 내가 과연 지금 이 순간 삶을 제대로 살아가고 있는 것일까에 대해 뜬금없이 의문을 가지게 될 때가 있다. 한 발 더 깊이 들어가 보면 타성에 젖어 그냥 반복하는 일상일 뿐, 나의 의지로 내 삶을 잘 살고 있지 못한 채 중요한 뭔가가 빠진 듯한 인생을 살아가고 있다는 깨달음이 들면서 문득 허무해지는 감정을 느끼게 되기도 한다.

'그레고리우스'는 그런 낯선 상황을 경험하게 되었고 여태까지의 삶을 되돌아보게 되면서 뭔가가 잘못되어가고 있다는 두려움을 느끼며 '리스본행 야간열차'에 올라타게 된 것이었다. 틀에 박힌 삶의 수순과 정해진 구조 안에서 안일하게 머물기만 했던 그간의 삶을 탈피하여 낯선 언어를 도구화함으로써 새로운 세상으로 나아가 삶의 색다른 의미를 찾게 된 것이다.

낯선 언어의 생소한 단어들은 지금까지의 삶과는 전혀 다른 관점으로 시선을 옮겨가는 기능을 하면서, 때마침 『언어의 연금술사』라는 책을 헌책방에서 우연히 발견하고 그 책의 저자인 리스본의 의사 '프라두'라는 인물이 살았던 삶의 여정을 추적해 나가게 되었던 것이다. 어쩌면 일탈과 모험일 수도 있을 낯선 변화를 시도하면서 '아마데우데 프라두'라는 이미 고인이 된 타인의 삶의 발자취를 더듬어 나가는 과정을 통해 자신의 삶과는 너무도 달랐던 고인의 삶에서 커다란 울림을 깨닫는다. 그 낯선 여행의 결과는 이전의 삶과는 전혀 다르게 변화된 인식과 새로운 삶의 형태로 '그레고리우스'에게로 되돌아오게 된다.

이 책의 대부분을 차지하고 있는 서사로써 '그레고리우스'가 리스본에 도착해서 따라간 낯선 동선은 『언어의 연금술사』의 저자인 '프라두'의 흔적이었다. 53세의 나이로 이미 세상을 떠난 상황이었던 '프라두'는 아버지가 법조인(판사)이었던 부유한 가정에서 태어나 부모님의 바람대로 의사가 되었고, 실력 있는 의사로서 사람들의 존경을 받으며 평탄하게 살아갔다.

그러던 어느날 '인간백정'이라고 불릴 정도로 잔혹했던 비밀경찰 '멩지스'의 목숨을 구하는 의사로서의 역할에 충실했던 사건 이후로 만인의 비난을 받으며 괴로워하다가, 자신의 과오를 속죄하기 위해 남몰래 레지스탕스 운동에 참여한다. 이후로 독재를 종식시키기 위한 저항운동의 끝이 되었던 사건인 '카네이션 혁명' 바로 직전에 뇌출혈로 생을 마감하게 된다.

'그레고리우스'는 '프라두'의 삶에서 자신의 삶을 본다. 『언어의 연금술사』에서 '프라두'가 서술한 수많은 글들을 마치 자신을 향해 쓴 언어의 향연처럼 느끼기도 한다. '그레고리우스'가 자신조차도 알 수 없을 만큼 불현듯 올라온 어떤 확신을 갖고서 리스본행 야간열차를 타는 일탈을 난생 처음으로 감행했던 것과 같이, '프라두' 또한 자신의 신념에 따라 의사라는 신분을 벗어던지고 저항운동에 투신함으로써 거칠고 험한 인생을 택했다.

사람들이 자신의 인생을 살아가면서 어떤 목표를 갖고 살아가고 있는지, 그리고 자신만의 신념을 갖고 능동적으로 살아가고 있는지, 인생의 방향성을 스스로 잘 알고 제대로 나아가고 있는지에 대해, 이 소설의 저자인 '파스칼 메르시어'는 독자들에게 삶의 방향성에 대한 질문을 던지고 싶었는지도 모르겠다는 생각을 해보게 된다.

'그레고리우스'가 '프라두'의 종적을 따라가는 여정 속에서 중간중간 소소한 에피소드도 펼쳐졌는데, 그 부분들 또한 예사롭게 넘길 수 없게 깊은 의미가 담겨 있었다. 길거리에서 우연한 사건/사고를 당하면서 쓰고 있던 안경을 깨뜨리게 된 '그레고리우스'가 오랜 기간 썼던 두꺼운 근시 안경을 최신식의 세련되고 가벼운 안경으로 바꾸고, 입고 있던 낡은 재킷을 새로운 양복으로 바꾸어 입는다. 그간 낯익고 편안한 것을 중요시하게 생각했던 자신의 모습에서 벗어나 낯설지만 새롭고 발전된 것을 받아들이면서 이전과는 확 달라진 자신의 모습을 진열장 거울에 비춰보고 거의 분노에 가까운 충격을 느끼는 이 장면에는 함축된 메시지가 너무도 많았다.

나는 이 장면이 '그레고리우스'가 지금까지 살아왔던 삶과는 완전히 다른 삶이 충분히 가능했다는 것을 깨닫는 순간이라고 느꼈다. 이미 죽은 고대의 언어와 과거의 지식들을 끌어안고 '파피루스'라는 별명에 너무도 잘 어울리는 정체된 삶에 고착되어 변화를 두려워하며 새로운 것을 전혀 받아들이지 않는 그의 삶이 다른 삶으로 얼마든지 전환하고 새롭게 달라질 수 있다는 것을 알게 된 것이다.

다시 말하자면 확실히 보장되고 앞날이 예상되어 안정은 되었지만 지루하고 권태로운 기존의 삶에서 벗어나, 지금까지와는 완전히 다른 삶을 살 수 있다는 것을 작가도 주인공도 독자도 모두 공감하고 있는 상황이었다. 예측할 수 없는 삶은 불확실해서 불안정하기는 하나, 반면에 살아 숨쉬는 생동감과 생생한 감정들을 넘나들 수 있으니 그것을 덮어 놓고 무시할 수만은 없다는 생각을 하게 만들었다.

이 소설에서 반복되는 메시지 중 가장 강렬하게 잔상이 남는 것이 '우리가 우리 안에 있는 것들 가운데 아주 작은 부분만을 경험할 수 있다면, 나머지는 어떻게 되는 걸까?'라는 문구였다. 우리 모두가 삶에서 지극히 작은 일부분만을 경험할 수 있는 것이라면 우리 안에 존재하는 나머지 부분들은 도대체 어떻게 되는 걸까를 생각해 볼수록 안타까운 마음이 극대화되었다.

누구나 현실적으로 벗어던지기 힘든 저마다의 역할들을 충실히 수행하며 살아가고 있다. 짊어진 현실의 무게가 너무 무겁기도 하고 책임감과 관성이 만만치는 않기 때문에, 이 소설의 주인공 '그레고리우스'처럼 어느날 갑자기 모두 다 내려놓고 '리스본행 야간열차'에 몸을 싣는 용기를 내기란 말처럼 쉬운 일이 아니란 걸 우리 모두는 잘 알고 있다. 아마도 소설이라서 극적인 효과를 내기 위해 극단적인 서사를 끌어와 그럴싸한 설정에 의한 효과적인 장치로 활용할 수 있었을 거라고 이해되었다. 그런데 그 맥락을 우리 현실에 대입해 보면서 보통의 사람들은 어떻게 할 수 있을까를 생각해보니 '여행'의 기능에 대해 한층 깊은 의미를 부여할 수 있을 것 같았다.

우리는 익숙한 일상을 잠시 내려놓고 가끔씩 떠나는 여행에서 평상시 경험하지 못했던 낯선 장소와 새로운 풍광, 생경한 언어를 접하며 새롭고 신선한 감각들에 눈을 뜨게 되기도 한다. 그러면서 평상시에 억누르고 묻어두는 감정들을 좀 더 자유롭게 끌어내어 평소 안하기도 하고 못하기도 했었던 일탈에 가까운 일들을 감행해 보기도 한다. 이 책의 저자가 반복해서 말한 바로 그 '나머지 부분들'을 조심스럽게 채워나가고자 애쓰는 우리들의 몸부림이 곧 여행이 아닐까 하는 생각을 하게 된다.

인간은 누구나가 꿈결같이 아름다운 삶을 갈구하고 추구하지만 좋고 예쁜 것만을 쫓아 아름답게만 살 수 없는 게 어쩔 수 없는 우리의 인생이다. 상황에 떠밀리다 보면 내가 스스로 선택하는 삶을 제대로 잘 살 수도 없는 게 불편한 진실이다. 때로는 두려움 때문에 용기를 내지 못하고 현실에 족쇄 채워진 노예처럼 주어진 하루하루를 꾸역꾸역 살아가기도 한다. 삶의 다양한 모습들 중에서 어떤 것의 경중과 옳고 그름을 따지는 것은 불가능하며, 그 모든 것이 온전히 우리의 삶인 것이다.

때로는 다소 보수적인 관점에 더 끌릴 때가 많은 내가 나름대로 중심을 잡고 살아가는 부분이 있다면, 그것은 '마무리와 시작'을 중요하게 생각한다는 것이다. 좋든 싫든 일단 하고 있는 일은 잘 마무리하여 유종의 미를 거두고, 새로운 일을 시작함에 있어서는 시도조차 해보지 않고 두려워할 필요 없이 그냥 해보면 어떻게든 된다는 생각을 자주 한다. 너무 하기 싫은 일들도 어차피 해야 할 일이라면 그냥 하고 보면 어느덧 마무리가 되고, 싫었던 감정은 어느새 사라지고 결과는 남아서 나에게 힘을 주는 무기가 되어 안정감을 느끼게 해 줄 때가 있다. 그러다가 혹시 그런 안정감이 지루해질 때쯤이면 또다른 것을 새롭게 시작하면 된다. 아무튼 안정적인 나만의 무기를 하나씩 만들어 나가면서 새롭게 열리는 또다른 기회를 찾아 담담하면서도 씩씩하게 나아간다면 삶은 얼마든지 좋게 변화할 수 있다는 것을 지금껏 살아오면서 깨닫게 되었다.

이 책을 통해 작가가 던지려는 수많은 메시지들 중 가장 핵심적인 것이 무엇일까를 꼽아보려고 노력하며 책을 읽었다. 삶에는 정답이 없으나 삶의 방향성을 정하는 것에는 자신이 쥐고 있는 능동적이고 자기주도적인 결정권이 상당히 중요하다는 것을 다시 한번 생각하게 되었다. 그리고 현재의 삶에 매몰되지 말고 그 너머의 셀 수 없이 많은 가능성들에 대해 늘 깨어 있으면서 새로움에 시선을 돌릴 수 있고, 사고를 유연하게 가져갈 수만 있다면 좀 더 의미롭고 한층 더 인간적인 삶에 가까이 갈 수 있다는 희망을 느꼈다. 또한 내가 직접 경험하는 삶은 물론이고 타인의 삶에서나 책이나 영화 등에서 보고 듣고 배우면서 간접적으로 접하며 깨닫게 되는 진리를 조화롭게 균형 잡아 나갈 때 삶을 좀 더 풍요롭게 채울 수 있으리라는 깨달음도 있었다.

이 책은 우리 책모임 신입 회원님의 추천으로 만나게 된 책이었는데, 출간된 지 꽤 시간이 지난 상황이라 현재는 절판된 책을 중고 서점에서 운 좋게 구했다. 총 2권의 구성으로 분량의 압박이 큰 데다가, 책 속에 담겨 있는 철학적 메시지가 워낙 깊어서 한 챕터 읽고 음미하며 깊이 생각하기를 반복하느라 페이지를 쉽게 넘길 수는 없었기에 가독성이 그다지 좋지는 않았다. 읽는데 진도가 빨리 나가지지가 않아서 완독하기까지 상당한 시간이 걸렸다. 그러나 절대로 중간에 책을 덮어버리거나 내던져 버릴 수는 없었고 힘들어도 끝까지 붙들고 페이지를 넘겨 나갔다.

그런데 읽다 보니 어떻게든 끝까지 읽어서 결국에 완독에 이르게 만드는 묘한 힘이 있는 대단한 소설이었기 때문이다. 여타의 고전을 읽을 때 느꼈던 바와 같이 읽기는 참 힘들었으나 완독하고 나니 뭔가 의미로운 관념들이 남아서 정신적으로 충만해지고 뿌듯해지는 책이었다.

이 소설을 통해서 난생 처음으로 일탈을 감행하며 자신의 삶에 대해 진지한 통찰을 하게 되는 고전문헌학 교사 '그레고리우스'와, 그가 낯선 도시 리스본에서 그 발자취를 찾아 여정을 이어가게 만들었던 치열한 삶의 주인공 '프라두'라는 두 사람의 소설 속 주인공을 만나, 철학과 문학, 그리고 예술을 망라하여 수준 높은 지적인 사유를 경험하게 된 독서의 시간이 나는 많이 행복했다. 고난이도의 문장들을 이해하기 위해 한 챕터 읽을 때마다 그 의미를 제대로 소화해 내려고 반복해 읽고 곱씹어야 할 만큼 인내심과 집중력이 필요하기도 했다. 그 모든 것들이 평상시 쉽게 경험할 수 없는 독서의 희열을 느낀 순간이었다.

이 작품은 관념적인 사유의 끝장인 책이라 말할 수 있을 만큼, 소설이라기보다는 차라리 철학서에 가까웠다. 읽는 내내 인간적으로 고매해지고 품격 있는 사람이 되는 듯한 느낌이 들어서 뭔가 뿌듯하고 흡족해졌다. 특히 파란만장했던 '프라두'의 생애를 통해 인간의 삶이 얼마나 복잡다단하고 녹록지 않은 여정인지를 다시금 상기하게 되어 여러가지 상념으로 생각이 참 많아지기도 했다.

지극히 섬세한 문체와 인간의 삶에 대한 철학적인 고찰이 매우 뛰어난 이 책은 '유럽 문학의 현대 고전'이라는 찬사를 받고 있다고 한다. 나는 이 책을 완독하면서 몇 년 전 '페터 비에리'의 철학서 '교양수업'을 읽었을 때와 마찬가지로 완전 반해서, 철학자 '페터 비에리'든, 소설가 '파스칼 메르시어'든, 그는 역시 대단한 철학자이자 훌륭한 작가라는 찬사를 아낌없이 보내고 싶어졌다. 그리고 읽는 이로 하여금 인간이 원죄처럼 장착하고 살고 있는 삶의 근원적인 의문들에 대해 철학적 사유를 할 수 있는 시간으로 이끌어주는 이 책을, 좀 더 많은 사람들이 읽고 좋은 영감을 얻어 자신의 삶에 조금이나마 반영할 수 있는 계기가 되기를 바라는 마음도 올라왔다.

일상성과 항상성, 타고난 성정과 개인의 개별적 특성, 젊은날의 번민과 장래에 대한 불안감, 진로선택에 대한 주관, 부모가 자식에게 끼치는 영향과 자식이 부모로부터 갖게 되는 부담감, 시대와 역사의 요구, 인간적인 번민과 사회적 역할의 균형점, 삶의 방향을 결정하는 자기주도적 용기, 철학적 사유와 언어의 품격......
이 책에서 담고 있는 유의미한 삶의 철학에 대해 말하자면 끝도 없이 꼽을 수 있을 것 같다. 개인적으로는 대학생인 아들아이에게 한번 읽어보라고 추천해 주기도 했는데, 언제든 나에게 추천책을 꼽아달라는 분들이 계시다면 그 책들 리스트에 이 책이 빠지지 않을 듯하다.

책과 영화는 독자나 관객들에게 간접 경험을 하게 하고 주인공들을 통해 대리만족을 얻게 되는 경험을 선사하기도 한다. 그러면서 중심메시지를 깨닫고 삶에 대한 통찰을 할 수 있게끔 이끌어 준다. 이 책은 독자로 하여금 인간으로서의 품격을 지켜나가면서 삶에 대한 철학적 사유로 이끄는 힘이 있었다. 삶에서 자신이 원하는 무언가가 있다면 그것을 이루어 나가는 과정에서 실패할 것을 미리 예단하여 시도조차 해보지 않고 실체가 없는 두려움에 포기해 버리지 말고, 자신의 가능성과 저력을 믿고서 현재 스스로 할 수 있는 일을 선택하여 일단 해보는 실천력이 중요하다는 것을 깨닫게 되었다. 또한 무엇이든 용기 내어 시도하는 일에는 자신이 가진 모든 자원을 최대한 동원해 집중하는 것이 중요하다는 생각도 해보게 되었다.

현실생활인들은 대부분 매일매일이 비슷비슷하거나 심하게 똑같을 정도로 반복되는 일상이 평화롭고 고요하다 못해 너무도 평범하다. 더 이상 새로울 것이 없는 삶에서 벗어나 불현듯 '리스본행 야간열차'에 올라탄 '그레고리우스'의 행동이 즉흥적인 것인지, 결단력 있는 것인지, 솔직히 헷갈리기도 한다. 주인공의 모습과 극적인 소설의 전개에서 지극히 '픽션'스러운 우연의 연속이라는 면에서, 이 훌륭한 작품의 옥의티를 굳이 끄집어내려는 비판적인 생각도 살짝 들었다. 그렇지만 어쨌든 실패할 것을 미리 두려워하지 않고 스스로 용기를 낸 그 순간, 상상으로만 꿈꾸던 것들이 현실적인 삶으로 다가와 지금까지의 삶에 변화를 주고 또다른 삶을 살 기회를 얻을 수도 있다는 것을 깨닫게 하는 소설이었다.

또한 이 소설은 너무도 익숙해진 일에서 매너리즘에 빠져있거나 무한 반복되는 일상에 지칠대로 지쳐버린 사람들에게, 지금까지와는 다른 방식으로도 살 수도 있다는 메시지를 던져주고 있는 참 희망적인 책이라고 생각되었다.

자기주도적인 의지도 없이 주어진 일을 관성적으로 일평생 반복했던 고단한 삶에서 한 발짝 떨어져 나와서, 내 삶의 모습을 객관적으로 관조해 보고 방향을 비틀어보기도 하며 휴식하는 기회를 놓치지 말 것을 권장하는 듯한 작가의 메시지가 느껴지기도 했다. 때로는 가슴 뛰는 일탈이 삶의 기쁨으로 다가와 미처 생각하지도 못했던 또다른 길로 안내해 주고 새로운 문을 열어줄지도 모른다는 가능성에 대해서도 상기시켜 주었다.

한편 전세계적으로 워낙 유명세를 떨친 『리스본행 야간열차』를 원작으로 한 시나리오로 만들어진 영화가 2014년에 개봉된 바 있었고 그 영화 또한 전세계적인 히트작이 되었다고 한다.

인생은 우연의 연속이며 그 우연을 필연으로 만들며 내 삶 속에서 열려 있는 다양한 가능성들을 찾아 떠나는 치열한 경험을 하고 싶게끔 만들어 준 영화로, 많은 사람들에게 커다란 울림을 준 수작으로 남았다. 이미 베스트셀러로 유명세를 떨치고 있었던 원작이 칸 영화제 황금종려상 2회 수상을 할 만큼 실력파로 인정받은 세계적인 거장 '빌 어거스트' 감독의 영화로 탄생되었던 것인데, 이 영화는 제63회 베를린 국제 영화제에서 처음으로 공개되어 센세이션을 일으켰다고 한다.

중년을 넘어서 노년으로 치닫는 연령대에서 어떻게 그다지도 매력적인 분위기를 잃지 않고 최고로 멋질 수가 있는지 놀라움을 주면서, 중후하고 지적인 분위기로는 동시대 동년배 배우들 중 단연 전무후무하게 최고인 배우 '제레미 아이언스'는 아카데미 남우주연상을 수상한 바 있는 대배우이다. 그가 이 영화에서 주인공인 고전문학 교사 '그레고리우스'를 연기하였고, 프랑스를 대표하는 여배우로 다채로운 매력을 발산하는 여배우 '멜라니 로랑'이 신비로운 분위기를 지닌 '스테파니아' 역할을 맡았다. 그러니 이 영화는 수많은 영화 마니아들의 최애 영화로 등극하기에 부족함이 전혀 없는 명작으로 남을 수밖에 없었겠다 싶다.

그러나 원작의 철학적 깊이를 그대로 표현해 내기에는 영화 특유의 축약과 각색의 한계가 많았기에, 소설을 읽은 후 영화를 보면 다소 실망스러움을 느낄 수 있다고 말하는 비평가들의 조언을 간과하기는 어려울 듯하다. 그런 만큼 『리스본행 야간열차』 원작이 지닌 철학적이고 관념적인 삶의 통찰이, 우리 모두에게 커다란 울림을 주며 의식적으로 깨어나게 하는 훌륭한 작품이라는 방증이 아닐까 싶다.

타고난 것들은 결정할 수 없지만, 어떻게 살아갈지는 스스로 결정할 수 있다.

국적, 인종, 부모, 신분 등 태어나보니 이미 주어져 있는 것들과 같이 내가 능동적으로 어떻게 해볼 수 없는 불가항력적인 요소들이 많다. 그럼에도 불구하고 주어진 상황에서 최선을 다하며 어찌어찌 잘 살아내어 원하는 성취를 어느정도 이루고 현재에 이르렀으나, 어느날 문득 뭔가 잘못되어가고 있는 것 같다는 불안감이 엄습해 올 때가 있다. 이때 우리는 앞으로 남은 생을 어떻게 살아가야 할지에 대해 진지하게 고민해 봐야 할 필요성이 있다. 물론 지금까지처럼 그럭저럭 살아갈 수도 있고, 여태껏 살아왔던 것과는 전혀 다른 방향으로 새롭게 나아갈 수도 있을 것이다. 아무튼 남은 생을 어떻게 살아갈지에 대한 결정권과 선택권은 스스로에게 있다는 사실이 희망적이라는 생각을 해보게 된다.

어쩌면 우리는 천년만년을 살 것처럼 오늘을 욕심사납게, 또는 맹목적으로 살고 있는지도 모른다. 그러나 내가 언젠가는 죽으리라는 걸 기억해야 한다. 어쩌면 그 죽음이 당장, 아니면 내일일지도 모른다.

익숙한 것에 대해 낯설게 보며 깨어 있는 의식은, 현재에 매몰되어 있는 사람들에게 경고의 메시지가 되어 지금까지와는 또다른 바깥세상이 있음을 일깨워 준다. 계획이 되었던 여행이든, 아무런 계획 없이 즉흥적으로 떠나게 되는 여행이든, 여행은 현실과는 다른 새로운 세상으로 나아가는 작은 시작이 될 수 있다. 현실과 잠시 거리두기를 하고 낯선 세상에 나를 놓아 봄으로써 자신을 돌아볼 수 있는 여유를 얻을 수 있다. 이렇게 나 자신을 다른 위치로 옮겨봄으로써, 타성에 젖은 무한반복을 강요하는 이 세상과, 깊은 생각없이 그냥 살아가며 매너리즘에 빠진 나 자신에 대해, '낯설게 보기'를 하는 것은 삶에서 매우 중요한 듯하다. 어찌보면 지극히 주관적인 감각에 매몰된 자신을 객관화해 보는 과정인지도 모르겠다.

때로는 타인을 통해 내 모습을 보게 되기도 한다. 나는 『리스본 행 야간열차』를 손에 들고 어떤 사람의 치열했던 삶의 경험을 함께 쫓아가는 기분으로 이 책을 읽었다. 마치 어느 날 문득 아무런 계획도 없이 떠나버린 여행과도 같았던 독서의 시간이었다. 그리고 완독한 후에는 책을 내려놓고 또다시 평범한 일상으로 되돌아가야 하는 시간이 나에게도 찾아왔다. 우리가 이 책 속의 주인공처럼 우연히 일탈하게 된다 하여도, 반복되는 현실로 되돌아가야 하는 시간은 어김없이 찾아올 것이다. 그래서인지 이 책 속에 등장하는 인물들이 거닐었던 삶의 궤적들이 더욱더 특별하고 의미롭게 느껴졌던 듯하다.

이 책은 너무도 철학적이고 지극히 관념적이어서 한 문장 한 문장을 되새기는 시간들을 병행해야 했기에 꽤 긴 시간을 투자해 힘들게 읽었다. 독서리뷰의 서두에도 말했듯이 이 책을 읽는 내내 소설책이라기보다는 차라리 철학책이라는 느낌이 강하게 들었고 어떤 면에서는 성서를 읽는 듯한 착각이 들기도 했다.
'그레고리우스'와 '프라두'의 긴 독백과도 같은 철학적 문장들이 끝없이 이어지는 대목에서는 깊은 사색에 잠기는 순간이 많았고, 나도 모르게 삶과 인간의 근원에 대해 끝도 없이 파고 들어가게 되면서 정신적으로 상당히 고매해지고 품격있는 인간의 경지에 이르는 듯한 우아함의 극치를 맛보기도 했다. 난해하고 어려운 문장들을 되읽으며 버겁다 느끼면서도 좀 더 잘 이해해 보려고 저절로 노력하게 될 만큼 너무도 훌륭한 이 책을 읽는 동안 매우 행복했다. 별점 5점 만점에 꾹꾹 눌러 담은 5점을 다 퍼주고도 모자랄 만큼 홀릭하게 된 이 좋은 책을 추천해 주신 책친구님께 진심으로 감사하는 마음이다.

나 혼자 골라 읽는 책들은 아무래도 선호도와 경향성이 치우칠 때가 많은데, 이렇게 책친구님들과 돌아가며 책을 선정하니 다양한 책들을 만나게 되고 그 가운데에서 보석 같은 책들을 발견하게 되는 재미가 쏠쏠하다. 이번달의 '함께읽기' 책으로 만난 『리스본행 야간열차』는 노안의 압박에도 굴하지 않으면서 앞으로도 좋은 책을 '함께읽기' 하며 책 속에서 삶의 길을 찾는 행복한 순간들을 놓치고 싶지 않다는 의욕을 새삼스럽게 불러일으켜 준 매우 특별한 책으로 남았다.

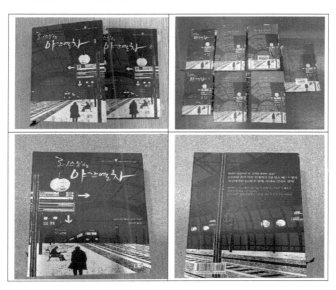

제3화 그림동화 『긴긴밤』

3

루리 著

제3화 그림동화 『긴긴밤』을 읽고

루리 著

♧ 고단한 인생에서, 어떻게든 살아내는 것이 삶이다.

▶ 독서토론 발제문

이번 '함께 읽기' 책은 책친구님의 추천책으로, 어린이뿐만 아니라 어른들을 위한 동화라고 해도 과언이 아닌 그림동화책 『긴긴밤』이었습니다.

케냐 북부의 유일한 수컷 흰바위코뿔소였던 '수단'으로부터 시작된 이야기인 『긴긴밤』은 '압도적인 감동의 힘', '인생의 의미에 대한 깊이 있는 질문과, 그 해답을 찾아가는 과정의 엄숙함', '멸종되어 가는 코뿔소와 극한의 상황에서도 포기하지 않는 어린 펭귄의 모습을 아름답게 그려 낸 작품'이라는 평가를 받고 있습니다. 『5번 레인』과 함께 제21회 문학동네 어린이문학상 대상을 받은 바 있는 '루리'작가의 그림동화책 『긴긴밤』을 여러분은 어떻게 읽으셨나요?

별점과 함께 읽은 소감을 나눠봅시다.

(1점부터 5점까지 별점을 주세요.)

◎별점(1~5점, 소수점가능) ☆☆☆☆☆

독창성/짜임새/재미/깊이/소장가치에 근거하여(   )점

◎읽은 소감(별점을 준 이유)

❶자유논제

'노든'은 뿔이 어느 정도 자라났을 때쯤 자신이 있는 곳이 코끼리 고아원이라는 것을 알게 됩니다.

왜 코끼리 고아원에서 코뿔소 한 마리를 보호하게 되었는지는 알 수 없지만, 그곳에서 보낸 시간은 노든의 삶에서 가장 평화로운 날들이었다. 노든은 허기질 일도 없었고, 위험과 마주칠 일도 없었으며, 무엇보다 언제나 코끼리들과 함께 있었다.

(문학동네 p12)

여러분은 이 부분을 어떻게 읽으셨나요?
자신의 삶에서 가장 평화롭고 행복했던 나날을 보냈던 시절은 언제인가요? 함께 이야기 나누어 봅시다.

❷자유논제

'노든'은 자신이 코뿔소의 겉모습을 가진 코끼리라고 생각했습니다. 왜냐하면 코끼리들은 마음만 먹으면 바람보다 빨리 달려서 상대방을 받아 버릴 수도 있고, 물소 열 마리보다 무거운 몸통으로 상대를 깔아뭉갤 수도 있는 강한 모습을 하고 있었기 때문이었습니다.

하지만 코끼리는 무모하지 않았다. 그래서 쉽게 화를 내지 않았다. 화를 내면 그것은 곧 싸움으로 번졌고, 싸움은 죽음을 부르는 일이었다. 코끼리는 스스로의 목숨도, 남의 목숨도 함부로 여기지

않았다. 그것이 코끼리들의 지혜였다. 노든은 형명한 코끼리들이 좋았다. (문학동네 p13)

___

여러분이 생각하는 '무모하지 않은 삶'이란 어떤 것인가요?
또한 '지혜로운 처신'이란 무엇일까요?
함께 이야기 나누어 봅시다.

❸선택논제

코끼리의 긴 코 대신 뿔이 생긴 '노든'은 지혜롭고 현명하게 생각하여야 하며 무모한 선택을 해서는 안된다고 판단하여 코끼리 고아원에 남겠다고 말합니다. 그런데 기뻐해 줄 것이라 생각했던 할머니 코끼리는 기대와 다른 말을 하게 됩니다.

___

하지만 너에게는 궁금한 것들이 있잖아. 네 눈을 보면 알아. 지금 가지 않으면 영영 못가. 직접 가서 그 답을 찾아내지 않으면 영영 모를 거야. 더 넓은 세상으로 가. 네가 떠나는 건 슬픈 일이지만 우리는 괜찮을 거야. 우리가 너를 만나서 다행이었던 것처럼, 바깥세상에 있을 또 다른 누군가도 너를 만나서 다행이라고 여기게 될거야. (문학동네 p15)

___

라고 말하는 할머니 코끼리의 의견에서 여러분은 어떤 생각을 하셨나요?
'노든'이 안전하고 행복한 코끼리 고아원을 떠나서, 위험하지만 더 넓은 세상으로 나아가야 한다는 할머니 코끼리의 말을 여러분은 어떻게 읽으셨나요?

여러분이라면 어떤 선택을 하고 싶으신가요?

한 가지를 선택해 보고 그 이유를 이야기 나누어 봅시다.

A : 할머니 코끼리의 의견에 찬성한다. 그리고 떠날 것이다.

B : 할머니 코끼리의 의견에 반대한다. 그리고 떠나지 않고 남을 것이다.

❹자유논제

코끼리 고아원에서 나오기로 한 선택을 후회한 적이 있느냐는 질문에 '노튼'은 이렇게 대답합니다.

훌륭한 코끼리는 후회를 많이 하지. 덕분에 다음 날은 전날보다 더 나은 코끼리가 될 수 있는 거야. 나도 예전 일들을 수없이 돌이켜 보고는 해. 그러면 후회스러운 일들이 떠오르지. 하지만 말이야, 내가 절대로 후회하지 않는 것들도 있어. 그때 바깥세상으로 나온 것도 후회하지 않는 몇 안 되는 일들 중 하나야.
(문학동네 p18)

다시 예전으로 돌아갈 수 있다면. 멀리서 코뿔소 무리를 보았던 때로, 가족을 만났던 때로, 아니 그건 너무 많은 것을 바라는 것일지도 모른다. 앙가부가 옆에 있었던 얼마 전이로라도 돌아갈 수 있다면, 무슨 짓이라도 할 텐데.(문학동네 p49)

'후회'와 '회한'에 대한 자신의 생각을 말해 봅시다.

만약 여러분에게 요술봉이 있다면 과거의 어느 시절로 돌아가고 싶은지 함께 이야기 나누어 봅시다.

❺자유논제

코끼리 고아원을 떠나 바깥세상으로 나온 노든은 한동안 이곳저곳을 혼자 떠돌아다녔다. 혼자인 것도 그럭저럭 괜찮았다. 가고 싶은 곳은 어디든 갈 수 있었고, 무엇이든 원하는 대로 할 수 있었다.(문학동네 p19)

여러분은 이 부분을 어떻게 읽으셨나요?

현대 사회에서는 혼자 여행하는 사람들도 많아졌고, 비혼주의, 독신주의를 선택하여 혼자의 삶을 살아가는 사람들도 많습니다.

여행, 취미생활, 그리고 삶을 '혼자하기'와 '함께하기'의 장점과 단점에 대하여 생각해 보고, 자신의 선호도를 기반으로 함께 이야기 나누어 봅시다.

❻자유논제

가끔씩 노든의 발걸음을 멈춰 세우는 풍경들이 있었다. 저 멀리서 몰려오는 시커먼 먹구름이라든가, 그 속에서 번쩍이는 번개, 아침 해가 떠오를 때 주변의 풀들이 반짝이는 광경, 하늘에서 떨어지는 첫 빗방울이 남긴 자국, 그리고 키가 큰 풀들이 바람에

몸을 맡기고 이리저리 움직이는 모습에 노든은 압도되었고, 시간을 충분히 들여 눈앞에 펼쳐진 광경을 감상했다. (문학동네 p19)

―――――――――――――――――――――――――――――――――

코끼리 고아원을 떠나온 '노든'은 그간 보지 못했던 바깥세상의 풍경을 만나 새로움, 놀라움에 눈뜨게 됩니다.
여러분이 '노든'과 같이 어떤 낯선 곳에 갔을 때 압도되었던 경치나 잊지 못할 풍광을 만났었던 경험이 있었나요? 인상적인 기억으로 남아 있는 장소, 경치, 광경 등을 서로 소개해 봅시다.

❼자유논제

―――――――――――――――――――――――――――――――――

혼자서는 코뿔소가 될 수 없었다. 노든이 코끼리로 살 수 있었던 것은 코끼리들이 있었기 때문이고, 코뿔소가 되기 위해서는 다른 코뿔소들이 있어야만 했다. 다른 코뿔소들은 멀리서 바라보는 것만으로도 노든을 코뿔소답게 만들었다. (문학동네 p22)

―――――――――――――――――――――――――――――――――

여러분은 이 부분에서 어떤 생각을 하였나요?
'정체성'이나 '소속감'이 한 사람의 삶에서 어떻게 작용하는지에 대하여 생각해 봅시다.
그리고 '혼자 또는 함께'에 대해서도 각자의 생각들을 나누어 봅시다.

❽자유논제

노든은 아내를 훌륭한 코뿔소라고 말하곤 했다. 먹을 것이 많은 방향을 찾는 방법도, 마실 물을 찾는 방법도, 위험을 감지하는 방법도, 포근한 잠자리를 찾는 방법도 전부 아내가 알려 준 것이었다. 자연에서 살아가는 게 서툰 노든을 보고 아내는 엉뚱하지만 특별한 코뿔소라고 불렀다 (p문학동네 22)

여러분들은 이 부분을 어떻게 읽으셨나요?
배우자에 대하여, 또는 자신을 인정하고 사랑해 주는 존재의 역할에 대하여 함께 이야기 나누어 봅시다.
특히 '노든의 아내 코뿔소'와 같이 가정 내에서 '아내, 그리고 엄마의 중요성'에 대해서도 덧붙여 말해 봅시다.

❾자유논제

노든은 아내와 딸에 대해서는 항상 말을 아꼈다. 아내과 딸은 노든의 삶에서 가장 반짝이는 것이었고, 그 눈부신 반짝임에 대해 노든은 차마 함부로 입을 떼지 못했다. (문학동네 p24)

사자성어 중에는 '좋은 일에는 흔히 방해되는 일이 많거나 그런 일이 많이 생긴다'는 의미로 '호사다마(好事多魔)'라는 말이 있습니다. 여러분은 행복의 극치였던 절정의 순간에 밀려오는 뜻모를 불안감을 느껴본 적이 있으셨나요? 함께 이야기 나누어 봅시다.

⑩자유논제

주인공 코뿔소는 어쩌다 보니 '파라다이스 동물원'의 새 식구가
되어 '노든'이라는 이름을 얻게 되었는데요, 동물원에서 '앙가부'
라는 이름의 코뿔소를 만나게 됩니다.

그곳에는 노든 말고도 앙가부 라는 이름의 코뿔소가 살고 있었
다. 앙가부는 파라다이스 동물원에서 태어나고 자랐는데, 자기와
똑같이 생긴 노든을 보고 뛸 듯이 기뻐했다. (문학동네 p29)

여러분은 낯선 곳에서 '동질감'을 느낄 수 있는 누군가를 만나본
경험이 있나요?
혹은 낯선 곳에 갔을 때나 어려움에 처한 상황에서 만난 누군가
로 인해 반가움을 느끼고 의지가 되었던 순간이 있었나요?
'동질감'이라는 감정의 근원에 대해 함께 이야기 나누어 봅시다.

⑪자유논제

기분 좋은 얘기를 하다가 잠들면, 무서운 꿈을 꾸지 않아.

그런데 어째서인지 앙가부에게 주절주절 이야기를 늘어놓았다고
한다. 코끼리들에 대해서, 아내에 대해서, 딸에 대해서. 그리고 그
날 저녁은 정말로 악몽을 꾸지 않았다.
(문학동네 p30)

'앙가부'는 매일 밤마다 악몽을 꾸는 '노든'에게 말을 걸며, '노든'이 동물원 바깥세상에서 겪었던 일들에 대하여 이야기를 자연스럽게 꺼내 놓을 수 있도록 해주고, 이야기를 들어줍니다.

여러분은 이 부분을 어떻게 읽으셨나요?
누군가에게 내 이야기를 꺼내 놓고 말하는 것과, 내 이야기를 들어주고 공감해 주는 존재가 있다는 것의 효용과 가치, 그 의미에 대하여 함께 이야기 나누어 봅시다.

⓬자유논제
펭귄커플 '치쿠'와 '윔보'는 '알'을 돌보며 여러 가지 걱정에 휩싸입니다.

걱정이 꼬리에 꼬리를 물고 이어졌다. 하지만 치쿠가 걱정을 시작하면 윔보가 희망적인 얘기를 해 주고, 윔보가 걱정을 시작하면 치쿠가 희망적인 얘기를 해주었기 때문에 둘은 괜찮을 수 있었다. 알을 품는 하루하루가 치쿠와 윔보에게는 값진 나날들이었다. (문학동네 p46)

여러분은 이 부분을 어떻게 읽으셨나요?

걱정과 근심이 밀려올 때 희망을 꿈꾸며 서로 격려하는 것, 그리고 긍정의 힘! 에 대하여 함께 이야기 나누어 봅시다.

⑬자유논제

동물원 사람들은 '노든'을 '마지막 남은 흰바위 코뿔소'라고 부르며 온갖 정성을 쏟게 됩니다.

하지만 마지막 남은 하나가 된 외로움은 언제나 노든의 곁에 있었고, 어느샌가 그를 잡아먹어 버렸다. 아카시아 잎을 먹을 때도, 목욕을 할 때도, 악몽을 꿀 때도 노든은 혼자였다.(문학동네 p47)

아내도, 딸도, 앙가부도, 노든에게 소중했던 코뿔소는 모두 떠나버렸다. 혼자인 것은 무서웠다. 너무 무서워서 다 잊어버리고 싶었다. (문학동네 p48)

여러분은 이 부분을 어떻게 읽으셨나요?
'혼자라는 느낌'에 대해서, '외로움', '고독'에 대한 자신의 생각을 말해 봅시다.
그리고 살면서 지독히 외로웠던 경험이 있었는지, 또는 언제 외로움을 느끼는지에 대하여 함께 이야기 나누어 봅시다.

⑭자유논제

어느 순간부터인가 치쿠는 우리라는 말을 많이 썼다. 노든은 알에 대해 딱히 별 관심이 없었지만 우리라고 불리는 것이 어쩐지 기분 좋았다. (문학동네 p63)

노든은 목소리만으로 치쿠가 배가 고픈지 아닌지 알 수 있게 되었고, 발소리만으로 치쿠가 더 빨리 걷고 싶어 하는지 쉬고 싶어 하는지를 알 수 있게 되었다. 그러니 우리라고 불리는 것이 당연한 건지도 몰랐다. (문학동네 p63)

여러분은 '우리'라는 말의 의미를 어떻게 생각하시나요?
아울러 목소리와 발소리, 눈빛만으로도 상태를 알아차릴 수 있을 만큼 밀접한 관계에 있는 사람이 있나요? 있다면 누구인가요?
함께 이야기 나누어 봅시다.

⓰자유논제

치쿠와 함께 다니는 날들은 노든이 가족과 함께 다니던 날들을 떠올리게 했다. 노든은 부쩍 아내와 딸이 자주 생각났다. 그 기억은 괴로우면서도 행복했다. (문학동네 p65)

사람은 누구나 '생각하면 괴롭지만 결코 잊을 수는 없는 행복한 나날의 기억'들이 있을 것입니다.
여러분에게 이런 기억이 있다면 어떤 것이 있을까요?
함께 이야기 나누어 보아요

⓰자유논제

그런데 포기할 수가 없어. 왜냐면 그들 덕분에 살아남은 거잖아.

그들의 몫까지 살아야 하는 거잖아. 그러니까 안간힘을 써서, 죽을힘을 다해서 살아남아야 해. (문학동네 p81)

노든의 말대로 살아남는 것은 쉬운 일이 아니었다.
(문학동네 p81)

죽는 것보다 무서운 것도 있어. (문학동네 p87)

―――――――――――――――――――――――――――――

여러분은 이 부분을 어떻게 읽으셨나요?
누군가의 고귀한 희생으로 많은 사람들의 목숨을 건지게 되기도 합니다. '살아남은 자의 슬픔', 그리고 '살아남은 자의 책무'에 대하여 함께 이야기 나누어 봅시다.

⓱기타 보충사항
그 밖에 함께 이야기 나누어 보고 싶은 자유논제 또는 선택논제가 남아 있다면 자유롭게 내어놓고 함께 얘기해 보아요

⓲전체적인 소감 및 마무리 발언
이번 '함께읽기책'과 오늘의 '독서토론'에 대한 소감 및 전체적인 마무리 평가를 해 주세요

⓳인상 깊었던 문장이나 핵심 메시지 & 한 줄 총평
'기억에 남는 의미로운 구절이나 핵심 메시지 한마디' 또는 '한 줄 총평'을 해주세요

▶ 책리뷰

►내가 준 별점 (4.5)

아름다운 책이었다. 주인공 '노든'의 동선과 감정선을 따라가듯 읽으니 한 편의 영화를 본 듯한 느낌마저 들었고 큰 감동을 받았다. '노든'이 만난 여러 인연들과 그들과 엮어 나가는 서사들을 통해 삶이란 혼자 살아갈 수 없으며, 함께하면서 타자와는 다른 자신의 고유성과 정체성을 깨달을 때 성숙한 자아를 세워나갈 수 있다는 것을 느꼈다. '노든'의 조건 없는 사랑을 받으며 잘 성장해 나가는 씩씩한 아가 펭귄을 보며 어린 존재에게 믿음과 희망으로 앞날을 축복하고 격려해 주어야 하는 어른들의 역할이 얼마나 중요한 것인가에 대해 무거운 책임감을 다시 한번 실감했다. 지구상의 마지막 수컷 흰바위코뿔소였던 '노든'의 파란만장한 삶의 여정을 통해 인생은 누구에게나 쉽지 않은 고단한 과정이지만 결코 절망하거나 포기하지 않고 묵묵히 앞으로 나아간다면 새로운 기회와 좋은 인연을 만날 수 있고, 서로 도움을 주고받으며 연대하는 것이 매우 중요하다는 생각이 들었다.

그런데 작가가 삶 속의 너무 많은 이야깃거리들을 다 담아내기 위해 애쓴 흔적이 역력한 플롯이 다소 무리수를 둔 듯 인위적으로 느껴지기도 하였고, 문학적 완성도로는 어색함이 느껴지는부분들도 눈에 띄어서 작은 아쉬움도 있었다. 그러나 문학 전공자도 아니며 이제 막 등단한 젊은 작가의 열정과 재능은 충분히 엿볼 수 있었던 매우 훌륭한 작품이었다.

한편 밝고 희망적인 이야기를 더 좋아하는 개인의 선호도 탓인지, 어린이들을 대상으로 한 동화책이라는 관점으로 본다면 죽음을 반복해서 직면하게 하고 세상은 참 무서운 일이 많이 일어나는 곳이라고 겁먹게 만들 수도 있을 만큼 다소 어두운 서사에 가슴이 먹먹해져서 별점주기에서는 만점을 줄 수는 없어서 0.5점을 뺐다.

► **소감 및 마무리 발언**
오랜만에 참 좋은 동화책을 만나서 기뻤다. 이 책을 읽으며 사람은 누구나 각자의 삶에서 가장 반짝거리던 나날이 있었고, 죽을 것만 같았던 절망의 순간도 있었다는 것을 생각하며, 삶은 결코 쉽지 않은 여정이라는 것을 다시 한번 상기하게 되었다. '아는 만큼 보인다.'는 말이 있듯이, 나의 입장에도 대입해 생각해 볼 부분이 많았는데, 특히 아이를 양육하는 과정에서 어설프고 잘 몰라서 좌충우돌하며 시행착오를 겪었던 내 지난날들에 대해 아쉬운 마음이 들었다. 그리고 사랑하는 자식이 고생하는 것을 지켜보는 것이 마음 아프고 걱정스러울지라도 아이가 스스로 독립하여 씩씩하게 우뚝 서는 과정을 묵묵히 지켜보며 응원해주고 축복하는 것이 진정한 사랑이라는 것을 깨달았다.
이렇게 좋은 동화책을 소개해 주신 책친구님께 감사하고, 오늘 책벗님들과 수많은 삶의 이야기들을 나눌 수 있어서 많이 즐거웠고 의미 깊은 시간이었다. 앞으로도 짧은 분량이 무색할 만큼 참 다양하고 깊은 이야깃거리를 담고 있는 동화책이나 그림책, 단편선들을 책모임에서 종종 다루어도 좋을 듯하다.

►핵심 메시지 & 한 줄 총평

✔엄청난 고통을 견뎌내야 하는 고단한 인생에서, 엉망진창이지만 어떻게든 살아내는 것이 삶이다.

✔누군가의 배려와 도움의 여부가 어떤 존재를 살게도 죽게도 만든다.

✔삶은 혼자가 아닌 함께 걷는 것이다.

✔희망, 도전, 용기, 사랑, 이름, 연대, 동물학대, 멸종, 독립, 정체성, 지지, 가족, 함께, 소수자, 고독, 홀로서기, 죽음, 탐욕

✔너를 만나서 다행이야.

✔간만에 눈물짓게 만든 책.

✔나는 관계 속에서 존재하는가?

✔친구는 서로를 북돋아 주는 역할을 하는 존재이다.

✔함께 있는 것은 중요하다.

✔너에게도 나에게도 존재하는 긴긴밤

✔삶은 결국 혼자이다.

✔인간은 관계를 맺으며 살기도, 관계를 안 맺으면서 살기도 한다.

✔인생의 성공은 좋은 기억을 많이 쌓아 놓는 것이다.

고단한 인생에서, 어떻게든 살아내는 것이 삶이다.

- 그림동화 『긴긴밤』(루리 著)를 읽고 -

♣ 우리 모두는 인생에서 만회할 기회라 할 수 있는 큰 변화를
경험한다. -해리슨 포드-

이 책은 우리 책모임 멤버님들 중 독서 스펙트럼이 상당히 넓으신 책벗님의 추천에 의해 이달의 '함께읽기책'으로 지정되었고, 자연스럽게 북토크로 이어졌다. 깊이 있는 철학적 사유가 필요한 장편소설이었던 지난달 책에서 분량의 압박과 난이도를 감당해 내느라 다소 버거웠던 차였는데, 적시적때에 그림동화책 추천을 해주신 책친구님의 센스 넘치는 제안 덕분에 모두가 가벼운 마음으로 기쁘게 이 책을 만나게 되었다.

제21회 문학동네 어린이문학상 대상을 받은 이래, 출간되어 수많은 독자들의 가슴에 큰 울림을 주었다고 정평이 나 있던 그림동화책 『긴긴밤』을 인터넷 서점에 주문해 놓고 배송을 기다리는 동안에 책보다 팟캐스트 방송을 통해 스토리를 먼저 접하게 되었다. 어느 날 동네 한 바퀴 산책길에 나서던 순간에 평소 습관처럼 귀에 이어폰을 꽂고 음악이나 방송을 들으며 걷기 위해 오늘

은 무엇을 들을까 방송들을 검색하다가 우연히 이 동화책을 발견하게 된 것이다. 그것은 한 엄마가 밤마다 아이에게 책을 읽어주는 일상의 모습을 녹음해 업데이트하는 개인 팟캐스트였는데, 『긴긴밤』이라는 키워드로 검색하던 중 발견하여 망설임 없이 곧바로 다운을 받아 듣게 되었다.

앞부분을 조금 들어 보니 방송컨셉이 보통은 아이가 잠들기까지 엄마가 책을 읽어주는 설정으로 하는 방송이었다. 완벽한 기획을 하여 진행하고 편집을 깔끔하게 하는 깔끔한 방송이 아니라, 일반 가정에서 일상적으로 일어날 법한 자연스러운 상황을 여과 없이 들려주고 있는 아마추어 방송이었다. 여타의 프로 방송인들이 만든 정제된 형식의 팟캐스트가 아니었기에 책을 읽어주는 엄마의 음성도, 엄마의 내레이션을 들으며 반응하는 아이의 목소리도 너무도 자연스러워서 마치 내가 그 엄마와 아이를 본래 알고 지냈던 지인인 듯한 착각이 들 정도로 친근감마저 느껴졌다.

초등 저학년쯤 되어 보이는 아이는 오래전에 이 동화책을 이미 읽었던 것 같았고, 엄마는 아이에게 동화책을 소리 내어 읽어주는 그날 밤이 이 책을 처음 접하는 순간인 듯했다. 엄마가 책을 읽어주면서 이 책 전개의 중간중간에 휘몰아치듯 밀려드는 고통과 두려움, 희망, 그리고 절망과 환희의 순간마다 잠시 낭독을 멈추고, '아, 이 책 너무 슬프다…… 어우, 정말 너무해…… 아이고, 어쩌면 좋아……'하며 그때그때 올라오는 감정선을 부지불식간에 내뱉는 상황이 많았다. 그럴 때 아이가 '엄마, 그다음에 더 슬픈 일이 또 생겨…… '라고 말하며 엄마와 아이가 주고받는 대화가 재밌으면서도 생동감이 느껴졌다. 여과되고 포장되지 않은 날것의 현장감이 느껴져서 동화책 스토리의 생생한 전개 못지않게 그 개인 팟케스트의 엄마와 아이의 목소리로부터 감지되는 리얼한 감정선이 참 실감이 났다.

그렇게 우연히 발견한 '책 읽어주는 엄마 팟캐스트'를 통해 이 책을 오디오로 먼저 접한 이후로 집으로 배송된 종이책을 나 홀로 있는 시간에 조용한 가운데 집중해서 읽었다. 평소 독서 습관대로 책장을 넘기며 밑줄을 긋고 포스트잇도 붙여가며 책을 읽었는데, 귀로 들을 때와는 또 다른 감상이 올라오면서 이야기 속에서 펼쳐지는 운명적 사건의 변곡점을 접할 때마다 격정적인 감정들과 깊은 감동의 순간들을 경험하였다.

이 책의 초반부에서는 주인공 '노든'이 편안하고 안정적으로 살수 있는 코끼리 고아원을 떠나 바깥세상으로 나아가는 결정을 하게 되면서 이 이야기가 시작된다. 위협적인 어떤 일은 절대로 일어나지 않을 것처럼 모든 것을 예측할 수 있는 안락한 환경을 포기하고, 무슨 일이 일어날지 알 수가 없어서 무섭고 두려운 동물원 바깥세상으로 떠나가는 선택을 한 '노든'의 용기 있는 행동이 마치 '알을 깨고 나온 새'와 같았고, 무한한 가능성으로 진일보하고자 하는 욕구와 희망의 표출로 느껴져서 큰 박수를 쳐주고 싶었다. 그리고 코끼리 동물원을 떠나기로 결정한 '노든'을 믿고 격려하며 축복해준 할머니 코끼리의 지지도 매우 인상적이었다.

다소 부끄러운 일이긴 하지만 나의 개인적인 스토리에 대입해 이 부분을 이야기해보자면, 아이 일에 있어서 만큼은 과감하기보다는 '노파심이 많은 현실 엄마'였던 나 자신을 되돌아보게 되었다. 엄마인 나는 되도록이면 '안정감 있는 어떤 것'을 더 선호하는 개인적 성향을 갖고 있었고, 아이가 되도록이면 고생하지 않고 평안한 길로 가기를 바라는 마음이 본능적으로 내재되어 있었던 것 같다. 그래서였을까 모험심이 강하고 엉뚱한 면이 많으며 예측불허의 즉흥성을 기반한 창의적이고 행동력이 있었던 아들을 이해할 수 없어서, 아이를 키우는 과정에서 이런저런 걱정을 했었던 크고 작은 에피소드들이 적지 않았다. 세월의 흐름 속에서 초보 엄마는 좌충우돌하는 여러 시행착오를 겪었다. 호기심이 많고 실험정신이 강한 아들을 있는 그대로 바라봐 주지 못하고 부족한 내 식견 안에서만 생각하느라 걱정하고 염려하는 마음으로 전전긍긍했던 지난 나날들이 있었다. 이제 와 되돌아보면 내가 초보 엄마로서 참 부족했고, 어떤 면에서는 다소 어리석었다는 깨달음이 올라왔다. 아들을 어린 시절부터 너무 온실 속 화초처럼 안전하게 보호하면서 예쁘게만 키우려 하지 말고, 좀 더 과감하게 아이에게 많은 선택권을 주고 믿고 지지해주었더라면 더 좋지 않았을까 하는 아쉬운 마음도 들었다.

세월이 흐르고 적당한 어떤 때가 되면서 아이는 어느새 청년으로 자라나 본래 타고난 결대로의 자기인식을 하고, 자신이 원하는 삶을 찾아 씩씩하게 떠나는 것이 순리라는 것을 알게 되었다. 아이는 믿어주는 만큼 잘 자라날 수 있고, 식견과 내공이 부족하고

소심했던 초보 엄마보다는 **훨씬** 더 큰 그릇으로 성장하여 스스로
자신의 인생을 잘 개척해 나가리라는 것을 뒤늦게야 깨닫고 믿음
을 갖게 되었다.

사실 다 큰 자녀에게는 한 발짝 물러서서 축복의 마음으로 지켜
보는 일 외에는 부모가 딱히 해 줄 게 별로 없다. 그것이 현실이
고 순리이다. 피 끓는 청춘의 시기를 겪고 있는 젊은이는 자기
자신의 가치관과 정체성을 올바르게 세우고 자신이 진정으로 원
하는 삶이 어떤 것인지를 깨달아야 한다. 때가 되면 알을 깨고
더 큰 세상으로 나아가고자 하는 강한 욕구가 있으면 있는 대로,
없으면 없는 대로 있는 그대로의 자신의 특성을 자각하고 미래에
대한 꿈을 품는 것이 청년들에게는 매우 중요한 것 같다. 또한
자신이 원하는 것을 현실적으로 실현해 내려는 용기를 갖고 세상
에 나아가 깨지고 부서지면서 경험치를 쌓아가는 가운데 크고 작
은 깨달음으로 쑥쑥 성장하여, 뚜벅뚜벅 한 걸음씩 앞으로 걸어
가는 것이 눈부시게 아름다운 청춘의 모습이 아닐까 싶다.

코끼리 동물원을 떠나 바깥세상으로 나아가는 결정을 하는 주인
공 '노든'의 마음이 희망과 기대 못지않게 그 이상의 두려움과 공
포로 참 많이 어려웠을 텐데, 그래도 편안하고 안정적인 현실에
안주하며 머물러 있으려 하지 않고 두렵고 힘들지만 앞으로 나아
가 새로운 삶을 개척해 내려는 결정을 한 용기가 흐뭇하고 기특
하기만 했다.

이런 과감하고 용기 있는 결정을 하게 된 것은 '노든'이 자기 정
체성을 인식하게 되었기에 가능한 일이었을 것이다. 코끼리 고아

원에서 어린 시절을 보낸 '노든'이 성장해 가면서 자신이 코끼리가 아니라는 사실을 의식하게 되었고, 근원적이고 근본적인 자기 정체성에 대한 의문을 본능적으로 품게 되었던 것은 어쩌면 너무도 자연스러운 자기 인식의 과정이었는지도 모르겠다.

또한 이 동화책에서 '노든'과 더불어 중요한 캐릭터로써 존재하고 있는 아가 펭귄은 버려진 알에서 태어나 이름도 없었음에도 불구하고, 사랑하는 사람들의 희생과 믿음으로 살아남고 성장하여 자기 인식의 단계에 이르렀다. '노든'과 '어린 펭귄'은 주변인들의 관심과 사랑, 그리고 많은 이들의 애정과 보살핌으로 죽지 않고 살아남을 수 있었던 만큼, 먼저 떠난 이들의 몫까지 잘 살아내야 하는 의무와 책임을 운명적으로 인지하고 있었다. 그런 면에서 본능적으로 공감대를 형성한 '노든'과 어린 펭귄은 서로를 더욱더 깊이 이해하고 신뢰하며 연대하게 된 것이다.

'노든'과 '어린 펭귄'은 어떻게 전개될지 불확실한 미래에도 전혀 굴하지 않고 희망을 꿈꾸며 전진하고 있었고, 그 과정에서 서로 끊임없이 대화를 주고받는다. 이렇듯 이 스토리에서는 자기 이야기를 들려주기도 하고 다른 이의 사연과 생각을 듣게 되는 장면이 꽤 많이 나온다. 누군가에게 내 이야기를 털어놓을 수 있고, 내 이야기를 들어줄 누군가가 존재한다는 것은, 모질고 힘든 삶을 버틸 수 있게 하는 힘이 된다. 삶에서 소통과 공감이라는 것이 얼마나 중요한지를 '노든'과 '어린 펭귄'을 통해서 다시 한번 깨달을 수 있었다.

내 이야기를 들려줄 수 있다는 것은 나 자신과 타인, 즉 인간에 대한 믿음이 있을 때라야 가능한 행위인 것이다. 그리고 타인의 이야기를 잘 들어준다는 것은 타자에 대한 관심과 사랑이 없으면 불가능한 일이다. 그렇기에 결국 살아간다는 것은 서로에게 관심과 사랑을 갖고서 나 자신과 타자를 믿고 함께 연대하는 과정이 아닐까 싶었다.

선대로부터 받은 사랑을 후대에 전해주고, 이웃으로부터 받은 호의를 또 다른 이웃에게 나누어주는 선순환이 순조롭게 이루어질 때, 삶이란 고통스러운 만큼이나 꽤 행복한 것이며 기꺼이 살아볼 만하다는 희망을 이 책을 통해 확실히 깨닫게 되었다. 또한 서로가 서로를 이해하고 연대할 때 희망적인 미래로 나아가면서 모두가 함께 공존하고 상생할 수 있다는 것을 자연스럽게 이해하게 되었다.

이 스토리의 후반부에서 늙고 노쇠해진 '노든'은 기력이 약해져 움직임도 둔해진 노년기에 이르렀을 때에도 다정한 눈빛 하나만으로도 어린 펭귄의 앞날에 축복의 메시지를 흩뿌려줄 수 있었다. '노든'의 믿음과 지지를 가슴 가득히 안고서 바다를 향해 씩씩하게 홀로 떠나기를 주저하지 않았던 어린 펭귄의 모습에서 우리들 삶의 과정이 바로 이런 것이겠구나 하는 공감이 되었다.

아기가 세상에 갓 태어났을 때에는 스스로는 아무것도 할 수 없이 지극히 작고 연약한 존재였으나, 어느덧 성장하여 때가 되면 부모의 곁을 떠나 독립하게 된다. 아이도 부모도 원하든 원하지 않든, 운명의 때가 되면 홀로서기를 할 수 있어야 한 인간으로서 진정한 독립체로 거듭나게 되는 것이다. 품 안의 어린아이였던 자식의 모습이 언제나 눈앞에 생생하게 아른거리는 부모 입장에서는 금지옥엽 키운 아이가 어느덧 자라나 이 험한 세상을 향해 떠나가야 하는 시점에서 어쩔 수 없이 겪어내야만 하는 이별의 슬픔과 분리의 고통을 직면해야 한다. 또한 앞으로 아이가 만나게 될 통과의례와 같은 성장통과 삶의 희로애락이 걱정되고 안쓰럽지만, 언제까지나 아이를 보호해주고 도와줄 수는 없다는 것을 잘 알고 있다. 자식을 언제까지나 부모 곁에 두고 함께 살아갈 수는 없는 것이고, 때가 되면 각자의 삶을 향해 나아가야 하는 것이 삶의 순리라는 것을 받아들여야만 한다.

현실적으로 학업이나 직장, 그리고 저마다의 처한 상황과 셀 수도 없이 많은 각자의 사정들로 인해 부모와 자식, 형제와 자매임에도 불구하고 가족이 평생을 그리워하면서 쉽게 만나지 못하고 살아가는 경우도 많고, 가정마다의 비극적인 상황으로 서로 외면하며 살아가기도 한다. 게다가 현대 사회는 너무도 복잡다단하여 상상도 할 수 없는 생이별도 존재한다.

이 동화책의 동물 캐릭터들은 하나같이 우리의 삶 속에서 찾아 대입해 볼 수 있는 유형들이었고, 전개된 스토리의 면면들이 우리 모두의 인생과 꼭 닮아 있었다. 그래서 감정이 더욱 크게 일렁거리며 감동을 받았고, 책을 덮고 난 이후에도 길게 여운이 남았다.

삶은 누구에게나 녹록지 않기에 우리는 모두들 자신의 삶에서 '긴긴밤'과 같은 시절을 겪었던 기억들을 갖고 있을 것이다. 어쩌면 현재 진행형의 '긴긴밤'에서 헤어나오지 못하고 오늘도 불면의 밤을 보내고 있는 이도 있을 것이다. '긴긴밤'이란 '고민과 번민에 시달리면서 잠 못 이루는 밤만을 의미하는 것은 아니며, '극한의 시련을 견디어 내는 것, 결코 포기하지 않고 끝까지 버티는 삶'을 상징한다는 것을 이 책을 완독한 시점에서는 자연스럽게 깨달을 수 있었다. 또한 극한 시련과 고난을 극복해 나가는 과정에서 혼자만의 힘으로는 역부족일 때 누군가와 함께 연대할 수 있다면 훨씬 수월하게 역경을 헤치고 앞으로 나아갈 수 있다는 것도 다시금 상기하게 되었다. 모진 세상의 고단함과 사악함에 지치고 만신창이가 되어 상처투성이가 되었을지라도, 마음을 털어놓을 수 있을 만큼 믿고 의지할 수 있는 단 한 사람만이라도 이 세상 어딘가에 존재한다면, 희망의 씨앗을 키우며 앞으로 나아갈 수 있다는 것을 이 책을 통해 확인하게 되었다.

한편 억울함과 분노의 마음이 치고 올라와서 세상에 대한 증오심으로 가득한 상태로, 다 부숴버리고 자멸해 버리고 말 거라며 복수심에 불타오르는 상황에 처한 사람에게는 어설픈 훈계나 비난은 더 큰 독으로 작용하여 악을 더 강화시킬 뿐이라는 생각도 해보게 되었다. 어떤 상처받은 이가 분노에 치를 떨며 화만 내느라 합리적이지 않은 말만 계속할지라도 그럼에도 불구하고 귀 기울여 잘 들어주고 따뜻한 말 한마디를 건네줄 수 있는 인격적으로 성숙한 누군가가 단 한 사람만 곁에 있더라도 결코 파국으로 치닫지는 않을 수 있을 것이다. 그리고 어느 정도의 시간이 흐른 후에는 복수의 칼날을 갈았던 날선 분노의 마음이 서서히 가라앉아 어느새 이해와 용서, 그리고 희망과 미래비전을 품고 앞으로 나아가게 하는 선한 에너지로 전환될 수 있다는 것을 이 동화책이 깨닫게 해 주었다.

인간은 '사회적 동물'이라 오롯이 혼자 살아갈 수는 없으며 원하든 원하지 않든 누군가와 '관계'를 맺으며 살아갈 수밖에 없다. 모든 '관계'에 있어서 자상한 시선, 그리고 사심 없이 믿어주는 마음, 용기를 주는 격려의 말이 얼마나 중요한가에 대해서도 진지하게 생각해 보게 되었다. 특히 자라나는 어린아이들과 한창 성장하고 있는 젊은이들에게는 어른들의 인격적이고 온화한 태도와 용기를 북돋아 주는 따뜻한 말들이 그들의 삶에 상상 그 이상으로 크게 작용한다는 것을 기성세대들이 늘 명심해야겠다 싶었다.

짧고도 아름다운 이 이야기는 '자신의 정체성을 깨닫고 진정한 나로 살아간다는 것'에 대해서 참 많은 생각들을 하게 만들었다. 나 자신의 근원에 대해 올바르게 인식하고 온전한 나 자신으로 똑바로 서기 위해서는, 삶의 희로애락(喜怒哀樂)을 겪으며 무섭고 고통스럽지만 어떻게든 극복해 내면서 앞으로 한 걸음씩 나아가야만 한다. 수많은 위험과 절망의 순간을 만나 처절하리만큼 만신창이가 되어 잠 못 이루고 고민하는 수많은 '긴긴밤'들을 버티고 견뎌낸 후에 마침내 맛보게 되는 환희의 순간은, 고통스러웠던 만큼 행복하기도 하다는 것을 깨닫게 해주는 책이었다.

이 책은 전반적으로 나무랄 데가 없이 훌륭한 그림동화였다. 그러나 옥의 티 정도의 작은 아쉬움이 있었다면, '희망, 도전, 용기, 사랑, 이름, 연대, 동물학대, 멸종, 독립, 정체성, 지지, 가족, 함께, 소수자, 고독, 홀로서기, 죽음, 탐욕……' 등 작가가 정말 많은 이야기들을 어느 하나도 **빼놓을** 수 없고 모두 담아 다 다루어 내고 말리라 맘먹은 듯, 너무 많은 담론들을 한꺼번에 끼워 넣느라고 애쓴 흔적이 과유불급(過猶不及)인 면이 있었다는 것이었다.

너무 많은 이야기들을 다 다루려는 욕심이 오히려 서사를 부자연스럽고 산만하게 만들고, '수박겉핥기' 식으로 얕게 살짝 건드림 정도로 밖에는 더 깊이 다룰 수가 없었을 한계가 느껴졌다는 점은 살짝 아쉬움으로 남았다. 하지만 등장인물들의 캐릭터 설정과 그들이 펼쳐나간 여러 이야기들이 큰 공감을 불러일으키기에 전혀 부족함이 없었다. 완독 이후에도 한참을 이 그림동화책 생각에 감정적으로 허우적거렸던 순간들이 있었을 만큼 여운이 길게 남았던 작품이었기에 이 책은 충분히 훌륭했다.

어린아이는 어린이의 눈높이에서, 어른은 성인의 시각에서, 각자가 이해하는 만큼의 선에서 다 함께 공감할 수 있는 매우 좋은 이 책을 추천해 주신 책친구님께 진심으로 감사드린다. 앞으로도 기회가 될 때마다 그림책이나 동화책 읽기도 중간중간 끼워 넣어서 우리 책모임에 쉼표와 방점을 한 번씩 찍어줘도 좋겠다는 생각을 하게 된 이번달의 행복한 북토크 시간이었다.

4

제4화 『연을 쫓는 아이』

할레드 호세이니 著

제4화 『연을 쫓는 아이』 를 읽고

할레드 호세이니 著

♣ 인간의 품격을 잃지 않는 삶에 대하여

▶ 독서토론 발제문

이번 '함께읽기책'은 아프가니스탄 출신 미국 작가 '할레드 호세이니' 의 장편소설 『연을 쫓는 아이』였습니다.

굴절된 우정, 비밀과 배반, 양심의 가책과 보상이 얽힌 한 편의 드라마가 아프가니스탄의 격동의 역사를 배경으로 펼쳐지는 '할레드 호세아니'의 장편소설인 이 책을 여러분은 어떻게 읽으셨나요?

별점과 함께 읽은 소감을 나눠봅시다.
(1점부터 5점까지 별점을 주세요.)

◎별점(1~5점, 소수점가능) ☆☆☆☆☆
독창성/짜임새/재미/깊이/소장가치에 근거하여(   )점

◎읽은 소감(별점을 준 이유)

❶자유논제

아버지 '바바'는 자신과는 다르게 소심한 성향인 아들 '아미르'에 대한 걱정과 아쉬움을 갖고 있었고, 그 마음이 아들에게는 좀 냉랭하게 비추어집니다. 그러던 중 '아미르'가 돌아가신 어머니의 책들에 몰입하는 모습을 보고 부자 사이에 변화가 일어납니다. 소년 '아미르'는 어머니의 서재에서 고전문학을 비롯한 다양한 명작들을 접하며 빠져들게 됩니다.

'나는 돌아가신 어머니의 책들을 읽음으로써 아버지의 냉담함에서 벗어났다. 물론 하산도 큰 도움이 되었다. 나는 루미, 하페즈, 사디, 빅토르 위고, 쥘 베른, 마크 트웨인, 이안 플레밍 등을 모조리 읽었다. 나는 어머니의 책을 다 읽었다. 지루한 역사서에는 별 흥미가 없었고 소설이나 서사시는 재미있었다. 다 읽고 난 후로는 용돈으로 책을 사기 시작했다. 영화관 근처에 있는 서점에서 한 주에 한 권씩 사서 책장에 꽂을 데가 없어지자 상자에 넣어 보관했다.'(현대문학 p31)

여러분은 이 부분을 어떻게 읽으셨나요?

아미르가 어린날에 수많은 문학작품들을 읽었던 것은 훗날 훌륭한 작가가 되는데 밑거름이 되었을 것으로 짐작할 수 있는데요, 이렇듯 유년시절 독서의 중요성에 대하여 함께 이야기 나누어 봅시다.

또한 여러분이 어린 시절 읽었던 책들 중에서 자신에게 많은 영향을 주었던 책이 있다면 한 가지씩 소개해 주세요.

❷자유논제

어느 나른하고 흐릿한 초여름 오후에 학교에서 귀가한 '아미르'는 '하산'에게 자신이 쓴 소설을 읽어주고 싶다고 하며 언덕에 가자고 하였고, 그때 뜰에서 빨래를 널고 있던 '하산'은 가고 싶은 마음에 허둥지둥 일을 끝내고 함께 따라나섭니다.

'우리는 언덕을 오르자 자질구레한 얘기를 나눴다. 그는 나에게 학교생활과 학교에서 배우고 있는 것에 관해 물었다. 나는 선생님들, 특히 수업시간에 떠드는 학생들의 손가락에 쇠막대기를 끼우고 눌러 체벌을 하는 비열한 수학 선생님에 관한 얘기를 그에게 했다. 하산은 그 말을 듣고 몸을 움찔하며 나한테는 그런 일이 없었으면 좋겠다고 말했다. 나는 지금까지는 운이 좋았다고 했다. 그러나 그건 운과는 아무 상관이 없는 일이었다. 나도 수업시간에 떠들긴 했다. 하지만 내 아버지가 부자였다. 누구나 내 아버지를 알았다. 그래서 그런 벌을 받지 않아도 됐던 것이다.'

(현대문학 p136)

여러분은 이 부분을 어떻게 읽으셨나요?

여러분의 학창 시절을 회상할 때 부당한 체벌을 하거나, 부모의 직업이나 가정형편에 따라 차별하던 교사에 관한 기억이 있나요? 만약 경험이 있다면 함께 이야기 나누어 봅시다.

❸선택논제

아버지 '바바'의 조용한 분신이며 '아미르'의 글쓰기 스승이자 친구인 '라힘 칸'이 열여덟 살 때 이웃집 하인의 딸이었던 하자라인 여자인 '호마이라'와 사랑에 빠져 결혼할 뻔 했었던 이야기를 듣게 된 '아미르'는 당황스러움을 느낍니다.

'라힘 칸이 비통한 웃음을 웃었다.
"호마이라와 내가 세상에 맞섰던 거야. 그런데 아미르, 너한테 얘기해 주는 건데, 이기는 건 늘 세상이다. 그게 현실이란다."
"그래서 어떻게 됐어요?"
"내 아버지는 그날 당장, 호마이라와 그녀의 가족을 트럭에 태워 하자라자트로 보내버렸지. 그리고 나는 그녀를 다시는 보지 못했다."
"유감이군요."
라힘 칸이 어깨를 으쓱하며 말했다.' (현대문학 p148~149)

여러분은 이 부분을 어떻게 읽으셨나요?
'이기는 건 늘 세상이다.'라며 세상의 기존관습을 깰 수 없다고 말하는 '라힘 칸'의 생각을 여러분은 어떻게 생각하셨나요?
한 가지를 선택하여 그 이유를 나누어 봅시다.

A:동의한다.
B:동의하지 않는다.

❹자유논제
혼돈의 아프카니스탄을 탈출하기 위해 아버지 '바바'는 아들 '아

미르'를 데리고 쇼라위(러시아)가 점령해 아수라장이 된 위험지역 카불에서 비교적 안전한 파키스탄으로 데려가주는 트럭에 오릅니다. 열악한 상황의 탈출 트럭일지언정 천신만고 끝에 운 좋게 올라탄 여러 사람들과 함께 멀미가 올라오는 거친 길을 가던 중 러시아 군인들의 검문에 걸리게 됩니다.

남편과 아이가 있는 젊은 여자와 같이 있고 싶다는 러시아 군인의 불손한 요구에 트럭에 함께 올라타 있던 일행 모두가 망연자실하며 두려움에 떨고 있던 그 순간에 반인륜적인 부당함과 부도덕함을 더 이상 참지 못한 아버지 '바바'가 용감하게 일어서서 러시아 군인을 향해 항거합니다. 그러면서 자신의 말을 러시에 군인에게 통역하여 전하라고 인솔자인 브로커 '카림'에게 요구합니다.

"이 사람한테 내가 하는 말을 전해주시오"
카림을 향해서 하는 말이었지만, 그의 눈길은 러시아 군인을 향하고 있었다.
"이 자에게 창피한지도 모르냐고 물어보시오"
그들이 말을 주고받았다.
"이건 전쟁이라네요. 전쟁에는 창피고 뭐고 없다는데요"
"틀렸다고 하시오. 전쟁은 품위를 부정하는 게 아니라, 오히려 평화로울 때보다 더 필요한 법이라오"
나는 가슴이 벌렁벌렁 뛰었다. '아버지는 언제나 영웅이어야 직성이 풀리나요? 한 번만 그냥 넘어갈 수 없나요? 이런 생각이 들었다. 하지만 나는 그가 그렇게 할 수 없다는 걸 알았다. 그건 그의 본성이 아니었다. 문제는 그의 본성이 우리 모두를 죽게 만들 수 있다는 사실이었다.'(현대문학 p171~172)

여러분은 이 부분을 어떻게 읽으셨나요?
삶과 죽음의 기로에 서 있는 극한의 상황에서 인간의 품위를 지키는 것이 가능할런지에 관하여 함께 이야기 나누어 봅시다.

❺자유논제

천신만고 끝에 미국에 도착하여 정착하며 아들 '아미르'의 뒷바라지를 위해 온갖 고생을 마다하지 않고 헌신하던 아버지 '바바'는 아들이 의과대학이나 로스쿨에 진학하여 현실적인 성취를 이루고 인정을 받는 전문직이 되기를 기대합니다. 그러나 영문학을 공부하고 창작을 전공하여 소설을 쓰고 싶은 '아미르'는 현실적인 영달과 출세에는 뜻이 없었습니다.

"소설을 쓰면 돈을 버니?"
"괜찮으면 벌겠죠. 사람들이 알아주면요."
"사람들이 알아줄 가능성이 얼마나 되니?"
"조금요."
그가 고개를 끄덕였다.
"사람들이 너를 알아줄 때까지는 어떻게 할 셈이냐? 돈은 어떻게 벌 거고 결혼하면 네 카눔(아내)은 어떻게 먹여 살릴 셈이냐?"
나는 눈을 들어 그를 쳐다볼 수 없었다. (현대문학 p200)

여러분은 이 부분을 어떻게 읽으셨나요?

불확실한 꿈을 쫓으며 현실적인 선택을 외면하는 자식을 바라보는 부모의 걱정스러운 마음과, 실리적인 선택이 아니라서 불안정할지라도 진정으로 자신이 원하는 삶을 향해 조금씩 나아가 꿈을 이루고 싶은 자녀의 마음에 대하여 함께 이야기 나누어 봅시다.

❻자유논제

미국에서 정착한 아프간 사람들이 산호세 벼룩시장에서 장사를 하며 생활에 보탬을 얻고 아프간 동족 간의 문화와 친교를 나눕니다. 주말이면 아버지 '바바'와 아들 '아미르'도 벼룩시장에서 장사를 합니다.

'때때로 내가 가판대를 지켰다. 바바는 통로를 돌아다니며 카불에서부터 알았던 사람들을 만나면 손을 공손하게 가슴에 짚고 인사를 했다. 기계공과 재단사들, 전직 대사들, 전직 의사들, 전직 대학교수 등이 값싼 모직 코트와 긁힌 자전거 헬멧 등을 팔고 있었다.' (현대문학 p206)

여러분은 이 부분을 어떻게 읽으셨나요?

망명 이전의 본국에서의 전문적인 직업과 사회적 지위, 명예, 부를 모두 잃어버리고 낯선 땅에서 전혀 다른 상황에 적응해야 하는 난민이나 이민자들의 삶에 관한 생각들을 나누어 봅시다.

'아미르'는 '소라야'와 사랑에 빠져서 결혼을 결심하게 됩니다. 그러나 '소라야'는 다른 남자와 도망쳐 동거했었던 경험이 있었습니다. 여자로서의 치명적인 과거가 있는 '소라야'는 '아미르'를 향한 미안함과 자신의 떳떳하지 못한 과거에 대한 후회로 가득차 괴로움을 견디지 못하다가 마침내 울음을 터뜨리며 '아미르'에게 자신의 비밀을 다 말해버립니다.

'나는 그녀가 부러웠다. 그녀가 비밀을 말해버린 것이었다. 그래, 얘기해 버린 것이었다. 그리고 해결을 했다. 나는 입을 열어 내가 어떻게 하산을 배반하고 그에게 거짓말을 하고 그를 쫓아내고 바바와 알리 사이의 40년 우정을 파괴했는지 털어놓을 뻔했다. 하지만 나는 그렇게 하지 않았다. 나는 소라야가 여러 가지 면에서 나보다 나은 사람이라고 생각했다. 용기는 그중 하나였다.'
(현대문학 p246)

여러분은 이 부분을 어떻게 읽으셨나요?
떳떳하지 못한 과거나 치명적인 비밀을 털어놓고 용서와 이해를 구할 수 있는 용기에 대해 함께 이야기 나누어 봅시다.
또한 '솔직하게 밝히고 커밍아웃하는 것'과, 반대로 '그냥 덮어 놓는 게 오히려 더 나은 경우'에 대하여 적절한 사례가 있다면 보태어 자신의 생각을 함께 이야기 나누어 봅시다.

❸자유논제

여러가지 어려움이 있었음에도 불구하고 극복해가며 행복한 결혼 생활을 하던 '아미르'와 '소라야'에게도 불행의 요소들은 있었는데요, 그중 가장 큰 것은 아이가 생기지 않는 문제였습니다. 수차례의 시험관수정을 통해 노력해 보았지만 거듭 실패한 끝에 의사로부터 '입양'을 제의받게 됩니다.

장군이 그녀의 옆에 앉았다.

"얘야, 이 입양…… 이라는 것 말이다. 우리 아프간 사람들을 위한 것은 아닌 것 같구나."

소라야가 나를 피곤한 듯 바라보고 한숨을 쉬었다.

그의 말이 이어졌다.

"아이는 자라면서 자기 부모가 누구인지 알고 싶어할 거다. 그걸 탓할 수는 없는 법이다. 때때로 그런 아이들은 몇 년 동안 열심히 키워줘도 친부모를 찾아가기도 하지. 피는 진한 거다. 그걸 잊지 말려무나."

소라야가 말했다.

" 이 얘기는 더 하고 싶지 않아요." (현대문학 p277)

여러분은 이 부분을 어떻게 읽으셨나요?

'입양'에 대한 각자의 생각들을 내어놓고 이야기 나누어 봅시다.

그리고 현대 사회에서 불임과 난임이 늘어나는 원인에 대해서도 대화해 봅시다.

❾자유논제

'라힘 칸'의 전화를 받은 '아미르'는 파키스탄항공 비행기에 몸을 싣습니다.

노쇠해진 '라힘 칸'은 '아미르'에게 카불에 갈 것을 주문합니다. 전쟁통에 부모를 잃고 만신창이가 된 카불의 수많은 아이들 중 하나가 되어버린 '하산'의 아들 '소랍'을 구출해 데려와 달라고 요청합니다. 그러나 '아미르'는 복잡한 심경으로 자기부정을 하는 듯 혼란스러워하며 괴로운 마음이 됩니다.

나는 그 말이 무슨 뜻인지 알고 싶지 않았다. 그러나 나는 알고 있었다. 너무나 잘 알고 있었다.

"저는 미국에 아내도 있고 집도 있고 일도 있고 가족도 있습니다. 카불은 위험한 곳입니다. 잘 아시잖아요 그런데 지금 저한테 모든 위험을 감수하고...."

"언젠가 네가 없을 때, 네 아버지와 내가 너에 대해 많은 얘기를 했었다. 네 아버지는 너도 알다시피 늘 네 걱정을 했다. 네 아버지는 언젠가 내게 이런 얘기도 했다. '자신과 당당하게 맞설 수 없는 사람은 어떤 것에도 당당하게 맞설 수 없는 법일세.' 그래, 결국 너는 그런 사람이 된 거니?"

나는 눈을 내리깔았다 (현대문학 p325)

여러분은 이 부분을 어떻게 읽으셨나요?

'자신과 당당하게 맞선다는 것'은 분명 '용기'가 필요한 일입니다. 여러분이 지금까지 살아오면서 자신과 당당하게 맞서기 위해 용기를 냈던 경험이나, 반대로 용기를 내지 못해 부끄러웠거나 후회했던 경험이 있다면 함께 이야기 나누어 봅시다.

꼭 자신의 경험이 아닐지라도 소설이나 영화, 또는 역사적 인물이나 주변 지인의 경우를 예로 들어도 좋겠습니다.

⑩자유논제

카불에 들어온 '아미르'는 '소랍'을 찾기 위해 고아원을 수소문하던 중 길거리에서 구걸을 하고 있는 전직 대학교수를 만납니다. 그리고 그 거지가 어머니의 동료였다는 것을 대화 중에 우연히 알게 됩니다. '아미르'는 어머니에 대한 그리움과 반가움으로 그가 기억하는 어머니와의 어떤 것이라도 듣고 싶어합니다.

'아미르'의 어머니인 '소피아 아크라미' 교수의 동료교수였던 그 늙은 거지는 말합니다.

"알다마다. 강의가 끝나면 앉아서 얘기를 나눴더랬소 마지막으로 만난 게 기말시험 직전인 어느 비 오는 날이었지. 우리는 맛있는 아몬드 케이크를 나눠 먹었소, 꿀이 들어간 따뜻한 차를 곁들여 아몬드 케이크를 같이 먹었지. 당시, 그분은 임신해서 배가 불룩한 상태였고 그래서 더 아름다워 보였소 나는 그날, 그분이 나한테 했던 말을 결코 잊지 못할 거요"

"그게 뭐였죠? 저한테 말씀해 주세요." (현대문학 p367)

"그분은 '너무 두렵다'고 했소 내가 왜 그러느냐고 물었더니 '라술 박사님, 너무 행복해서 그래요 이런 행복이 두려워요'

내가 이유를 묻자 이렇게 대답했소 '뭔가를 사람들에게서 빼앗아 가려고 할 때만 이렇게 사람을 행복하게 한다는 말이 있어서요' 나는 '그렇게 어리석은 소리는 그만두세요' 라고 했었소."
(현대문학 p368)

여러분은 이 부분을 어떻게 읽으셨나요?
우리나라에도 '호사다마(好事多魔)', '새옹지마(塞翁之馬)' 같은 고사성어가 있고, 이것이 일맥상통하는 경우가 아닐까 싶은데요,
여러분은 지금껏 살아오면서 '너무 행복한 순간에 밀려드는 두려움'의 감정을 경험해 본 적이 있나요?
함께 이야기 나누어 봅시다.

⓫선택논제

천신만고 끝에 '소랍'을 구출해 오는 과정에서 일어난 탈레반과의 격투에서 큰 부상을 입은 '아미르'는 병원에 입원합니다. 그때 병실에서 비로소 '라힘 칸'이 남긴 편지를 읽습니다.

'네가 오랫동안 알고 있었다는 너의 생각은 맞다. 나는 알고 있었다. 그 일이 있은 직후 하산이 나에게 얘기했었으니까. 아미르, 네가 했던 것은 잘못이었다. 하지만 그 일이 일어났을 때 너는 어린애였다는 사실을 잊지 말아라. 복잡한 어린애였지. 너는 당시에 너 자신한테 너무 가혹했다. 너는 지금도 그렇더구나. 네가 페샤와르에 왔을 때, 나는 네 눈에서 그걸 확인했다. 하지만 네가 명심해야 할 게 하나 있다. 그것은 양심도 없고 선하지도 않은

사람은 고통을 당하지 않는다는 사실이다. 나는 네 고통이 이번에 아프가니스탄에 가는 것으로 끝나기를 바란다.'

(현대문학 p442~443)

───

여러분은 이 부분을 어떻게 읽으셨나요?

'양심이 있고 선한 사람은 고통을 받고, 양심이 없고 선하지 않은 사람은 고통이 없다.'는 이 모순된 말이 이 세상에서 비일비재(非一非再)하게 일어나고 있는 불편한 진실의 단면이기도 하다는 것을 우리는 부정하기 힘들텐데요,

'인과응보(因果應報), 결자해지(結者解之), 사필귀정(事必歸正), 자업자득(自業自得), 권선징악(勸善懲惡)……' 수많은 고사성어들이 함축하고 있는 여러 메시지들에 대한 여러분의 생각은 어떤지 한 가지를 선택하고 그 이유에 대해 이야기 나누어 봅시다.

A:동의한다.
B:동의하지 않는다.

❷자유논제

'아미르'는 '라힘 칸'을 통해 아버지 '바바'의 녹록지 않았던 삶과 그가 겪어낸 심적인 고통들에 대해서 뒤늦게 이해하게 됩니다. 그리고 두려움과 비겁함으로 점철되었던 자신의 삶을 생각하면서, 부상당한 몸의 통증인지, 아니면 죄책감으로 인한 마음의 아픔인지 모를 고통을 느낍니다.

'라힘 칸'은 '아미르'에게 다음과 같이 말합니다.

"네 아버지도 너처럼 고통스러워했던 사람이었다."라고 했다. 그
랬을지도 모른다. 우리 두 사람 다 죄를 짓고 다른 사람을 배반
했다. 하지만 바바는 죄책감 속에서 선을 만들어내는 방법을 찾
아냈다. 하지만 나는 뭘 했던가! 나는 내가 배반했던 사람들에게
내 죄를 전가하고 모든 걸 잊으려고만 하지 않았던가! 불면증에
시달린 것 말고는 내가 한 일이 뭔가! 내가 잘못을 바로잡으려고
뭘 했던가! (현대문학 p445)

여러분은 이 부분을 어떻게 읽으셨나요?
'죄를 짓고 다른 사람을 배반한 것'은 같았으나, 아버지 '바바'는
죄책감 속에서 선을 만들어내는 속죄의 삶을 살았고, '아미르'는
상대에게 내 죄를 전가하고 모든 것을 잊으려고 하는 회피의 삶
을 살았습니다.
이 두 가지 경우에 대하여 여러분이 느끼는 이해와 공감의 마음
과 비판적인 시각, 어떤 관점으로든 다 좋습니다.
자신의 생각을 함께 이야기 나누어 봅시다.

⓭선택논제
구출된 이후로도 아프가니스탄에서 겪었던 끔찍한 일들로 인한
극심한 정신적 트라우마(PTSD)에 시달리던 '소랍'은 사원에 다녀
온 후 많은 생각을 해봤다며 '아미르'에게 어렵게 입을 열게 되는
데요, 극악한 탈레반의 눈에 소총을 쏘아 해를 입혔던 것에 대해
죄책감으로 인해 괴로웠던 마음을 드러냅니다.

그는 목이 막히는 모양이었다.

"하느님은…… 하느님은 제가 그 사람한테 한 짓 때문에 저를 지옥에 보내실까요?"

나는 그를 향해 손을 뻗었다. 그가 움찔했다. 나는 손을 거둬들였다.

"아니다. 물론 아니야."

나는 그를 가까이 끌어당겨 안아주고 싶었다. 세상이 그에게 잘못한 것이지, 그가 잘못한 것이 아니라고 말해주고 싶었다.

그의 얼굴이 뒤틀렸다. 그는 평저임을 유지하려고 애쓰고 있었다.

"아버지는 나쁜 사람이라 하더라도 다치게 하는 건 잘못이라고 늘 말씀하셨어요. 그런 사람들도 몰라서 그러는 거라면서요. 나쁜 사람들도 때로는 착해질 수 있다면서요."

"소랍, 늘 그런 건 아니란다."

그는 나를 미심쩍게 바라보았다.

………

소랍이 헐떡거리는 작은 목소리로 말했다.

"왜 사람들이 제 아버지를 해치려고 했어요? 아버지는 누구에게도 비열하신 적이 없는데요."

"네 말이 맞다. 네 아버지는 착한 사람이었다. 이 세상에는 나쁜 사람들이 있단다. 그리고 그 사람들 중 몇몇은 착해지지 않고 나쁜 상태 그대로 있단다. 그래서 때로는 그들과 맞서야 하는 거란다. 네가 그 사람한테 한 행동은 오래전에 내가 그에게 했어야 하는 행동이었다. 너는 그 사람에게 그 사람이 받을 만한 걸 줬다. 그는 그것보다 더한 걸 받았어야 한다."

"아저씨 생각에 아버지가 저한테 실망하셨을 것 같아요?"

"그렇지 않을 거다. 너는 카불에서 내 생명을 구해줬다. 네 아버지가 너를 아주 자랑스럽게 생각하셨을 거다."

그는 소매로 얼굴을 닦았다. 그러자 입술에 맺혔던 침방울이 터졌다. 그는 손으로 얼굴을 감싸고 오랫동안 울었다.

(현대문학 p468~470)

여러분은 이 부분을 어떻게 읽으셨나요?

어린 '소랍'의 맑고 순결한 정서와 아름다운 감수성에 치명적인 충격을 가한 탈레반을 생각하면 '눈에는 눈! 이에는 이!'라는 말이 떠오르기도 하고, '소랍'의 행위에는 '정당방위'의 개념을 연결 지을 수도 있을법한데요.

특히 '아미르'가 '소랍'에게 위로하고 설명해 주는 말에서 우리는 '성악설(性惡說)'과 '성선설(性善說)'에 대해 생각해보게 됩니다.

여러분은 '성악설과 성선설' 중 어느 쪽에 더 공감이 가나요?

한 가지를 선택하고, 그 이유에 대해 이야기 나누어 봅시다.

A:'성악설'에 좀 더 동의한다.

B:'성선설'에 좀 더 동의한다.

❶선택논제

폐허가 된 아프가니스탄의 극악한 탈레반 소굴에서 죽음의 고비를 수차례 넘기고 천신만고 끝에 '소랍'을 구출해내 왔지만, 복잡해진 입양 절차와 쉽지 않은 비자 발급 문제로 인한 난관에 부딪히게 됩니다. '소랍'을 미국으로 데려가는 과정에서 뜻하지 않은 어려움에 봉착한 '아미르'는 크게 실망하며 고심하게 됩니다.

그리고 미국 이민국 사무소 비자 발급 담당 직원의 고압적이고 부정적인 태도에 마음이 급해진 '아미르'는 자신이 얼마나 힘든 과정을 거쳐 '소랍'을 구출해 왔는지, '소랍'이 그간 겪은 무지막지한 고통들에 대해 절규하듯 설명하며 분노합니다.

그런 '아미르'에게 이민국 사무소 직원은 말합니다.

"제 말은 돕고 싶으시다면 명망 있는 구호단체에 돈을 보내라는 겁니다. 난민수용소에서 자원봉사를 하시라는 겁니다. 하지만 현 시점에서 우리는 미국 사람들이 아프간 아이들을 입양하는 건 강력하게 만류하고 있습니다." (현대문학 p490)

여러분은 이 부분을 어떻게 읽으셨나요?

이것은 날이 갈수록 증가하는 난민들을 감당하기 힘들어진 미국의 난민 수용과 이민국 정책이 점점 더 까다로워짐에 따라 벌어진 상황이었는데요,

우리나라에서도 난민을 받아들이고 수용하는 문제로 인해 사회적인 갑론을박이 있었습니다.

여러분은 분쟁국가의 난민을 받아들이는 것과 거부하는 것에 대해 어떤 생각을 갖고 있는지, 한 가지를 선택하고 그 이유에 대해 함께 이야기 나누어 봅시다.

A:국제난민을 받아들여야 한다
B:국제난민을 거부해야 한다.

⑮자유논제

'아미르'는 '라힘 칸'이 폴라로이드 카메라로 찍어준 하산과 소랍의 가족사진을 잘 간직하고 있다가 '소랍'에게 전해주었고, '소랍'은 그리운 아버지 '하산'과 함께 찍은 그 사진을 베개 밑에 놓고 소중히 여깁니다. '아미르'는 '소랍'의 침대에서 그 사진을 발견해 집어 들고 한참을 상념에 잠깁니다.

나는 사진을 제자리에 놓았다. 그때 문득, 바바가 마음속으로 하산을 진짜 아들로 생각했을지도 모른다는 생각이 고통스럽지 않다는 걸 깨달았다. 소랍의 방문을 닫으며, 용서는 그렇게 싹트는 것일지 모른다는 생각이 들었다. 용서는 화려한 깨달음이 아니라 고통이 자기 물건들을 챙기고 짐을 꾸려 한밤중에 예고 없이 빠져나가는 것과 함께 시작되는 것일지 모른다는 생각이 들었다.
(현대문학 p532)

여러분은 이 부분을 어떻게 읽으셨나요?
누구나 살아가면서 죄를 용서받게 되면 마음의 평안을 얻게 되는 경험 할 수 있었을 텐데요,
잘못을 용서받아 무겁고 죄스러웠던 마음의 짐을 내려놓을 수 있었던 경험이나 사례에 대해 함께 이야기 나누어 봅시다.

⓰기타 보충사항

그 밖에 함께 이야기 나누어 보고 싶은 자유논제 또는 선택논제가 남아 있다면 자유롭게 내어놓고 함께 얘기해 보아요

⓱전체적인 소감 및 마무리 발언

이번 '함께읽기책'과 오늘의 '독서토론'에 대한 소감 및 전체적인 마무리 평가를 해 주세요

⓲인상 깊었던 문장이나 핵심 메시지 & 한 줄 총평

'기억에 남는 의미로운 구절이나 핵심 메시지 한마디' 또는 '한 줄 총평'을 해주세요

▶ 책리뷰

►내가 준 별점 (5.0)

구입해 놓고 차일피일 미루다가 책모임 날짜에 임박하여 의무감으로 손에 잡았는데, 푹 빠져들어서 단숨에 완독하였다. 이 책을 읽으면서 순간순간 목이 메이고 울컥하며 눈시울이 붉어졌다.

인간이란 아름답지만 추악하고 복잡다단한 존재란 것을 다시금 깨닫게 되었다. 아마도 한참을 헤어나오지 못할 긴 여운에서 허우적댈 듯하다. 책이 분량이 꽤 되는데도 불구하고 워낙 탄탄한 서사구조와 감동 포인트들이 도처에 포진되어 있어서 그런지 가독성이 정말 좋았다.

어떤 회원님들은 소설이 너무 어두운 이야기만 펼쳐지고 있어서 우울해졌다고 하셨는데, 결코 즐거울 요소가 있을 수 없는 암울한 배경들 속에서 펼쳐지는 스토리이긴 했지만, 그 속에서도 살짝살짝 재미있는 묘사를 곧잘 섞는 등 위트가 느껴져서 작가가 표현의 폭이 상당히 넓다는 생각을 했다. 내용으로도 형식으로도 어떤 관점에서 보더라도 대단히 훌륭한 소설인 것만은 분명하다.

►소감 및 마무리 발언

삶 속에서 자신의 양심과 도덕성에 가책이 없도록 살아야 세상 어떤 것에도 당당하게 임할 수 있을 것이다. 자기 자신을 속이거나 양심의 가책을 애써 외면하지 말고 자신과 용감하게 직면할 수 있어야만 세상을 떳떳하게 살아갈 수 있다.

살면서 고의적으로든 실수로든 잘못을 저지르지 않는 사람은 아마 없을 거라는 생각을 해본다. 착하고 바르게 살기를 누구나 원하고 있지만, 살아간다는 것은 그렇게 녹록한 과정은 아니기 때문이다. 그럼에도 불구하고 실수에 의해서든 순간적인 오판에 의해서든 잘못한 일에 대해서는 바로잡고 용서를 구할 기회를 놓치지 않아야 할 것 같다.

얼핏 보기에는 나의 잘못으로 인해 피해를 당하고 상처를 입은 상대방을 위해 사과하고 용서를 구하는 것처럼 느껴질 수도 있겠지만, 사실은 자기 자신이 조금이나마 죄책감으로부터 벗어나고 잃어버린 양심을 되찾아 회복하게 되는 기회를 얻는 것이기에, 결국 상대 뿐만이 아니라 자기 자신을 위함이 더 크다고 생각된다. 이미 저지른 과오를 이전 상태로 되돌릴 수 있는 방법은 없지만, 용서와 속죄를 구하는 진실한 마음은 또다른 잘못을 반복하지 않을 수 있는 힘이 되어줄 것이다. 양심에 어긋나지 않게 살려고 노력하는 것만이 가장 인간다워질 수 있는 지름길이고, 그것이 절대적인 선이며 진리라는 것을 늘 상기하며 살아야겠다.

►핵심 메시지 & 한 줄 총평

✔자신과 당당하게 맞설 수 없는 사람은 어떤 것에도 당당하게 맞설 수 없는 법

✔삶은 무수한 선택의 결과로 이루어진다.

✔상실과 고통에 굴복해서 그것을 삶의 사실이나 필연으로 받아들여서는 안된다.

✔그래도 삶은 계속된다.

✔너를 위해서는 천 번이라도

✔인생은 학교에서 학습을 통해 배우는 것이 아니다.

✔삶은 지식이 아닌 지혜가 더 중요하다.

✔잘못된 선택으로 저지른 죄로 인해 평생의 죄책감이라는 무거운 댓가를 치를 수 있다.

✔다시 착해질 길이 있어.

✔잘못을 저지르는 것도 뼈아프지만 용서받을 기회를 놓치는 것은 더더더 고통스럽다.

✔인간의 존엄성을 잃지 않는 것이 삶의 가치를 좌우한다.

인간의 품격을 잃지 않는 삶에 대하여
- 『연을 쫓는 아이』(할레드 호세이니 著)를 읽고 -

♣ 당신이 거짓말을 하면 당신은 진실에 대한 누군가의 권리를
빼앗는 것이다. - 할레드 호세이니-

'자신과 당당하게 맞설 수 없는 사람은 어떤 것에도 당당하게 맞설 수 없는 법'

『연을 쫓는 아이』를 읽고 난 후 큰 감동이 먹먹함으로 밀려들면서 여러가지 메시지들이 뇌리에서 맴돌았는데, 그중에서 가장 큰 울림으로 다가온 문구였다.

누구나 삶의 여정 속에서 수많은 선택의 기로에 서게 된다. 그럴 때 자신의 양심과 도덕성에 가책이 없게끔 떳떳한 선택을 하고, 책임을 지기 위해 최선을 다하며 살아가는 사람은 세상 그 어떤 것에도 당당하게 맞설 수 있을 것이다. 반대의 경우라면 평생을 후회와 죄책감에 시달리며 남모르는 고통 속에서 괴로운 삶을 살아가게 될 수도 있다. 이 한 줄의 메시지는 바로 '정의와 신의'에 관한 압축적인 시사이면서 우리 모두에게 울리는 경종 같았다.

이 세상에는 꼭 성문법이 아니더라도 불문법, 관습법, 문화와 보

편적인 상식, 무엇보다도 인간의 지각과 양심에 의해 옳고 그름과 선악의 기준이 분명히 존재하고 있다. 동물이 아닌 사회화된 인간이라면 스스로 그것을 가려낼 수 있는 판단력이 있다. 그럼에도 불구하고, 순간의 오판과 잘못된 선택으로 인해 자기 자신을 속이거나 양심의 가책을 애써 외면하게 된다면, 그 후회와 자책이 일평생 마음의 부채로 남아 번민과 괴로움으로 점철된 삶을 아프게 살아갈 수도 있을 것이다.

스스로의 양심을 속이지 말고 상황을 직시하여 자신과 직면하면서 당당하게 맞서는 용기를 낼 수 있을 때, 세상 어떤 것에도 당당하게 맞설 수 있다. 그럼으로써 만물의 영장인 인간으로서의 품위를 지키며 떳떳하고 아름다운 삶으로 나아갈 수 있다.

『연을 쫓는 아이』는 사람과 사람 사이에 싹트는 우정과 사랑, 부끄럽고 잔혹한 배신, 잘못된 판단으로 나쁘게 결정해 버린 어리석은 선택과 돌이키기에는 너무 지체되어 버린 때늦은 후회, 일평생을 통해 괴로워했던 죄책감으로부터 벗어나고자 구하는 용서와 속죄의 마음, 그 뒤에 기적적으로 되돌아오는 사죄의 기회와 숭고한 구원에 관하여 흥미진진하면서도 감동적으로 풀어나간 장편소설이었다. 특히 이 이야기는 우리에게는 다소 생소하고 물리적/정서적 거리감이 있는 지역인 '아프가니스탄'을 공간적 배경으로 하고 있다. 순수하고 맑은 영혼인 두 소년을 중심으로 그들의 삶 전체를 관통하였던 인생의 고통과 희망에 대하여 격정적인 스토리로 엮어낸, 비장하면서도 아름다운 서사였다.

내가 이 책을 처음으로 접하게 된 계기는 책모임 회원님의 추천에 의해서였다. 아프가니스탄 출신의 미국 소설가 '할레드 호세이니'의 작품으로 원작의 유명세는 물론이거니와, 영화화되어 흥행에 성공했을 정도로 익히 알려진 작품이다 보니 그 존재감은 일찌감치 인지하고 있었다. 그렇지만 그동안 딱히 접할 기회가 없어서 구체적인 내용은 잘 몰랐고, 어렴풋하게나마 두 소년이 주인공으로 등장하는 성장소설 정도로만 알고 있었다. 그러던 중 독서토론의 함께읽기 지정책으로 결정이 되고 보니, 서둘러 책을 구입해 좀 더 집중하여 읽을 수 있는 기회가 되어 참 반가웠다.

처음에는 완독에 의의를 두며 가볍게 읽었고, 책모임 날짜가 정해진 후에는 재차 읽었다. 그때는 책수다 주제와 토론 논제 등을 발췌하기 위해 인상적인 부분에 밑줄을 긋고 포스트잇을 붙여 인덱싱도 해가며 좀 더 자세하게 읽게 되었다. 그랬던 만큼 이 책을 더욱 심층적으로 읽어볼 수가 있었다. 작가의 마음을 깊게 이해하면서 책 속에서 입체적으로 살아 움직이는 듯한 캐릭터들의 정서 속으로 한 발 더 가까이 다가가는 듯한 느낌으로, 나만의 특별한 공감과 감동이 벅차오르는 의미로운 경험을 할 수 있었다.

이렇듯 이 세상의 수많은 책들 중에서 책모임의 함께읽기 지정책으로 처음 만나서, 약간의 의무감까지 보태어져 자세히 읽게 되고, 독서토론을 표방한 책수다와 책리뷰 쓰기 등의 독후활동까지 하게 되는 작품은 좀 더 오랫동안 기억에 남게 되는 효과가 있다. 그러니 그 책은 개인적으로 더욱 큰 의미로 남게 된다. 이런 과정 중에서도 상당히 큰 감동을 받게 된 이 책은 자연스럽게 '내 인생책' 리스트 상단에 올리며, 손가락 안에 꼽을 수 있는 명작으로 자리매김한 작품이 되었다.

『연을 쫓는 아이』는 아프가니스탄 출신의 작가가 쓴 영어 소설로는 최초이기도 하다는데, 현재 미국에서 가장 영향력이 있는 대작가로 인정받고 있는 저자 '할레드 호세이니'의 첫 작품이라고 한다. 첫 데뷔작품임에도 불구하고 이렇듯 감동의 쓰나미를 몰고 올 만큼 완벽하고 웅장한 장편을 쓸 수 있을 정도로 대단한 필력이라니…

그의 작가로서의 유명세와 명성이 어떻게 생성되었는지를, 이 책을 읽어본 독자로서 너무도 잘 이해할 수 있었다. 평소 창작자를 경외하며 그 타고난 천재성이 두려울 만큼 범상치 않은 예술가들에 대해서 부러우면서도, 나처럼 평범한 사람들과는 다른 세계의 존재들 같다는 생각을 해보았다. 그런 나로서는 천재적인 창작자들에게 관심이 많은 만큼 진정한 실력자를 본능적인 감각으로 알아본다고 자평할 때가 있는데, 이 소설을 읽으며 작가 '호세이니'야말로 작가적 천재성을 타고난 사람이라는 것을 잘 느낄 수 있었다. 또한 타고난 작가적 재능은 물론이거니와, '아프가니스탄 출신의 미국 이민자'라는 독특한 이력으로부터 운명적으로 잠재되어 있는 자신의 뿌리에 대한 슬픔과 혼란, 고국에 대한 아련한 그리움 등을 예술적으로 꽃피우는 문학장르인 '이민자 문학', 즉 '디아스포라 문학'의 대표격인 '호세이니'의 기본정서에 관하여 어렴풋하게나마 짐작할 수 있었다.

전 세계가 경악하며 걱정스러워하는 자신의 조국이 처한 혼란한 시대적 아픔과 국가적 비극, 믿기 힘든 고통을 겪으며 살아가는 본국민들에 대해 느끼는 동족으로서 피할 수 없는 부채의식과 크나큰 슬픔을, 문학이라는 예술로 승화시킬 수 있었던 성숙한 작가의 감수성에 마음이 숙연해졌다. 게다가 이렇듯 대서사를 쓸 수 있는 그의 글쓰기 달란트에 대한 부러움과 존경심이 교차하기도 하였다.

『연을 쫓는 아이』를 한마디로 정의하자면 악명이 높은 탈레반의 분쟁지역으로 유명한 아프가니스탄 사람들의 이야기이다. 시대적 불행이 연속되면서 나라가 아무리 시끄럽고 불안정할지라도, 그곳도 인간이 사는 곳이니 평범한 사람들의 삶은 어제도 오늘도 내일도 지속되어 나가는 법이다.

이 소설은 상류층의 도련님인 주인공 '아미르'를 중심으로 하여 운명과도 같은 친구이자 이복동생인 하인 '하산'과의 우정 어린 기쁨과 슬픔이 그들의 삶 전체를 관통하며 펼쳐지는 서사가 매우 흥미진진한 이야기이다. 어린 소년들이 등장하여 그들이 자라나는 과정을 포함하여 성인기에 이르기까지 이어진다고 해서, 단순히 '성장소설'이라고 일차원적인 분류를 하기에는 작품이 담고 있는 거대 담론들이 너무도 웅장하였다. 그리고 소설 속에 내포하고 있는 삶의 철학들도 상당히 방대하였다.

만만치 않은 분량의 장편으로 펼쳐지는 스토리는 고통스러울 만큼 아프지만 눈이 부시게 아름다운 서사였고, 선과 악에 관한 인간의 복잡한 내면을 깨닫게 만들었다. 인간이 선택의 기로에 섰을 때 느끼는 갈등의 다중적인 심리, 삶 속의 극심한 고통, 운명적으로 수렴해야 하는 죄와 벌, 순간의 잘못된 결정으로 인해 저지른 뼈아픈 과오에 대한 돌이킬 수 없게 뒤늦은 후회, 그리고 그것을 바로잡고 용서를 구하며 속죄를 청하는 노력의 과정을 통해 치유되고 복원되는 진정한 인간성의 가치에 대하여 깊이 생각하게 만들면서, 무의식중에 자각하게 되는 깨우침으로 자연스럽게 이끄는 훌륭한 소설이었다.

사실 나는 이 책을 완독한 후 그 감동이 너무 크고 가슴이 먹먹해서 한참을 이 소설에서 헤어나올 수 없을 정도였다. 이 책의 리뷰를 쓰기 위해 소설의 줄거리를 나름대로 요약해 보는 과정에서, 큰 분기점이 되는 사건을 중심으로 요약하고 그 지점에서 내가 특별히 주목한 포인트와 그것과 관련해 강렬하게 떠오른 감상을 풀어나가고자 하였다. 떠오르는 단상을 붙잡아 여과하지 않고 마구 써댄 초고를 축약하는 작업을 재차 하면서 이 작품을 좀 더 자세히 분석하고 더욱 깊게 이해할 수 있었다. 또한 작가의 메시지와 창작 의도를 통합적으로 헤아리며 공감할 수 있는 기회가 되어서 더 좋았다.

처음 쓰고 고치고 또 고치는 과정에서 뜻하지 않게 만나는 새로운 감동이, 다시 쓰고 고쳐 쓰는 글쓰기의 매력이라는 것을 이 장편소설의 리뷰를 쓰면서 덤으로 깨달았다. 이렇듯 나에게는 이래저래 기억에 오래오래 남을 만큼 의미 충만한 소설인 『연을 쫓는 아이』였다.

1.
이 소설은 신분과 성향이 극명하게 다른 아프가니스탄의 두 소년

'아미르'와 '하산'으로부터 이야기가 시작된다. 아프가니스탄의 성공한 사업가인 아버지로 인해 경제적으로 부족할 것 없이 유복한 집에서 태어난 주인공 '아미르'는 세상에 나오자마자 어머니를 잃고 아버지와 하인들의 보살핌을 받으며 자라난다. '아미르'는 어린 날부터 어딘가에 틀어박혀 책을 읽거나 기발한 상상력을 동원하여 흥미로운 이야기를 지어내어 글을 쓰는 것을 좋아하는 등 내향적 성향이었다. 그에 비해 아버지 '바바'는 남자는 모름지기 용맹하고 강하며 운동도 잘하고 활동적인 존재여야 한다는 남성상을 이상적으로 생각하는 사람이었다.

정적이고 내성적인 '아미르'를 다소 못마땅하게 여긴 아버지 '바바'는 아들에 대한 사랑을 잘 표현하지 못하고 엄하고 절제된 사랑을 주는 편이었다. 때문에 언제나 마음이 공허했던 '아미르'의 애정결핍을 채워주는 역할을 한 사람은 착하고 충직한 하인인 '알리'와 그의 아들인 또래 동생 '하산'이었다.

'아미르'와 '하산'은 형제처럼 자라지만, 주인과 하인이라는 서열관계과 명확하였고 사회적으로 신분차가 컸기 때문에, 친구나 형제는 불가능할 수밖에 없고 주종의 관계로 설정되어 살아간다. 그러나 실질적으로나 정서적으로는 이미 친구나 형제와 못지않게 서로에게 친근한 유대감과 깊은 사랑을 갖고 있어서 가족이나 다름이 없는 사이였다.

똑똑하고 지적이지만 소심하고 꽁한 면이 있는 '아미르'는 '하산'에 대한 신뢰와 의지하는 마음을 되도록 드러내지 않고 '도련님'의 위치를 애써 상기하며 생활한다. 그런데 씩씩하고 믿음직스러운데다가 성정이 착한 '하산'은 '도련님'이자 '형'인 '아미르'를 위해서라면 물불을 가리지 않고 어떤 것이든 기꺼이 하며 충직하면서도 신의 있는 존재로서 즐겁게 살아간다.

나는 이 부분에서 인간이 계급을 나눈다는 것은 인간의 존엄을 인정하지 않는 것과 같지 않을까 하는 생각에 잠시 빠져들었다. 정치적으로든, 경제적으로든, 명예로든 뭐로든, 특권을 갖는 사회 지배층들은 인간의 존엄성에 대한 믿음이 있겠지만, 피지배층에 속한 사람들의 입장에서는 과연 모든 인간이 존엄할까에 대해 의문을 가지지 않을 수 없을 것이다.

인간이라는 그 자체가 숭고하고 존엄한 존재임이 분명한 것인데, 나라마다 사회마다 그들의 관습과 사회규율에 따라 계층을 나누어 선을 그어 놓고 사람을 차별하며 살고 있는 것이 현실이다.

꼭 고대사회로 거슬러 올라가 아주 먼 옛날의 일들까지 들추어내지 않는다 하더라도, 현대사회에도 계층과 계급 간의 경계는 분명히 존재한다. 표면상 평등사회라 주창하더라도 계층과 계급을 구별하는 보이지 않는 선은 언제 어디에서나 존재한다는 것을 부정할 수는 없다.

이 소설의 두 주인공인 또래 소년들도 서로 다른 계급의 신분을 갖고 있었고, '도련님'과 '하인의 아들'로서 자신의 본분을 지키는 생활을 자연스럽게 이어나간다. 이 지점이 바로 비극의 시작점이 된 것 같아서, 인간이 그어 놓은 계급과 계층의 선에 대해서, 그리고 인간사회의 이율배반적인 그 모순들에 대해서 다시 한번 고민해 보는 계기가 되었다.

인간은 사회적 동물이라서 함께 살아가는데, 사회에서 계급과 계층이 인간의 존재조건으로 작용하면서, 개인의 사회적 위치에 따라 사람과 세상을 접하고 바라보는 관점과 존재방식에 차이가 생긴다. 인종, 민족, 종교, 경제력, 학력, 직업 등에 따라 사회의 계층화가 이루어지면서 사람들을 그룹으로 분류하여 상대적인 위치를 부여한다. 그렇게 주어진 신분과 계층의 규정 하에서 복종하거나 득세하며 살아간다는 것이 인간의 존엄성을 지키는 방식이 결코 아닐 것이다.

사회의 불안정성과 복잡성이 크면 클수록 계급과 계층화가 더 끈질기게 존재하게 되는 것을 보면, 이것은 분명 합리적이거나 정상적인 판단 하에서는 유지될 수 없는 불평등한 조건인 것이다. 이 소설의 배경이 된 아프가니스탄 또한 정치적으로 혼란한 국가의 불안정한 사회 속에서 이슬람의 종교문화까지 보태어져서 좀 더 극명한 계급화, 계층화가 존속된 느낌이었다.

그러나 꼭 봉건국가였던 시절이나 독특한 문화를 가진 후진국의 경우를 예로 들지 않더라도, 자유와 평등을 지향하고 주창하는 현대사회에서도 표면적으로는 잘 보이지 않는 계급화, 계층화가 분명 존재하고 있다. 그 유리천장은 너무도 교묘하고 견고하다는 것에 문제의식을 갖는 것은 꼭 필요한 일이다.

어떤 상황 하에서도 인간은 누구나 평등하고 존엄한 존재이며, 인간다움과 인간 존재의 가치를 지키며 살아갈 수 있는 사회가 바로 우리 모두가 지향하는 바람직한 공동체라는 것을 항상 잊지 말아야 한다. 그리고 그런 사회를 유지해 나가는데 도움이 될 수 있는 벽돌 하나라도 얹을 수 있도록 사회 구성원 개개인의 노력이 끊임없이 이어져야 할 것이다.

2.

'아미르'와 '하산'이 우정과 사랑을 쌓으며 즐겁게 살아가던 어느 날 아프가니스탄의 명절 같은 기념일에 겨울마다 열리는 큰 행사인 '연싸움 대회'에 두 소년이 참가하게 된다. 대회에서 우승하여 아버지 '바바'의 인정과 사랑을 받고 싶었던 '아미르'를 위해 '하산'은 온 힘을 다하여 돕는다. 그 도움 덕분에 마침내 '아미르'는 우승을 거머쥐게 된다. 우승의 기쁨을 누리며 환희를 더 드높이고 우승의 증거를 확고히 다지기 위해, 잘려 나간 연을 찾아내어 우승의 '상징'으로 확보하기 위해 뛰어나가면서 '하산'은 기쁘게 말한다.

"도련님을 위해서라면 천 번이라도!"
이 한 마디가 이 소설을 관통하는 핵심 메시지이자 가슴이 저리게 마음 아픈 말이 된다.

'하산'의 '아미르'를 향한 충직한 마음과 순수한 사랑이 얼마나 아름답게 느껴지던지, 이 장면에서 나는 마음 한 켠이 찌릿해지고 가슴이 벅차오르면서 뭔지 모를 아련한 슬픔 같기도 하고 환희에 찬 기쁨 같기도 한 묘한 감정을 느꼈다. 인간의 본성은 이렇듯 순진무구하고 순결하며 누군가를 위해 조건 없는 사랑과 신뢰를 마음에 품고 밖으로 표현하고 행동으로 베풀 수 있다는 것이 참 귀하고 고결하다는 생각마저 들었다.

3.

연을 찾아 나간 '하산'이 오랜 시간 돌아오지를 않아서 '아미르'가 '하산'을 찾아 나서게 되는데, 연을 찾아 품에 안은 '하산'이 그 연을 빼앗으려는 동네 불량배 일당에게 포위된 현장을 발견한다. '하산'이 연을 빼앗기지 않고 지키는 조건으로 그 못된 것들에게 극심하고 비인간적인 고초를 겪는 현장을 발견하고도, '아미르'는 불량배 일당들이 두렵기도 하고, 연을 가져가 아버지에게 인정받고 싶었던 욕심에 순간 판단력이 흐려졌다. 그 끔찍한 장면을 숨어서 보고 있으면서도 달려 나가 '하산'을 구해내 오지 않았으며, 위험에 처해 끔찍한 고통을 겪고 있는 '하산'을 방치하고 외면한 채 비겁하게 그 자리를 피해 도망쳐 버리고 말았다.

'방귀 뀐 놈이 성낸다'는 우리 속담처럼, 이후로 뭐라 형언하기 어려운 복잡한 감정에 휩싸인 '아미르'는 '하산'을 피하면서 멀리하다가, 마침내 '하산'에게 억울한 도둑 누명까지 씌워 '알리'와 '하산' 두 부자가 집을 떠나가게 만들어 버린다.

"널 위해서라면 천 번이라도!"

형 같고 형제 같은 도련님 '아미르'를 위해서라면 무슨 일이라도 기꺼이 다 기쁘게 감수할 만큼 충직하고 신의로운 '하산'이 자기 때문에 회복되기 어려운 고초를 겪는 것을 보고도 돕기는커녕, 이기심과 두려움에 사로잡혀 비겁하게 도망쳐 버린 자신의 비인간적인 선택으로 인해 '아미르'는 감당하기 힘든 내적 갈등과 죄책감에 사로잡혀 살게 된다.

'하산'의 순결한 영혼을 배신한 대가로 '아미르'가 치루어야 하는 괴로움은 그리 간단한 것이 아니었다. 이후로 그의 삶 전체를 관통하여 한순간도 자유로워질 수 없는 괴로움과 수치심, 미안함에 시달리게 될 것을 당시의 '아미르'는 짐작이나 할 수 있었을까?

그 착하디 착한 '하산'에게 돌이킬 수 없게 치명적인 상처를 준 자신의 부끄러운 행동에서 비롯된 죄책감, 크나큰 죄의식을 떨쳐낼 수 없어서, 차라리 안보고 회피하고 싶은 비겁한 마음에 집에서 아예 쫓아내 버린 비정한 짓을 추가로 또 저질러버린 '아미르'의 마음이 얼마나 괴로웠을지 짐작이 되어 참 비정하고 야속한 운명이구나 싶었다.

'아미르'가 결국 자신의 삶 전체를 통해서 결코 씻어낼 수 없는 부끄러움과 죄책감에 휩싸여 어쩌지 못할 우울감을 안고 살아가야만 하는 상황이 '하산'의 비극적인 삶 못지않게 안쓰럽기도 하였다. 도망칠 수도 피할 수도 없고, 돌이킬 수도 해결할 방법도 없이 끝모르고 이어지는 마음의 빚과 양심의 가책으로 괴로워해야만 했던 '아미르'의 삶이, 마치 끝없이 바위를 밀어 올려야 하는 '시지프스의 형벌'과도 같다는 생각이 들었다. 그렇게 내려놓지 못하고 평생을 괴로워하는 '아미르'도 참 여리고 순결한 영혼의 소유자라고 느껴졌다.

세상에는 크든 작든 타인에게 피해를 입히고도 아무렇지도 않게 잘 먹고 잘 살아가는 뻔뻔한 사람들도 많고, 인간으로서는 도저히 할 수 없는 극악하고 추악한 죄를 저지르고도 잘못을 반성하고 사죄하거나 책임을 지려는 의지는 전혀 없이 비인간적인 태도로 일관하며 어이없게도 너무 잘 사는 사람들도 많다. 그런 인면수심의 인간들이 득세하는 세상을 살아간다는 것이 끔찍한 일이기도 하면서 인간적으로 서글픈 일이라는 생각을 평소 자주 하던 터라, 이 소설의 주인공인 '아미르'와 '하산' 두 인물 모두 참 아프지만 인간적으로나 인격적으로나 너무 아름다운 존재들이라는 생각이 들었다.

우리 모두가 이렇듯 근원적이고 순결한 마음을 회복할 수 있어야만 인간으로서 존재하는 의미가 있고, 그런 인간성의 자정작용에 의해 우리 사회가 이어져 나갈 수 있을 것이다.

4.

세월은 야속하게 흐르고 흘러가는 가운데 이후로 소식이 끊긴 두 소년은 각자의 자리에서 성장하게 된다. 안그래도 정치적 혼돈 속에 불안정했던 아프가니스탄에 소련이 쳐들어오고 전쟁의 혼란에 뒤죽박죽이 된 곳곳의 분쟁이 끊이지 않는 비극의 소용돌이 속으로 점점 깊이 빠져드는 가운데, 아프가니스탄은 더욱 불안정하고 위험한 국가로 전락하고 국민들은 삶은 나날이 피폐해진다. 그런 극악한 나라에서 더 이상 삶의 희망을 꿈꿀 수 없는 지경이 되고 보니, 많은 사람들이 조국을 떠나 다른 나라로 떠나게 된다. 그러한 망명자 물결에 '아미르'와 그의 아버지 '바바'도 합류하여 생사를 넘나드는 우여곡절 끝에 미국으로 건너와 이민자로서의 새로운 삶을 시작하게 된다.

기회와 희망의 땅이라 믿었던 미국에서 이민자로서의 새 삶을 호기롭게 시작하였지만 현실은 결코 녹록한 삶이 아니었다. 모국인 아프가니스탄에서의 사회적 지위와 경제적 레벨이 아무리 높았었다 한들, 그것은 흘러간 옛 노래이며 이미 시들어버린 꽃에 불과할 뿐이었다. 현실은 아프가니스탄이라는 후진국에서 온 성가신 난민 정도로 취급받으며, 가난에 시달리고 편견으로 멸시받는 미국 사회의 저소득층으로 전락한 것 뿐이었다.

'아미르'는 미국에서의 여러 어려움을 극복하면서 학교에 진학하여 학업을 이어나가고 생계를 위해 이리저리 뛰면서 열심히 살아가는데, 어느덧 노쇠해진 아버지와의 관계도 차차 좋게 변화하게 된다. 이후로 결혼을 하고, 아버지를 떠나보내고, 작가로서의 성과를 얻고, 사회적 명성과 지위도 생기면서 아프가니스탄 출신의 이민자로서 미국에서 꽤 성공한 삶으로 잘 안착하게 된다.

이 부분에서 나는 평화를 지키지 못하고 혼돈에 빠진 고국을 불가피하게 떠나 낯선 타국에 이방인으로 끼어들어서 이민자로서의 삶을 살아내야 하는 난민들의 상황과 마음을 생각해보게 되었다. 자신의 조국인 아프가니스탄을 탈출하여 미국으로 건너와 이민자로서의 삶에 적응하고, 새로운 나라에서 고군분투하여 자신의 안정된 위치를 찾아 안착하기까지의 파란만장한 여정을 겪은 '할레드 호세이니'의 남다른 삶의 경험과 복잡한 심경에 대한 이해를 돕는 부분이었다.

꼭 작정하고 쓴 자전적인 이야기나 자서전이 아닐지라도 소설가는 자신의 작품 속에서 자신의 삶을 통해 겪은 개인적인 일들과 자신만의 직/간접적 경험, 그리고 자신이 속한 나라와 시대의 분위기와 특수성에 대해 어떤 식으로든 드러낼 수밖에 없는 것이 자연스럽고 필연적인 일이다. 그것이 바로 작가의 숙명과도 같은 과정일 것이다.

'할레드 호세이니' 역시 『연을 쫓는 아이』를 집필하는 과정에서 자신의 출신국인 아프가니스탄에서 끊임없이 벌어지고 있는 불행한 상황에 대해서 늘 염려하는 마음이 있었을 것이다. 그 극악한 현실 속에서 어떻게든 살아내야 하는 조국의 동포들이 겪고 있는 고통스러운 삶에 관하여 연민과 부채의식을 느꼈을 듯하다.

고국을 떠나 미국 이민자의 삶 속으로 들어와 낯선 환경과 새로운 생활에 적응하기 위해 치열하게 노력한 끝에, 운이 좋게도 작가로서의 명성도 얻고 돈도 벌면서 성공한 지성인으로서 잘 안착하여 살아가게 된 것은 참 다행스러운 일이 아닐 수 없다. 그러나 항상 무거운 마음을 떨쳐낼 수 없는 상태에서 번민하였을 것이고, 자신의 원뿌리인 조국과 민족을 위해 어떻게든 도움이 되고 뭐라도 기여할 수 있는 활동을 하고 싶었을 것이다. 실제로도 저자는 고국인 아프가니스탄을 돕는 활동을 물심양면 여러 방면으로 활발하게 해왔다고 한다.

나는 이 소설을 읽는 동안에 휘돌아 치는 감정의 소용돌이를 느꼈고, 가슴이 먹먹해지면서 울컥하는 순간을 여러 번 경험하며 큰 감동에 빠져들었다. 그러면서 평소 별로 관심도 없었고 아는 바가 전혀 없었던 아프가니스탄 지역에 대해 좀 더 알고 싶어지고, 그들의 문화에 대해서도 조금 더 이해해 보고자 하는 호기심과 관심이 생겼다. 그러는 과정에서 지도도 찾아보고 생소한 이슬람 문화에 대해 살펴보는 계기도 되었는데, 때마침 늦은 여름

휴가지로 두바이와 아부다비로의 여행을 할 수 있어서 이슬람 문화와 그 문화권에 대해 직/간접적으로 경험할 수 있었다.

물론 두바이와 아부다비는 이 소설의 공간적 배경인 아프가니스탄과는 사뭇 다르게 안정적인 부자나라이기는 했으나, 미술관과 박물관을 비롯하여 그 나라의 민속촌 같은 지역도 둘러보면서 현지 도슨트의 안내와 해설을 듣게 되면서 이슬람 문화권에 대해 조금이나마 이해할 수 있었다. 그 여행을 통해 그간 나에게는 너무도 생소한 이슬람 문화에 대해 약간이나마 개념을 세우는데 도움이 되었으며, 나도 모르게 은연중에 갖고 있던 타문화에 대한 편견이 얼마나 무지하고 위험한 것인지에 대해서도 깨달을 수 있었다. 특히 다소 선입견이 있었던 아랍 지역이나 이슬람 문화에 대해서도 역사적인 배경을 알게 되었는데, 그들의 유서 깊은 역사와 그 민족의 가치관, 공동체적으로 체계적이면서 품격을 갖춘 문화라는 근원적 모습에 대한 상식을 확장시키는데 좋은 기회가 되었다.

이렇듯 '할레드 호세이니'의 작품을 접한 독자들로 하여금 이슬람 문화권에 대한 호기심과 '아프가니스탄'이라는 나라에서 도대체 무슨 일이 일어났으며, 현재는 어떠한지에 대한 관심을 유발하는 작용을 이끌어낼 수 있다는 것이 바로 작가와 문학작품이 가진 크나큰 힘이 아닐까 생각된다. 아마도 저자는 자신의 본국과 동족에 대한 사랑을 바탕으로 조국과 동족을 위해 어떤 식으로든 공헌하고자 하는 선한 의지에서 비롯된 간절한 바람을 자신의 작품 속에 녹여내는 창작활동을 했을 것이다. 그 결과 이렇게 위대한 장편소설의 탄생이라는 결실을 맺은 것이 아닐까 하는 생각이 들었고, 작가가 새삼스럽게 더 위대해 보였다.

5.
표면적으로는 평화롭고 행복한 생활을 이어가던 '아미르'는 어느
날 파키스탄으로부터 아버지의 친구이자 어린 '아미르'의 멘토와
도 같은 존재였던 '라힘 칸'으로부터 날아든 소식을 도화선으로
하여 어린날 아프간에서 있었던 '하산'과의 일들을 상기하게 된
다. 그 순간, 아직 해결되지 못한 채 허술하게 봉합해 두었던 상
처와 죄의식이 또다시 올라와 근원적인 괴로움에 사로잡힌다.
'라힘 칸'의 설명을 쭉 듣고 '하산'이 그간 어떻게 살아왔는지, 또
어떻게 떠나갔는지에 대한 이야기를 듣게 된 '아미르'는 충격에
휩싸이게 된다. 특히나 뜻밖의 사실을 접하게 되는데, 사실은 '하
산'이 단순한 하인의 아들이 아니라 배다른 형제인 이복동생이었
다는 것을 뒤늦게 알게 된 것이다.

그 옛날 '아미르'의 모략으로 도둑으로 몰리는 사건 끝에 집을 떠
난 '하산'과 그의 아버지였던 하인 '알리'는 안전지역에 새롭게 터
를 잡고 잘 안착하였다고 했다. 이후로 '하산'은 착한 아내와 결
혼을 하고 예쁜 아들아이도 낳아 아버지인 '알리'와 함께 행복하
게 살고 있었다 했다. 그러던 '하산'이 '라힘 칸'의 부탁을 거절하
지 못하고 충직한 믿음을 지키기 위해 '아미르'와 '바바'와 함께
살던 옛집을 지키기 위해 위험한 나라인 아프가니스탄의 그 집으
로 되돌아왔다는 것이다. 고향집을 가꾸며 살아가던 중 남의 집
을 점거했다는 억울한 누명을 쓰게 되었고 극악무도한 탈레반이

'하산'의 가족을 잔인하게 죽여버렸다는 비극적인 소식이 '하산'의 한 많은 삶의 마지막 모습이었다는 것을 전해듣게 된다.

그러면서 '하산'의 아들이자 자신의 조카인 '소랍'의 존재를 알게 된 '아미르'는, 한순간에 부모를 잃고 홀로 남겨진 어린 '소랍'을 찾아 아프가니스탄으로의 위험천만한 여행을 떠나게 된다. 어렵게 고국으로 돌아온 '아미르'는 탈레반에 끌려가 아동학대를 당하고 있는 '소랍'을 천신만고 끝에 만나게 된다. 그런데 그 자리에서 어린시절 '하산'에게 치명적인 상처를 입힌 동네 불량배였던 '아세프'가 탈레반이 되어 지금은 '하산'의 아들인 어린 '소랍'을 괴롭히고 있는 현장을 목격하고 큰 충격과 분노에 휩싸이게 된다. 그 끔찍한 소굴에서 '소랍'을 구출해 내기 위해 목숨을 건 사투를 벌인 끝에 극적으로 '소랍'을 데려올 수 있었다.

그런데 난투극이 벌어진 그 상황에 수세에 몰린 '아미르'를 돕기 위해 '소랍'이 기지를 발휘하는데, 그때 쓴 방법이 '하산'의 주특기였던 새총이었다. 아버지 '하산'으로부터 새총 쏘는 법을 배운 그 아이가 새총을 정확히 조준하여 탈레반 악당 '아세프'의 눈을 쏘아 '아미르'를 구해내어 결국 위험한 탈레반 소굴을 탈출할 수 있었던 것이다.

나는 소설 속 이 장면의 묘사 부분에서 어린 '하산'의 모습이 겹쳐지면서, 순박하고 착하디 착한 그의 삶이 가여워서 울컥 눈물이 나왔다. 그리고 '하산'의 아들 '소랍'이 그의 아버지를 그대로 닮은 것을 '새총 쏘는 솜씨'로 상징적으로 표현한 작가의 시선이 참 따뜻하고 의미롭다는 생각이 들었다.

어린 '소랍'은 그 난투극의 상황에서 수세에 몰린 '아미르'를 돕기 위해 새총을 꺼내드는 용기를 발휘하였는데, 그것은 바로 아버지 '하산'의 용감함을 닮았다. 그리고 새총으로 악당의 눈을 정확히 조준한 것은 아버지로부터 새총 쏘는 기술을 제대로 배워 익힌 결과인 것이다. 그 한 면만 보더라도 '하산'이 아들 '소랍'을 얼마나 사랑했었는지, '소랍'이 아버지 '하산'으로부터 얼마나 큰 사랑을 받고 자란 아들인지를 엿볼 수 있는 부분이어서 더욱더 감동스러웠다. 또한 그렇게 지극한 부모의 사랑을 받고 자란 귀한 아이가 한순간에 든든한 부모를 잃고 고아가 되어 극악무도한 탈레반에 끌려와 수많은 고초를 겪었을 일들을 상상하게 되니, 깊은 슬픔이 느껴지면서 마음이 아려왔다.

그리고 아프가니스탄 어딘가에 소설 속 '소랍' 같이 졸지에 고아가 되어 탈레반의 폭정 하에서 인간으로서 최소한의 존엄도 보장받지 못하고 살아가는 아이들이 얼마나 많을까에까지 생각이 확장되었다. '탈레반'이라는 말도 안 되는 폭도 세력들이 온 나라를 집어삼켜 뒤흔드는 극악한 상황에서는 방어력이 전혀 없고 자신을 지킬 힘이 전무한 아이들과 여성들이 소설에서처럼 고초를 겪고 있다는 것을 상상하게 되니 등골이 오싹해지는 느낌이었다.

모든 것이 발달의 정점에 이른 오늘날에도 지구의 어느 한켠에서는 21세기라고는 믿을 수 없는 기괴한 상황들이 벌어지고 있고 전쟁과 기아, 폭력에 노출된 채 삶과 죽음을 매일 넘나드는 고통을 겪고 사는 사람들이 있다는 것이 두렵게 느껴지고 서글픈 마음이 밀려들었다.

인간이라는 존재는 어떤 피조물보다도 존엄성을 목숨처럼 지킬 수 있어야만 실존할 수 있는 법이다 그런데 지구 어딘가에서는 전쟁과 분쟁 속에서 상식이 통하지 않게 폭력적이고 비인간적인 상황에 무방비 상태로 노출되어 고통을 겪는 비극이 오늘날에도 버젓이 벌어지고 있다는 사실이 너무 비현실적이라고 생각되었다.

한편 아프가니스탄이 장기간의 내전으로 불안불안한 화약고 같은 공포감을 오랜 세월 겪고 있고 나라가 혼란스러운 가운데 수많은 양민들이 무자비하게 학살되는 극악한 상황의 중심에, 스스로를 이슬람 원리주의자라고 믿고 떠드는 '탈레반'은 도대체 어떤 어떤 존재일까에 대한 근본적인 의문이 생겼다. 호기심에 탈레반에 대한 자료를 잠깐 검색해 보았다. 결론적으로 이슬람 문화나 코란의 참뜻을 무시한 채 원칙도 없이 멋대로 해석하여 자신들이 원하는 현실정치에 마구잡이로 적용하고 비윤리적으로 써먹으면서, 갖가지 비인간적이고 부도덕한 만행들을 저지르고 있는 폭도조직에 불과한 집단이라는 것을 알 수 있었다. 딱히 명분이 없는 그들이 아프가니스탄을 쑥대밭으로 만들어 놓은 배경이 참 이해하기 힘들었다.

이 지점에서 탈레반의 제멋대로식 코란 해석이 우리나라의 뒤틀린 유교문화와 중첩되는 면이 있다는 생각이 들었다. 본래 유교의 본질을 잘못 받아들이고 그 참뜻을 자의적으로 재해석하여 뒤틀린 문화를 만들어낸 우리나라의 유교문화로 인해, 많은 사회적 문제가 야기되었다는 면에서는 공통된 지점이 분명 있다고 생각되었다.

물론 그 기괴한 행태와 잔혹함에 있어서는 너무 끔찍한 탈레반에 우리의 유교문화를 견줄 바가 전혀 못되지만, 어떤 종교이든 문화이든 이론이든 총 망라하여 본질을 제멋대로 흐리면서 '귀에 걸면 귀걸이. 코에 걸면 코걸이' 식으로 자의적으로 해석하여 아무 때나 끼워맞춰 적용하는 것이 얼마나 위험천만한 일인지의 관점에서의 생각이었다. 특히 종교에 있어서는 맹목적이거나 자의적인 관점은 대단히 위험하다는 경각심을 크게 느낄 수 있었다.

6.

우여곡절 끝에 아프가니스탄에 들어가 '하산'의 아들이자 '아미르'의 조카인 '소랍'을 찾아내어 잔혹한 탈레반으로부터 구출했지만, 아이를 미국으로 데려오는 과정에서도 비자 문제 등으로 난항을 겪으며 힘든 상황을 거치게 된다. 그 과정에서 '소랍'이 목숨을 끊는 비극적인 시도를 하기도 했다. 그러나 수많은 어려움을 극복하고 결국은 '아미르'가 '소랍'을 미국으로 데려오는 기나긴 여정이 무사히 마무리가 된다. 그런데 그토록 어렵게 미국으로 온 '소랍'이 적응을 하지 못하고 실어증에 걸린 듯 침묵을 이어가면서 방황하게 된다.

그러던 어느날, 미국에 사는 아프가니스탄 출신의 이민자들에 의해 그들 민족의 행사로 열리는 연싸움 대회에 '아미르'가 '소랍'을 데리고 참가하게 된다. 그 현장에서 미국으로 온 이래 계속 초점이 흐렸던 '소랍'의 눈이 반짝거리며 생기를 되찾게 되는데, 그때 '아미르'가 상대의 연줄을 끊어내 주어서 '소랍'의 우승을 이끌어냈다. 그리고 어린 날 고향인 아프가니스탄에서 '아미르'를 위해 끊어져 날아간 연을 찾기 위해 달려 나갔던 '하산'의 모습과 똑같은 마음과 닮은 모습으로, 이제는 '소랍'을 위해, 잘라져 날아간 연을 찾으러 '아미르'가 힘차게 달려가는 장면으로 이 소설은 아름다운 결말을 맺는다.

이 마지막 챕터에서 천신만고 끝에 미국으로 온 이후에도 행복한 삶을 살지 못하고 심신의 어려움을 겪고 있는 '소랍'의 모습에서 안쓰러운 마음이 올라왔다. 어린아이로서는 감당하기 힘들게 너무 험악하고 끔찍했던 일들을 겪었기 때문에 '외상후 스트레스 장애(PTSD)'로 고통을 겪는 과정을 '소랍'을 통해 표현하고 싶었던 작가의 의도가 와닿았다.

특히 작가는 '소랍'을 통해 혼돈의 분쟁지역인 아프가니스탄에서 고통받는 약자 중 특히 어린이들이 겪는 비극적인 상황을 이야기하고 싶었으리라 생각되었다. 결국 '소랍'은 아프가니스탄 민족들, 나아가 어린아이들을 상징하고 있는 것이었다. 태어나보니 주어진 운명 같은 나라가 분쟁의 소용돌이에 빠져있어서 최소한의 인간다운 삶을 보장받을 수 없는 환경이었고, 날이 갈수록 더 극악스러워지는 폭정과 전쟁 속에서 힘겨운 하루하루를 어떻게든 살아내야만 하는 불행하고 가련한 아프가니스탄 국민들을 생각하니 실로 안타까운 현실상황에 가슴이 아팠다. 그러면서 내가 우리나라 대한민국에 태어나 성장하여 성인이 된 지금에 이르기까지의 삶이 나름대로의 시련과 어려움을 비껴갈 수 없어서 힘든 순간이 있었음에도 불구하고, 이 소설에 등장하는 인물들의 힘겹고 고통스러운 삶에 극명하게 대비되는 평화롭고 행복한 과정이 아니었을까 싶었다. 평화롭게 살아갈 수 있는 환경이 주어진다는 것은 참 소중하고 감사하다는 일이라는 것을 다시 한 번 상기하였다.

부디 오늘날 이 순간에도 이 소설 속 아프가니스탄을 비롯하여 지구 어딘가에서 벌어지고 있는 전쟁과 분쟁으로 인해 인간이 파괴되고 삶이 위협받는 비극적인 일들이 하루빨리 종결되기를 간절히 기원한다.

사실 남의 나라 걱정이 문제가 아니라 분단국가인 우리나라의 현실도 진지하게 생각하면 심각하기 이룰바가 없는 상황이니만큼, 하루빨리 휴전이 아닌 종전국의 위치를 되찾고 분단을 극복하여 통일을 이루고 건설적인 방향으로 나아가야 한다는 간절한 바람을 다시 한번 생각하게 된다.

"널 위해서라면 천 번이라도!"

소설을 완독한 시점에서는 이 아프고 아름답고 속깊은 메시지가 가슴속 깊이 각인되었다. 상당한 분량의 장편소설을 한마디로 리마인드하게 만드는 임팩트 있는 이 말을 나도 모르게 혼잣말로 소리 내어 읊조리며 순간순간 울컥하는 감동적인 경험을 하였다. 나는 이 책의 마지막 페이지를 읽고 책을 덮는 순간에 복잡 미묘한 여러 감정들이 밀려와 기나긴 여운에서 한참을 빠져나오기 힘들었다. 그만큼 감동이 대단한 작품이었다. 책을 읽는 내내 뭉클하고, 맘 아프고, 가슴을 쓸어내리고, 눈가가 촉촉해지는 감정의 동요를 느꼈다.

신분과 계급, 종교, 가족, 민족, 이민자의 삶, 분쟁지역의 실상, 인생의 본질, 선과 악, 죄책감과 속죄 등 인간의 본성과 삶의 아이러니에 관하여 다각도로 수많은 생각을 하게 만드는 소설이었다. 이 책을 통해 인간과 삶의 품격에 대해 다시금 깨닫게 되었다. 사람이라는 존재의 복잡다단함과 관계의 모순, 신의를 지키는 것과 배신하지 않는 삶의 가치, 속죄와 구원의 숭고함에 대한 작가의 통찰을 자연스럽게 이해할 수 있었다.

무엇보다도 소설의 스토리에 등장하는 아프가니스탄 사람들의 비참한 삶의 모습이 너무 끔찍하여, 놀라고 슬픈 마음을 주체하기 힘들 정도로 비통하기도 하였다. 그러면서 현재 지구상에서 진행 중인 전쟁들에 대해서, 그리고 그 전쟁 속에서 고통 받고 있는 수많은 사람들에 대해서 생각하면서 숙연한 마음이 되었다. 하루 빨리 전쟁이 종식되고 평화가 오기를 간절히 기원하는 마음이다.

한편 이 소설로 인해 평소 무관심하고 무지했던 아프가니스탄 지역의 지리적/정치적 상황을 알게 되었고, 생소했던 이슬람 문화에 대해 살짝 엿볼 수 있는 기회가 되었다는 것은 참 의미롭다. 또한 타문화에 대한 상식과 지식의 폭을 넓힐 수 있었다는 점에서도 많은 도움이 되었기에, 이 소설로 인해 나의 미약한 지식 면에서는 또 다른 확장성이 있었다.

끝으로 '우정과 사랑', '죄책감과 후회', '속죄와 구원'이라는 테마를 격정적인 서사로 펼쳐내면서 큰 감동을 이끌어낼 수 있는 스케일이 매우 큰 이야기를 창작해 낸 '할레드 호세이니'의 작가적 재능에 대해 무한한 존경과 찬사를 보낸다.

개성 있고 매력적인 등장인물들과 탄탄한 서사구조, 개연성이 충만한 스토리, 화제성, 재미와 흥미, 교훈과 진리가 담겨 의미 가득한 메시지, 감동과 여운, 작품성 등 어떤 면으로 보나 단연코 '현대의 고전이 된 스테디셀러'라 칭하기에 이견의 여지가 전혀 없는 대단한 소설이라는 생각이 들었다.

또한 '소설 창작의 ABC가 조화롭게 담겨 있는 문예창작 교과서'로 활용해도 손색이 없을 만큼 기승전결의 매끄러운 흐름, 수미상관을 이룬 탄탄한 스토리 구조, 한명한명 모두가 다채로운 개성을 지닌 등장인물들, 펼쳐지는 사건들이 함축하고 있는 상징과 거대담론들이 어느 하나도 흠잡을게 없이 완벽한 소설이었다는 점에서, 남녀노소 불문하고 인간성과 삶의 본질에 대해 진지하게 사유하는 사람이라면 그 누구에게나 기꺼이 추천하고 싶은 훌륭한 작품이었다.

5

제5화 『선량한 차별주의자』

김지혜 著

제5화 『선량한 차별주의자』를 읽고

김지혜 著

♣ 혐오와 차별을 극복하려면 기존 질서 너머를 볼 수 있어야 한다.

▶ 독서토론 발제문

이번달 '함께읽기책'은 '김지혜' 작가의 연구 논문 에세이 『선량한 차별주의자』였습니다.

원주대학교 다문화학과에서 소수자, 인권, 차별에 관해 가르치고 연구하고 있는 이 책의 저자 '김지혜' 교수가 연구 논문 형식의 에세이로 출간한 이 책을, '가끔은 웃자고 한 말에 죽자고 덤벼야 할 때가 있다. 선량한 차별주의자들의 세상에서 평등을 외치는 당신을 위한 안내서'라고 출판사 '창비'에서 소개하였는데요, 여러분은 이 책을 어떻게 읽으셨나요?

별점과 함께 읽은 소감을 나눠봅시다.
(1점부터 5점까지 별점을 주세요)

◎별점(1~5점, 소수점가능) ☆☆☆☆☆
독창성/짜임새/재미/깊이/소장가치에 근거하여(   )점

◎읽은 소감(별점을 준 이유)

❶자유논제

'토크니즘'이란 역사적으로 배제된 집단 구성원 가운데 소수만을 받아들이는 명목상의 차별시정정책을 말한다(창비 p24)

얼핏 보면 노력하여 능력을 갖추면 누구나 성취할 기회가 열려 있는 것처럼 기대를 주나, 차별받는 집단의 극소수만 받아들이고 서도 차별에 대한 분노를 누그러뜨리는 효과가 있을 뿐, 결국 현실은 이상적인 평등의 상황과는 꽤 먼 상태임에도 평등이 달성되었다고 여기게 착시를 일으킨다고 저자는 '토크니즘'의 모순점에 대해 성토하고 있습니다.

즉 '토크니즘'이란 사회적 소수 집단의 일부만을 대표로 뽑아 구색을 갖추는 정책적 조치 또는 관행이며, 성적/인종적/종교적/민족적 소수 집단의 일원을 적은 수만 조직에 편입시킴으로써, 겉으로는 사회적 차별을 개선하기 위해 노력하는 조직으로 보이게끔 하는 것이라고 정의할 수 있는데요,

이러한 '토크니즘'에 대해 여러분은 어떻게 생각하시나요?

저자가 예로 든것처럼 10퍼센트로 구색을 맞추는 정도만으로도 공정한 상황이라고 착각하게 만드는 '토크니즘'을 '공정성'의 관점과 연결 지어서 자신의 의견을 이야기 나누어 봅시다.

❷자유논제

'호의가 계속되면 권리인 줄 안다는 말이 있다.' 영화 '부당거

래'(2010)에 나오는 유명한 대사이다. 영화에서 이 말은 부패한 검사를 비꼬는 의미였다. 극 중 검사인 주양(류승범)은 경찰의 눈치를 봐야 하는 상황에서 이렇게 말한다. "호의가 계속되면, 그게 권리인 줄 알아요. 상대방 기분 맞춰주다 보면 우리가 일을 못한다고"

간단히 말하면 상대를 배려하지 않고 내 마음대로 하겠다는 의지의 표현이다. 당신을 잘 대해준다면 그건 나의 호의일 뿐 당신의 권리는 아니라고 관계를 설정함으로써 무례함을 정당화시킨다. (창비 p26)

만일 당신이 권리로써 무언가 요구한다면 선을 넘었다고 비난할 수 있는 권력까지 포함한다. (창비 p27)

저자는 '호의와 권리'를 설명하기 위해 영화의 한 장면을 예시로 들었습니다. 요구가 부적절하다는 의미로 사용되는 '호의와 권리'에 대해 이른바 '명언'이 된 '호의가 계속되면, 그게 권리인 줄 안다.'는 말에 대한 저자의 의견에 대해 여러분은 어떻게 생각하시나요? 함께 이야기 나누어 봅시다.

❸자유논제

일군의 사람들은 이주노동자는 한국인의 일자리를 빼앗는 사람들이고 결혼이주민은 돈 때문에 결혼한 사람들이라며, 이들 때문에 한국인이 피해를 본다고 주장했다. 이주민을 지원하는 정책은 자

국민에 대한 부당한 역차별이라고 항의했다. (창비 p21)

저자는 이주노동자와 결혼이주민에 대한 우리 사회 구성원들의 반대 의견을 언급하고 있는데요,
여러분은 이주노동자와 결혼이민자에 대해 어떤 생각을 갖고 계신가요? 각자의 의견을 나누어 봅시다.

❹자유논제
저자는 성소수자가 한국사회에 가시화되면서 나타난 양상에 대해 언급합니다.

처음에는 "며느리가 남자라니 웬 말이냐"라며 전통적인 가족관을 기반으로 비판이 시작되었다. 2007년 차별금지법 제정 시도를 계기로 보수 기독교 단체 중심의 성소수자 반대운동이 점차 거세게 일어나면서, 성소수자의 권리를 보장하면 피땀 흘려 세운 나라가 망하고 기독교인들이 피해를 입는다는 주장이 전개되었다. 이제 "동성애 독재가 퍼지고 있다."며 자신들이 박해를 받고 있다고 호소한다. 소수의 성소수자의 인권 보장이 다수의 비성소수자에 대한 역차별이라는 것이다. (창비 p21)

여러분에게 이 부분이 어떻게 읽으셨나요?
성소수자에 대한 생각들을 포함하여 함께 이야기 나누어 보아요

❺선택논제

"국민이 먼저다." 난민 반대 집회에 등장한 이 구호를 보면 상황이 선명해진다. 난민을 둘러싼 쟁점의 핵심은 한국이 난민을 수용할 것인지 여부였다. 이때의 권력관계는 난민 수용 결정을 내릴 권한이 있는 사람과 그 처분을 받아야 하는 사람 사이에 있다. 국민은 한국 땅에서 살 수 있는 기득권과 정부의 난민정책에 영향력을 행사할 권력을 가지고 있다. 반면 외국인은 그러한 권한이 없다. 국민들의 반대는 정부를 움직였고, 2018년 6월 1일부터 예맨인은 더 이상 제주도에 무비자 입국을 할 수 없게 되었다. (창비 p41)

저자는 난민 수용 문제에 대해 언급하고 있는데요
여러분의 생각은 어떠한지 한 가지를 선택해 보고 각자의 의견을 나누어 봅시다.

A : 난민을 받아들이는 것에 동의한다.
B : 동의하지 않는다.

❻자유논제

'존 달리와 패짓 그로스의 1983년 연구'를 예로 들어 고정관념의 무의식적 영향에 대해 논하고 있습니다.(창비 p48)

사람들은 고정관념에 부합하는 정보를 선택적으로 더 잘 흡수하고, 이는 판단을 편향시킨다. 이렇게 사람을 구분하는 경계를 따라 고정관념이 생기고 그에 따라 사람들의 태도가 변한다. (창비 p49)

대학생들을 두 집단으로 나누어 '한나'라는 한 아동에 대해 저소득층과 고소득층이라는 가정환경에 관한 상반된 사전 정보를 각각 제공한 뒤, '한나'가 문제를 푸는 영상을 보여주며 학업능력을 평가하게 하는 이 실험을 통해 '고정관념'의 작동이 정보처리를 교란시키는 것에 대해 저자는 설명합니다.

이어서 저자는 사람들이 가진 '고정관념'에 부연 설명을 덧붙이고 있는데요, 여러분은 이 부분을 어떻게 읽으셨나요?

자신의 가치관과 경험에 근거하여 '고정관념'에 대한 각자의 생각들을 함께 나누어 봅시다.

❼자유논제

대내외적으로 분교에 대한 인식 차이가 있는 건 스스로 감수해야 할 부분이죠. 공부 잘했으면 당연히 본캠(본교 캠퍼스) 갔을 테니까. (창비 p62)

"힘들게 공부해서 그 학교에 들어갔는데 똑같을 수는 없죠." 본교생이 분교생을 배척하는 것 자체는 "그럴 수 있다"며 이해했다. (창비 p63)

사람들 마음속에 내면화된 낙인과 열등감은 불평등한 구조를 감지하는 신호일 수 있다. 대학서열을 둘러싼 심리적 불편함은 어쩌면 우월감과 열등감 사이에 존재할지도 모르겠다.... 대학서열이 공정한 경쟁의 결과라 믿으며 이 모순을 애써 외면하기에는 '딱지'와 '얼룩'이 너무 크다. (창비 p78)

저자는 현장 사례를 들면서 '마음속에 내면화된 낙인과 열등감에서 비롯되는 불평등한 구조'에 대해 저자는 말하고 있는데요, 여러분은 이른바 '대학 간판', '대학 서열화'에 대해 어떻게 생각하시나요? 함께 이야기 나누어 봅시다.

❸자유논제

최근 한국사회를 뜨겁게 달군 키워드인 '혐오표현'은 약자들을 향한 언어유희의 현상으로 대표된다. 주로 인터넷 커뮤니티와 포털사이트의 댓글을 통해 특정 집단을 향한 비하성 언어들이 만들어지고 유통되었다. "똥남아"(동남아시아인), "똥꼬충"(게이), "급식충"(아동, 청소년), "틀딱충"(노인), "맘충"(엄마) 등 사람을 '벌레'나 '똥'에 비유하여 비인격화하는 말들이 등장했다.

무엇이든 웃음거리가 된다면 괜찮다는 듯, 집단적 편견과 적대감이 봉인해제되었다.
(창비 p89)

"농담은 농담일 뿐"이라고 가볍게 여기는 생각 자체가 사회적으로 약한 집단을 배척하고 무시하는 태도와 연관되어 있다. 유머, 장난, 농담이라는 이름으로 다른 누군가를 비하함으로써 웃음을 유도하려고 할 때, 그 '누군가'는 조롱과 멸시를 당한다.
(창비 p90~91)

저자는 우리 사회에 만연해 있는 '혐오표현'에 대한 심각성과 부적절성에 대해 언급하고 있습니다.
이어서 '우리가 누구를 밟고 웃고 있는지 진지하게 질문해야 하는 이유'에 대한 성찰을 당부하고 있는데요, 여러분은 이 부분을 어떻게 읽으셨나요?
'혐오표현'과 '비하성 유머'에 대한 각자의 생각을 나누어 보아요.

❾자유논제

저자는 한 식사 자리에서 어느 로펌 원로 변호사가 동석한 로스쿨 학생들에게 "여자는 공부 잘해봐야 소용없어. 남자가 공부를 잘해야 큰일을 하지." (창비 p98)라는 말을 한 것에 대해 유쾌한 웃음으로 받아넘겼는데 뒤늦게 후회를 한다고 말하면서, 그 자리에서 웃는 모습을 보인 자신에게도 화가 났던 일화에 대해 예를 들며 '반응없는 반응'의 필요성에 대해 강조하고 있습니다.
또한 그런 상황에서 웃지 않는 최소한의 소극적 저항이라도 하겠노라고 결심했던 일을 '웃찾사의 흑인 분장'과도 연결지어서 이야기하고 있습니다.

웃지 않는 사람들이 나타났을 때 그 유머는 도태된다. 누군가를 비하하고 조롱하는 농담에 웃지 않는 것만으로도 "그런 행동이 괜찮지 않다."는 메시지를 준다. 웃자고 하는 얘기에 죽자고 달려들어 분위기를 싸늘하게 만들어야 할 때가, 최소한 무표정으로 소심한 반대를 해야 할 때가 있다. (창비 p99)

여러분은 이 부분을 어떻게 보셨나요?
자신의 직/간접 경험과 적절한 사례가 있다면 예를 들어가며 각자의 생각을 이야기 나누어 봅시다.

⑩선택논제
저자는 웹툰 기반의 드라마 '미생'에서 정규직과 비정규직으로 나누어 선물을 달리했던 에피소드를 언급합니다.

어떤 사람들은 차별이 '공정'하기 때문이라고 말한다. 차별하는 것이 더 옳고 도덕적이기 때문에 차별을 해야 한다는 것이다. 예컨대 성실하게 일해 좋은 성과를 거둔 사람과 불성실한 태도로 일관한 사람을 똑같이 평가해서는 안 되는 것처럼 말이다. 팀 프로젝트에서 무임승차한 사람을 다른 구성원들과 똑같이 대우할 수는 없다. 정의란 누구든 똑같이 대우하는 것이 아니라 그가 이룬 성과만큼 차등적으로 대접해주는 것이라고 생각한다.
(창비 p104)

저자는 '차별이 공정하다는 생각'에 대해 다루고 있는데요,

여러분의 생각은 어떠한지 한 가지를 선택해 보고 자신의 의견을 나누어 봅시다.

A : 동의한다.
B : 동의하지 않는다.

⓫선택논제

저자는 '누구를 거부하는가' 카테고리에서 까페나 식당에서 다양한 사유로 거부되는 '노키즈존', '노스쿨존', '노장애인존'(창비 p121)에 대해 언급하고 있습니다.

식당, 카페, 목욕탕, 영화관, 놀이시설 등 대중을 상대로 영업하는 각종 시설에서 문제를 일으키는 손님의 문제는 결코 가벼운 일이 아니다. 매장을 관리하는 사람으로서 손님에게 예의를 지켜달라고 요구하는 것은 당연하다. 누군가를 거부하는 상점들은 모두 해당 집단에 문제가 있어서 거부하는 것이라고 설명한다. 그런데 손님에게 예의를 지켜달라고 요구해도 된다고 해서 어떤 손님이 이를 지키지 않았다는 이유로 아예 특정 '집단'을 거부해도 괜찮은 걸까? (창비 p121~122)

저자가 '거부'에 대한 다각도의 예시를 들며 논점을 던진 문제에 대해 여러분의 생각은 어떠한가요?
한 가지를 선택해 보고 각자의 의견을 나누어 봅시다.

A : 거부할만 하고 거부해도 괜찮다.

B : 거부하면 안된다.

⑫자유논제

저자는 '2016년 5월 17일, 강남역 10번 출구 인근 상가 화장실에서 있었던 살인사건'을 사례로 들며 '편견'이 동기가 된 '증오범죄'에 대해 이야기하고 있습니다.

범인은 "평소 여자들이 나를 무시해서 죽였다."고 했다. 살인의 동기가 여성에 대한 미움과 증오에서 왔다는 말이었으며, 단지 피해자가 "여성이기 때문"에 해를 끼쳤다는 자백이었다.

(창비 p144)

라는 실사례를 통해 우리 사회의 병폐의 단면을 생각하게끔 해주었습니다. 여러분은 이 부분을 어떻게 읽으셨나요?

이처럼 '여성'이라는 특정 피해자를 제약하는 '증오범죄'를 비롯하여, 불특정 다수를 대상으로 하는 '묻지마 범죄'로까지 생각을 확장시켜서 함께 이야기 나누어 봅시다.

⑬자유논제

저자는 '2017년 10월 한 장애인이 휠체어를 타고 신길역 계단 옆에 설치된 장애인리프트를 타려다가 계단 아래로 추락하여 결국 사망한 사고'로 촉발되어 2018년 6월 서울의 지하철 1호선에서 이루어진 '서울장애인차별 철폐연대'의 '장애인 이동권 보장'

에 대한 시위를 언급하고 있습니다.

이 날 시위에서 휠체어를 탄 장애인들이 신길역에서 시청역까지 매 정거장마다 타고 내리고를 반복했다. 6개 정거장을 가는데 1시간 40분이 걸렸다. 평소보다 5배 이상 걸린 것이었다. 많은 시민들이 격렬하게 항의했다. (창비 p156)

저자는 장애인 이동권 보장 시위 현장의 상황을 자세히 리포팅하고 있는데요, 여러분은 '장애인 이동권 보장'에 대해 어떤 생각들을 가지고 계신가요?
함께 이야기 나누어 보면서, 아울러 좋은 아이디어나 대안이 있다면 제시해 봅시다.

⓮선택논제

보편성과 다양성 사이의 긴장은 수많은 평등의 쟁점에 깊숙이 깔려 있다. 대표적으로 정부가 실시하는 브라인드 채용은 특정한 구분을 가리는 방식으로 보편성을 추구한다. 2017년 '공공기관 브라인드 채용 가이드라인'에서 설명하듯, 입사지원서의 항목이나 면접 등 채용 과정에서 출신지, 가족관계, 학력, 외모 등을 밝히지 않게 한다. 이런 정보 때문에 "편견이 개입되어 불합리한 차별을 야기"하는 효과를 차단하려는 것이다. (창비 p177)

브라인드 채용이 출신지, 가족관계, 학력, 외모 등의 정보를 구분

하여 사람을 평가하는 것이 정당하지 않다는 원칙에서 출발하였으며, 실제로 채용과 관련 있고 타당한 기준은 '실력' 그 자체여야 하고, 그러기 위해서 평가하는 사람의 편견 어린 눈을 말 그대로 가리는 것이다. (창비 p178)

저자는 '브라인드 채용'에 관한 '형식적 평등'과 '실질적 평등'에 대한 논리를 이어갑니다.
'브라인드 채용'에 대한 여러분의 생각은 어떠신가요?
한 가지를 선택해 보고 각자의 의견을 나누어 봅시다.

A : 동의한다.
B : 동의하지 않는다.

⓯자유논제

불평등한 사회에서의 삶은 자신의 지위에 따라 크게 달라진다. 이런 사회에서는 지위의 유동성에 따라 개인의 만족감이 달라진다. 불평등이 있더라도 높은 지위에 오를 수 있는 '기회'가 있다면 사람들은 안심한다. 하지만 그 편안한 지위에 오르기 위해 평생에 걸쳐 쏟는 수고로움은 이루 말할 수 없다. "억울하면 성공해!"라는 흔한 말처럼, 열등한 지위에서 겪어야 하는 모욕과 무시를 피하기 위해 타인의 인정이 따라올 것이라 예상되는 성취들을 최소한이라도 확보하고자 한다. (창비 p186)

저자는 '불평등한 사회가 주는 삶의 고단함'에 대해 설명하고 있습니다. 여러분은 이 부분을 어떻게 읽으셨나요?

함께 이야기 나누어 봅시다.

ⓖ자유논제

저자는 에필로그에서 영화 '우리들'(2016)에서 초등학교 운동장에서 어린이들이 편을 가르는 장면을 예로 들면서, 이른바 '인싸(인사이더)'와 '아싸(아웃사이더)'의 경계를 가르는 기준에 외모나 능력 등의 온갖 차별이 존재함은 어린 시절에서 시작하여 성인이 된 이후로도 쭉 이어지는 보편적인 현실임을 이야기하고 있습니다.

여러분은 이 영화의 생생한 장면인 '집단에 소속되지 못할까 봐 불안해하던 어린 시절의 공포'에 대해 어떤 느낌이 들었나요?

인간이 무리에 속하려고 하는 근본적인 속성과, 집단에 소속하지 못하고 밀려난 사람들의 소외와 좌절에 대해,

가능하다면 자신이 경험하거나 주변에서 목도한 사례들을 들어서 이야기 나누어 봅시다.

ⓗ자유논제

모두가 평등을 바라지만, 선량한 마음만으로 평등이 이루어지지 않는다. 불평등한 세상에서 '선량한 차별주의자'가 되지 않기 위해, 우리에게 익숙한 질서 너머의 세상을 상상해야 한다. 차별금

지법의 제정은 그런 의미에서 우리가 어떤 사회를 만들 것인지에 관한 상징이며 선언이다. (창비 p205)

저자는 '우리가 함께 모여 결의할 때 평등은 바로 여기에서 이루어진다.'라는 '한나 아렌트'의 말을 인용하여 '차별금지법'의 제정에 대해 촉구하고 있습니다.

여러분은 '차별금지법'의 제정에 관해 어떤 생각을 갖고 계신가요? 자신의 의견을 내어놓아 봅시다.
추가적으로 '선량한 차별주의자'가 되지 않기 위해 각자의 현실과 일상생활 속에서 실천할 수 있는 일들이 무엇이 있을지,
지금 당장 할 수 있는 일이 있을지 이야기 나누어 보아요

⑱기타 보충사항
그 밖에 함께 이야기 나누어 보고 싶은 자유논제 또는 선택논제가 남아 있다면 자유롭게 내어놓고 함께 얘기해 보아요

⑲전체적인 소감 및 마무리 발언
이번 '함께읽기책'과 오늘의 '독서토론'에 대한 소감 및 전체적인 마무리 평가를 해 주세요

⑱인상 깊었던 문장이나 핵심 메시지 & 한 줄 총평
'기억에 남는 의미로운 구절이나 핵심 메시지 한마디' 또는 '한 줄 총평'을 해주세요

▶ 책리뷰

►내가 준 별점 (4.5)

구조적으로 잘 짜여진 논문을 읽는 느낌이 들었다. 우리사회가 사회적 약자에 대한 논의를 이렇게 깊게 하며 진지하게 생각해 볼 만한 시점이 되었다는 것이 고무적으로 다가왔다. 우리나라가 소득수준이 높아졌고 선진국의 반열에 오른 시점인데 국민의 의식수준은 과거의 어느 시점에 머물러 있는건 아닐까 하는 생각도 해보게 되었다. 너무 고속성장을 이루다 보니 과정은 중요하지 않으며 오직 결과만을 놓고 평가받는 냉혹한 사회가 된 것 같고, '안되면 되게 하라'는 무식한? 말도 있듯이 모든 게 결과 중심으로 돌아가는 성과주의에만 과몰입하다 보니 사회적으로 성숙할 시간과 기회가 부족했었다는 것을 이 책을 읽으며 다시 한번 뒤돌아보게 되었다.

그 모든 것들을 '개인의 탓'으로만 돌리기에는 우리 사회가 구조적으로 모순이 너무 많고 갈수록 부자는 더 부자가 되고 가난한 자는 더 가난해지는 빈부격차의 심화와 양극화가 증폭되고만 있다. 날이 갈수록 사회갈등이 너무 커지고 있는 게 어쩌면 필연적으로 겪어야 할 통과의례인지도 모르겠다. 그러나 성숙한 시민의식에 기대어 개인의 자율에 맡겨 놓기에는 사안이 너무 중대하고 사회적 손실이 정말 커서, 건강한 사회로 조금씩이라도 나아가기 위해서는 제도적인 장치가 반드시 필요하다는 확신은 든다.

이 책의 저자가 차별과 혐오에 대해 같은 말을 계속해서 반복하고 있는 듯 식상함이 들기도 했지만, 귀가 따갑게 듣고 또 들어도 뇌리에 남을 수 있는 부분이 미미할 만큼 사회적 약자에 대한 차별의 문제가 일반인들에게는 관심에서 밀려난 논제라는 문제의식을 최대한 상기시키고자 하는 작가의 처절한 몸부림 아니었을까 하는 이해가 되었다. 이 책의 저자처럼 이런 불편한 사회적 논제를 논의하는 사람들이 있어야 균형추를 맞추어 나갈 수 있기에 반복에 반복을 거듭해서라도 함께 깨닫고 개선해 나가야 할 필요성은 있다고 생각한다.

이 책의 주제의식만을 놓고 본다면 별점을 5점 만점을 다 주고 싶을 만큼 좋은 내용의 책이라고 생각한다. 나도 모르게 차별을 자행하며 살아가고 있음을 깨닫게 해준 이 책에 고마운 마음이 들었다. 하지만 앞에서도 언급했듯이 사회적 약자에 대한 문제의식과 일반인들이 일상생활 속에서 알게모르게 얼마나 극악한 차별을 저지르고 있는지에 대한 성토를 강하게 하려는 저자의 마음이 앞서서 그런지, 계속해서 동어 반복하고 있으니 집중이 잘 안되는 면이 있었고 다소 지루함까지 느껴져서 별점 0.5점을 뺐다. 그리고 작가가 너무 많은 문제를 한꺼번에 쏟아내듯 제기하고 있었기 때문에 뭔가 획기적인 대안이 있으려니 기대하며 책장을 넘겼으나 결론 부분의 대안이 너무 부족해서 다소 실망이 되었다. 무슨 사안이건 간에 이것도 문제, 저것도 문제 하며 투덜투덜 문제들을 나열만 하고 그에 따른 대안제시는 하지 않는 '대책 없는 비판'은 피로감과 혼란만을 야기할 뿐이다. 좀 더 개선되고 발전된 상황으로 나아가기 위한 대안을 제시할 수 있어야 문제제기와 비판의 실효성이 더 증폭되는 것 아닐까 하는 생각을 해보게 된다.

이 책을 비판적인 시각으로 보자면 대안 없는 문제의 나열이라는 생각도 들었고, '그래서 뭐 어쩌란 말이더냐?' 싶은 반감도 살짝 올라오게 만드는 조금 미흡한 느낌의 대안과 결론이 아쉬움으로 남았으나, 그럼에도 불구하고 우리 사회의 구성원으로서 한 번쯤 읽어봐야 할 참 좋은 책이었다.

▶소감 및 마무리 발언

어느 날 친구들과의 수다 중에 어린시절 기억을 이야기 나누다 나온 화제 중에, 많지도 않은 형제간에도 부모님의 작은 차별이 느껴져서 서러워했던 적이 있었다는 저마다의 에피소드가 인상적으로 남았다. 이런 작은 차별조차도 평생을 관통하며 기억에 남아 상처가 되는데, 사회적 약자로서 차별과 혐오, 멸시를 받는 입장으로 살아가는 삶이라는 게 어떤 것일까에 대해 진지하게 생각해 볼 기회가 많지 않았었던 것 같다.

이 책을 읽고 나서 내가 얼마나 사회적 약자에 대해 개념이 없는 사람이었는지에 대해 깨달았으며 나의 무지함을 깨달을 수 있어서 부끄러워졌다. 솔직히 기존 질서가 무너진다는 것과 예측할 수 없는 변화에 새롭게 적응해야 한다는 것이 두렵기도 하다. 하지만 어렵고 싫어도 가야만 할 길이라는 깨달음이 있었고, 일단 일상생활 속에서 차별과 혐오를 실수로라도 자행하지 않기 위해 나 자신의 말과 행동을 늘 점검하는 습관을 들여야겠다는 생각을 하게 된 것은 이 책을 통해 얻게 된 가장 큰 소득이다.

이 책이 해를 거듭하며 베스트셀러의 반열에 올라 있다고 하니 참 잘된 일이다 싶다. 앞으로도 이 책이 계속 이슈화되어 더 많은 사람들이 읽어봤으면 좋겠다. 생활 곳곳에서 자행되고 있는 일반인들의 무의식적인 차별에 대해 깊이 있는 논의와 생각정리가 필요한 시점이라는 것을 다시 한번 상기시켜 주는 좋은 내용의 책이었다.

한편 지적인 책친구님들과 함께 같은 책을 읽고 특정 논제를 가지고 토의하며 의미 있는 시간을 가질 수 있어서 즐거웠다. 마땅히 이슈로 삼아야 할 책으로 독서토론을 할 수 있어서 좋은 기회였다. 진솔한 의견을 나눠준 책모임 친구님들과의 나눈 다양한 생각의 교류가 참 소중한 시간이었다.

►**핵심 메시지 & 한 줄 총평**

✔혐오와 차별을 극복하려면 기존 질서 너머를 볼 수 있어야 한다.

✔인간은 서열을 정해야만 안정감을 느끼는 본능을 가진 동물일까?

✔외면하고 싶은 불편한 진실일지라도 가야할 길이라면 함께 가자.

✔차별주의자는 불량이다.

✔차별하지 않기 위해 노력하자.

✔공정함과 공평함은 분명 다르다.

✔능력은 한 가지가 아니며, 그 사람의 전부도 아니다.

✔읽는 내내 불편하였으나 꼭 필요한 책이었다.

✔편견과 선입견을 벗어나는 방법은 백문불여일견(百聞不如一見)이다

✔내가 직접 겪지 않고 깨닫지 않은 것은 아무것도 믿지 마라.

혐오와 차별을 극복하려면 기존 질서 너머를 볼 수 있어야 한다

- 『선량한 차별주의자』(김지혜 著)를 읽고 -

♣ 자기 이웃에서 자행되는 탄압과 차별을 외면하면서, 세계의 다른 쪽에서 일어나는 부당한 일에 더 분노하기 쉬운 것이 인간이다. - 칼 T.로완 -

도서관에서 사서일을 하고 있는 지인으로부터 지난 연말에 몇 권의 책을 선물 받았다. 도서관에서 연말 결산을 하면서 특정 프로그램 이수자들에게 책 선물을 하는 사은행사로 각자가 원하는 책을 신청받아 택배 발송하는 과정에서 내 생각이 났다면서 몇 권의 책을 나에게도 보내준 것이라 하였다. 뜻밖의 책선물 소식에 반가움과 감사함이 교차하였다.

눈송이가 흩날리는 어느 날 저녁에 집으로 배달된 책들 가운데 노란색 바탕에 귀여운 오리들이 단순한 모양새로 그려진 책표지가 눈에 확 들어왔다. 그러나 당장 읽고 있는 책들과 해결해야 할 과제들이 쌓여있었기에 일단은 책장 한 켠에 꽂아두었고 저 책들을 언제쯤 읽게 될까나 싶은 의무감을 살짝 느끼다가 당면한 생활에 치이다 보니 어느새 잊고 있었다.

그러다가 우연한 기회에 이 책을 책꽂이에서 꺼내 들게 되어서 반가웠다. 내가 매달 진행하고 있는 책모임에서는 회원들이 돌아가며 북토크책을 선정하고 있는데, 한 책친구님의 추천에 의해 이번달의 '함께읽기책'으로 결정된 책이 공교롭게도 이 책 『선량한 차별주의자』였다. 마침 연말에 선물 받아 책장 한구석에 묻혀 있던 이 책은 그렇게 자연스럽게 내 손에 다시 잡히게 되었다.

일단 이 책의 제목을 참 잘 지었다는 생각이 들었다. '선량'이라는 따뜻한 느낌의 단어와 '차별'이라는 차가운 느낌의 단어가 서로 상충하는 듯하면서도, 함께 조합하여 놓으니 각각의 언어적 의미가 더 크게 부각되는 효과를 가지게 되어 책내용에 대한 호기심을 불러일으키기에 충분하다고 느꼈다.

나는 책을 읽기 시작할 때 목차를 먼저 보는 습관이 있다. 목차를 확인하면서 이 책의 전체적인 내용에 대한 골격을 어느 정도 잡고서 책의 첫 장을 넘기게 되면, 어떤 책이든 대략적인 구조화가 가능하게 되어 책을 읽어 나갈 때 많은 도움이 된다. 이 책역시 책을 손에 잡아든 처음 시점에 책을 열어 목차를 먼저 확인하였다.

총 3부로 나뉘어져 있는데, 1부에서는 3장, 2부에서는 4장, 3부에서는 3장으로, 총 10장의 챕터로 나누어져 세분화되어 각 장마다 디테일한 내용으로 꽉 채워져 있었는데, 전체적으로 형식과 내용 양 면에서 매우 잘 짜여진 논문과 같이 조화롭게 구성되어 있었다.

1부에서는 우리가 차별을 감지하지 못하고 '선량한 차별주의자'가 되는 과정과 이유를 이야기하고 있었다.

1부 1장에서는 우리에게 너무 일상적으로 주어져서 그것이 특권인지 의식조차 할 수 없는 익숙한 특권에 대해 이야기한다. 사람마다 가진 조건과 위치와 지위가 다르기에 공정하다고 생각하는 부분조차도 착시일 수 있으며, 그것이 누군가의 입장과 위치에서는 편향되고 불평등해 보일 수밖에 없다는 것을 설명하고 있었다. 저자의 이런 설명을 읽어나가다 보니 내가 아무리 선한 의지를 가진 선량한 일반인이라 할지라도 자신이 알지도 느끼지도 못하는 사이에 차별을 자행하며 살아가고 있을 가능성이 크다는 것에 대해 돌아보게 되었다.

1부 2장에서는 끊임없이 움직이면서 크로스 되는 경계에 따라 구분지어진 집단이 있고, 그 집단에 속하느냐 배제되었느냐에 따라 서로를 차별하거나 차별받는 상황이 연출되고 있는 현실에 대해 깨닫게 만들어 주었다.

1부 3장에서는 그렇게 부지불식간에 경계지어지고 구조화된 일상적 모순 속에서 차별을 받고 있는 그 당사자조차도 그 사회의 기존 질서에 순응함으로써 그 불평등이 유지되어 나가는데 일조하고 있는 아이러니에 대해 설명하고 있었다.

2부에서는 우리 사회의 차별이 어떻게 그렇게도 자연스럽게 이루어지고 있는지, 더 나아가 그 차별이 '정당한 차별'로까지 공공연히 인정되고 있는지에 대해 설명하고 있었다. 우리의 일상 속 다양한 실사례를 예로 들어서 차별이 일상화되고 그것에 대한 인지가 얼마나 둔화되고 있는지의 상황에 대해 이야기하고 있었다. 저자는 차별이라고 논란이 되었던 실제 사례들을 가져와 다시 한 번 상기시킨다. 그 사건을 통해 우리들이 깨달아야 할 지점을 다양한 연구와 이론들을 첨언하면서, 읽는 이로 하여금 차별과 평등의 묘한 경계에 대해 다시 한번 생각해 보아야 한다는 것을 일깨우고 있었다.

2부 4장에서는 흑인을 비하하며 웃음거리로 만든 '시커먼스' 분장이 논란이 되었던 사건을 가져와 사회 구성원 중 누군가를 비하하고 희화하면서 그것을 유머나 농담이었다며 쉽게 넘어가는 일반인들의 행태가 얼마나 무개념인 차별인지에 대해 이야기하고 있었다.

2부 5장에서는 비정규직에 대해 언급하고 있었는데, 능력 위주로 차등을 두는 것이 당연한 것인지, 어떤 차별은 공정하다고 생각하는 능력주의 신념이 과연 합당한 것인지에 대해 말하고 있었다.

2부 6장에서는 대중 목욕탕 같은 누구나 이용할 수 있는 시설에서 외국인이라는 이유로 거부되고 분리된 실사례를 들어서, 외적인 모습만을 보고 누군가를 배제하고 분리해버리면서 이것은 그럴만한 이유가 있기에 정당한 것이라고 생각하는 일반시선의 오류에 대해 지적하고 있었다.

2부 7장에서는 성소수자 문제를 다루면서 '퀴어문화축제'를 예로 들고 있었다. 눈에 보이는 광장에 나와 떠들썩하게 축제를 하면서 자신들의 권리를 외치는 소수자들을 바라보는 일반 대중들의 불편한 심기에 대해 언급하였다. 공공의 공간에 나와 그것을 이용할 권리가 소수의 특정한 집단에는 배제되고 다수의 일반적인 사람들에게는 당연시되는 것이 과연 정당한 현실인지에 대해 이야기하고 있었다.

3부에서는 차별과 혐오에 일반인들이 어떻게 대응하고 있는지에 대해 우리들의 보편적인 자세에 대해 이야기하고 있었다. 그간 불거져 나왔던 갖가지 논쟁거리와 여러 실험들을 다양하게 가져와 드러난 현상을 다각도로 바라보기를 제안하였다. 또한 평범한 일반인들이 일상생활 속에서 혐오와 차별을 무의식적으로라도 저지르지 않기 위해 지금 당장 각자의 위치와 현실에서 실천할 수 있는 것들이 무엇이 있을지에 대해 우리 모두에게 대안과 방향을 생각해 봐야 할 시점이라는 것을 일깨워 주고 있었다.

3부 8장에서는 이미 우리 사회에 만연해 있는 혐오와 차별을 시정하려면 용감하게 도전해야 하는 노력들이 필요한데, 그것은 이미 너무 자연스럽게 세팅되어 있는 기존의 사회질서에 대한 위협으로 느껴지기 때문에 결코 쉽지 않은 현실의 벽에 대한 긴장을 이야기하고 있었다. 일반 사람들은 이미 세상은 정의로운 곳이라고 믿고 싶어하면서 변화와 혁신을 통해 혼란을 초래하기는 싫다는 생각을 하기도 한다는 것이다. 그러나 진정한 평등을 실현하려면 기존 질서에 문제제기를 하고 도전하여 부당한 법과 모순된 현실 체제에 항거하는 용기 있는 사람들의 희생을 통해 역사가 진보해 온 것처럼, 우리 모두 깨어있는 의식을 갖고서 한 걸음씩 나아가야 한다는 것을 강조하고 있었다.

3부 9장에서는 '모두를 위한 화장실' 논쟁을 가져와서 다양한 사람들을 보편화시켜서 포괄할 수 있는 큰 틀의 평등에 대해 이야기하고 있었다.

마지막으로 3부 10장에서는 진정한 평등을 실현하는 첫걸음으로써 '차별금지법'에 대한 논란을 언급하고 있는데, 우리 일반인들이 '선량한 차별주의자'가 되지 않기 위해서는 우리에게 익숙한 기존 질서 너머의 세상을 상상하는 일이 중요하다는 것을 이야기한다. 우리 사회에 만연해 있는 혐오와 차별을 바로잡기 위해서는 '차별금지법'의 제정이 일종의 상징이며 선언의 의미로써 중요하기에 법제정이 조속히 이루어져야 한다는 것을 강조하고 있었다.

이 책의 첫페이지를 열면 처음에 '당신은 차별이 보이나요?' 라는 저자의 프롤로그가 펼쳐지는데, 그 시작인 첫단어가 '결정장애'라는 말이었다. 우리가 일상생활 속에서 위트 있게 표현한답시고 아무렇지도 않게 흔히들 사용하는 단어 중 하나로 익히 듣던 말이라, 저자가 어떤 논리를 풀어가려고 '결정장애'라는 단어로 첫마디를 시작했을까 하는 호기심을 갖고서 책을 읽기 시작했다.

하다못해 짜장면과 짬뽕 등의 한끼 메뉴를 결정할 때에도 자주 사용되는 '결정장애'라는 이 단어가 장애인을 차별하는 말이라는 것을 평범한 일반인들이 얼마나 의식을 하고 있을까? 순간 머릿속에서 종소리가 들리는 듯 크게 경종을 울려주는 듯한 첫문장의 첫단어였다. 대학 강단에 서고 있고, 게다가 차별과 혐오에 대해 연구하고 있는 다문화학과의 교수인 저자조차도 아무런 경각심 없이 사용했다가, 그것이 차별적인 단어라는 지적을 받고 놀랐다는 경험을 솔직하게 말한다. 그러면서 그 일상의 작은 에피소드가 이 책의 집필을 시작하게 된 계기가 되었음을 저자는 책의 첫머리에서 솔직하게 밝히고 있었다.

'결정'이라는 말에 '장애'라는 말을 붙이면 '결정을 잘 못하는 열등한 사람'이라는 의미 전달이 된다는 것을, 평범한 우리들은 아무런 자각을 하지 못한 채 일상적으로 사용하고 있는게 현실이다. 장애를 가지지 않은 사람들에게는 웃자고 하는 이야기들이건만, 정작 장애를 가진 사람들에게는 크나큰 폭력으로 느껴지는 말이 된다는 것을 의식하지 못하고 살아가는 건 비단 나 뿐만이 아닐 것이다. 그러니 조금만 깊이 생각해 보아도 매우 진지한 고민들이 필요한 지점이라는 것을 깨달을 수 있었다. 이렇듯 아무렇지도 않게 사용하는 말들 속에 자연스럽게 녹아 흐르는 차별과 혐오가 얼마나 많이 있을지, 되도록 정신 차리고 집중해서 이 책을 읽어봐야겠다는 마음이 저절로 올라오게 하는 프롤로그였다.

누군가는 차별을 당했다며 아우성이다. 일상에서 일어나는 크고 작은 차별에 관한 경험들은 분명 자주 들을 수 있는 말이다. 그러나 '차별을 당했다'는 사람은 많고 많은데 반해 '차별을 했다'는 사람은 찾기가 어렵다. 우리가 보통의 상식이라고 생각하는 가치관 내에서 생각한다면 '차별'이라는 것이 긍정적인 면으로부터는 상당히 거리가 멀고 분명 부정적인 단어임에 틀림이 없다. 누군가를 차별하는 행위는 정의롭지 못하고 나쁜 것으로 인식하고 있으니, 차별을 행했다거나 누군가를 차별했다는 말을 당당히 드러내 놓고 할 수는 없을 것이다. 그러니 '차별을 당했다'는 사람들은 차고 넘쳐도 '차별을 했다'는 말은 쉽게 들을 수 없는 것이 당연할지도 모르겠다.

이 책 <선량한 차별주의자>는 나 자신을 포함해 우리 주변에서 흔히 만날 수 있는 대부분의 선한 소시민들이, 본인들은 선량한 일반시민이라고 생각하며 성실히 살아가는 하루하루의 일상 속에서, 자신도 모르게 차별을 자행하는 장본인이라는 것을 자각시켜 주고 있었다. 책을 읽어 내려가다 보면, 나 또한 해당되는 부분을 많이 발견할 수 있었기에, 나는 차별을 하는 나쁜 사람이 결코 아니라고 부정하며 항변할 수가 없다는 사실이 충격적이기도 했다. 다소 괴로운 마음이 살짝 올라오기도 했다. 우리는 도덕적이고 정의로운 사람으로 살아가야 한다고 교육받았고, 대부분의 선량한 사람들은 타인을 함부로 경시하거나 차별할 권리가 그 누구에게도 주어지지 않는다. 서로를 존중하고 배려하는 가운데 더불어 살아가야 한다는 성숙한 시민의식을 바탕에 두고 일상을 살아가고 있다. 그런데 우리가 아무렇지도 않게 누리고 있는 평범한 일상의 편의시설들이 장애인들은 쉽게 이용할 수 없는 불편한 사실이니만큼, 그 기울어진 구조 자체가 커다란 차별이라는 것을 미처 깨닫지 못하고 있는 것이 현실이었다.

인간은 누구나 평등하고 차별받지 않은 권리를 갖고 태어난다는 사실을 이론적으로야 알고 있으나, 생활 속에서 비일비재하게 일어나는 일상의 차별 상황들에 대해 관심을 가져본 적은 별로 없었던 듯 하다. 실제 차별과 혐오를 받는 사람들이 참다못해 목소리를 내고 있는 모습조차도, 나와는 아무 상관이 없는 일인 양

먼 산 바라보듯 스쳐 지나갔던 때도 많았던 것이 부끄럽지만 사실이었다.

물론 이 책의 저자가 대학의 다문화학과에서 큰 범주의 인간평등사상에 기반을 둔 이론으로 무장되어 있을법한 학자이기에 차별과 혐오에 대한 예민한 감수성이 일반인들보다는 좀 더 예리하겠다 싶은 면도 있다. 뭐 이런 것까지 차별이라고 아우성을 칠 일이더냐 싶게 다소 억지스럽다고 느껴지는 면도 없지는 않았다. 그러나 그렇게 크게 목소리를 내고 극대화시켜야만 우리 사회에 만연해 있는 차별과 혐오, 그리고 억압에 관한 실체적인 현실 모순을 드러낼 수 있었을 것이고, 그나마 선량한 일반 시민들의 주목을 받으며 한 번쯤 생각해보고 고민해 봐야 할 문제라는 인식을 설파할 수 있었으리라는 이해가 되었다.

한편, 요즘 세상이 참 좋아졌다는 말씀을 하시는 어르신들을 어렵지 않게 만날 수 있다. 차별과 기회의 불균등이 일상다반사였던 데다가 경제적으로도 궁핍했던 고난의 시절을 힘겹게 살아내셨던 당신들의 젊은날을 회고하면서, 그 시절에 비하며 훨씬 먹고살만해진 현대사회의 풍요로움과 남녀 구분 없이 폭넓어진 교육의 기회를 강조하신다.

조선시대까지는 출생한 집안 배경 자체가 본인의 신분으로 이어졌으니 불평등한 사회 그 자체였다. 근현대 시절에도 회오리치듯 변화무쌍한 시대라서 먹고사는 생존의 문제가 관건이었기에, 개개인의 경제 상황에 따라 교육과 기회의 차별을 심하게 받을 수밖에 없었던 시절이었다는 것이다. 그러나 현대사회는 사회, 경제, 문화, 정치 모든 면에서 괄목할 만한 성장을 이룬 풍요의 시대이기에 본인의 노력 여하에 따라 얼마든지 도약하고 상승할 수 있는 평등한 시절에 살고 있다는 것이다. 그러니 매사에 감사하는 마음으로 열심히 살아가야 한다고 젊은이들을 향한 일명 '꼰대 마인드'로 목소리를 높이시는 어르신들을 종종 만나게 된다.

이런 어르신들의 마음을 모르는 바는 아니다. 당장 먹고사는 것과 생존 자체로 직결되는 문제들로 인해 불안하고 어려웠던 시절을 절실하게 살아낸 구세대의 시각으로는, 현대사회의 풍요로움과 다양한 기회들이 얼핏 보기에는 차별과 혐오, 억압의 문제로 인해 발생하는 사회적 병폐 속에서 어려움을 겪고 있는 현대사회의 이면을 짐작하기 어려울 수도 있겠다고 이해된다.

우리나라가 산업화 시기를 거치며 단기간에 고속성장을 이루어냈고, 그 속에서 필연적으로 겪어내야 했던 사회적 혼란들은 어쩌면 피할 수 없는 통과의례였을지도 모른다. 그러나 삐거덕거리며 갑론을박 논란을 계속하고 있다는 것 자체가 현재의 모순에 매몰되어 머물러 있지 않겠다는 의지의 반영일 수도 있다고 생각된다. 그런 과도기를 거쳐서 다소 더디더라도 조금씩이라도 한 발씩 앞으로 나아가다 보면 어느새 평등한 사회에 진입하게 될 것이고, 사회 구성원 어느누구도 차별받지 않고 모두가 행복한 사회가 현실화될 수 있다는 희망을 가져야 할 것이다.

이 책 『선량한 차별주의자』가 해를 거듭하면서도 반복하여 재인쇄를 거듭하면서 베스트셀러의 반열에 오랫동안 머물고 있는 걸 보더라도, 실제로 많은 사람들의 인식이 바뀌어서 차별과 혐오에 대한 사회적 고민을 함께하고자 노력하고 있다는 것을 알 수 있다. 그렇지만 표면적으로 보이는 모습이 다가 아니며, 우리 사회의 차별과 불평등, 혐오의 문제가 수면 위로 드러나는 것은 지극히 미약한 부분일 뿐, 눈에 보이지 않게 수면 아래에서 거대하게 자리잡고 있는 차별과 혐오에의 문제들은 여전히 우리 생활 곳곳에 여전히 만연하고 있으며 실존하고 있다.

'혐오와 차별을 극복하려면 기존 질서 너머를 볼 수 있어야 한다.'

우리는 '법 앞에 만인은 평등하다.'고 교과서에서 배웠다. 얼핏 보면 모든 사람이 평등하다고 착각할 수 있지만, 사실 사람은 제각각 평등하지 않게 태어난다. 현실적으로는 원래부터 불평등한 디폴트값이 정해져 있는 매우 기울어진 운동장에서 시작점 자체가 다른, 불평등한 조건이 태생부터 주어져 버리는 삶의 현실을 어렵지 않게 발견할 수 있다.

그러나 인간이 동물과 다른 가장 큰 점을 꼽자면 바로 사유할 수 있다는 것이니, 불평등한 세상을 좀 더 평등하게 바꾸어 나가려면 우리 인간들의 착하고 정의로운 마음과 '미덕'이 필요하다.

프랑스의 작가이자 계몽사상가이며 고전주의 철학자이자 비판적 지식인이었던 '볼테르'는 '인간은 평등하다. 그러나 태생이 아닌 미덕이 차이를 만든다.'라는 말을 했다고 한다. 이 말의 뜻을 되새겨 보자니, 인간은 본디 평등한 것이고, '미덕'이 사람 간의 명성이나 평판, 그리고 그 사람의 가치를 매기면서 차이를 만든다는 의미로 해석되었다. 다시 말하자면, 미덕을 잘못 발휘하면 불평등한 차이를 극대화시킬 것이고, 제대로 잘 발휘한다면 현실적인 차이를 좁혀서 본래 인간의 평등성에 가깝게 개선할 수도 있다는 뜻이 아닐까 싶었다.

우리들 각자가 인간의 '미덕'을 좋게 발휘하려면 좀 더 다양한 사람들을 만나면서 다채로운 생각들을 나눌 수 있어야 할 것 같다. 직/간접 경험을 통해 나와 다른 사람들에 대한 이해와 공감을 도모하면서, 나 자신부터라도 세상의 차별과 혐오, 부조리에 대해 비판적인 시각으로 제대로 된 관점을 가질 수 있어야겠다는 생각이 들었다. 그러면서 좀 더 나은 사람이 된다면 좋겠다. 그럼으로써 불평등한 세상을 한순간에 바꾸어 놓을 수는 없을지라도 내 주변으로부터 시작해서 사회, 국가를 점진적으로 변화시켜 나가는데 디딤돌 하나 정도는 올려놓는 효과를 가져올 수 있을 거라고 믿고 싶다.

일단 내 주변이 차별과 혐오로부터 벗어나 서로 화합하며 따뜻해진다면, 사회, 국가, 더 나아가 세계적으로도 인간 자체에 대한 존중과 평등이 이루어질 수 있다는 희망을 갖고서, 나부터 '선량한 차별주의자'가 되지 않도록 항상 깨어 있으려고 노력해야겠다.

그러나 선량한 마음만 갖고 있다고 하여 차별을 극복할 수 있는 것도 아니며, 평등이 저절로 이루어지는 것은 더더욱 아니다. 사회적으로 드러내서 담론을 만들어 낼 수 있고, 문제제기를 하며 논쟁의 장으로 끌어내어 이슈화 시킬 수 있다고 하여, 차별과 혐오의 문제가 일순간에 극복되고 상처받은 이들의 마음이 현실적으로 회복되는 것은 아니다. 그런 만큼 힘들고 험란한 길을 계속 가야만 하는 풀기 어려운 고난도의 숙제를 우리 모두가 무겁게 떠안아야 할 것이다. 이 책의 저자와 같이 '깨어 있는 지식인'으로서 목소리를 높이는 사람들이 있고, 현실 모순을 꼬집은 저자의 주장에 동조하며 좀 더 평등해진 사회로 나아가기 위한 변화를 추구하는 '선량한 시민'들이 많이 생길수록, 우리 사회의 차별은 사라지고 평등을 이룰 수 있게 될 가능성에 좀 더 가까이 갈 수 있을 것이다.

그렇지만 세상 모든 일들이 그러하듯 음이 있으면 양이 있고, 이득이 있으면 손해가 있는 법이며 보이는 것이 다가 아니다. 변화와 개혁의 물결이 활발하게 일렁일수록 좀 더 치밀하고 은밀하며 고도로 설계된 새로운 형태의 차별들이 부지불식간에 생겨나고 자행될 가능성도 공존하고 있는 것이다. 그러니 우리들이 '선량한 차별주의자'가 되지 않기 위해서는 늘 자신을 돌아볼 줄 알아야 할 것이다. 날로 성숙하는 시민의식을 추구하면서 우리의 일상 속에서 아무렇지도 않게 자행하고 있거나 미처 인식하지 못하여 놓치고 있는 차별과 혐오의 순간들을 좀 더 세밀하게 인식해 낼 수 있어야 할 것이다.

사실 나 같은 일반인들은, 우리 사회 속의 차별과 혐오의 사각지대에 놓여져서 신음하고 있는 사회적 약자들을 직접 찾아가 도와주는 활동가이면서, 차별과 혐오에 관해 여러 학문을 융합하여 통합적인 시각으로 연구하는 학자인 이 책의 저자 김지혜 교수처럼 예민한 차별 감수성을 갖고 매사를 바라볼 수는 없다. 그렇지만 일상 속에서 나도 모르게 '선량한 차별주의자'로 행동하지 않으려면 좀 더 색다른 시각을 가지고 기존 질서를 바라보려는 '낯설게 보기'를 실천하면서 '기존 질서 너머'까지 폭넓게 보려고 노력해야겠다는 생각이 들었다.

이번달의 '함께읽기'책 『선량한 차별주의자』는 우리 책모임의 책친구님이 추천해 주었는데, 마침 나도 소장하고 있는 책이라서 더욱 반가운 마음이었다. 북토크와 논제발제를 위해 좀 더 진지하게 집중모드로 읽게 되어 더욱 좋았다. 한편, 저자가 현장의 활동가이기도 하면서 차별과 혐오에 대해 전문적으로 연구하는 학자라서 그런지, 통계학·사회복지학·법학 등의 다양한 분야의 학문들을 광범위하게 포함하여 통합하는 관점으로 우리 사회의 혐오와 차별의 문제에 관하여 철저하게 분석하고 있는 이 책이 나에게는 다소 지루한 면도 없지 않았음을 소심하게 고백하고 싶다. 아마도 이론적인 베이스가 튼튼한 학자이자, 학교 현장에서 '다문화학과'라는 전문 분야에서 차별과 혐오에 대해 전공을 하며 공부하고 있는 학생들을 가르치고 있는 교수라 그런지, 책 자체가 에세이라고 보기에는 너무 전문적이며 무겁고 재미가 없는 편이었던 듯하다. 그래서인지 평소에 책을 한 번 잡으면 시간 가는 줄 모르고 엉덩이 붙이고 앉아 단숨에 휘리릭 읽는 편인데도 불구하고, 이 책은 좀 지루함도 느껴져서 챕터별로 끊어읽기 하면서까지 끝까지 읽어내려고 노력하였다. 그래서 완독하기까지 다소 시간이 걸렸다. 마치 논문을 읽는 듯한 기분도 들어서 살짝 머리가 아파오기도 했으며, 학술포럼에서 논쟁선상에 오를 수 있는 전문 논제로써 토의자료로 활용하기에 적합한 형식을 취하고 있는 듯한 느낌도 들었다. 그런 만큼 이 책의 전체를 관통하는 '차별과 혐오'의 문제가 나 같은 평범한 일반시민에게는 평소 생각을 깊게 하지 않는 부분이라는 방증일지도 모르겠다는 생각도 들었다. 다른 한편으로는 내가 사회적 약자들에 대해 평소 너무 아무 생각 없이 살아온 것은 아닐까 하는 나의 무심함과 무식함에 대해서도 반성을 하게 되는 계기가 되었다.

이토록 의미 있는 생각거리를 던져준 이 책을 추천해 주신 책친구님께 다시 한번 감사드린다. 또한 이번달의 책모임에서는 북토크 장소를 평소와 다른 곳으로 이동해 보았고, 처음 참여하신 신입 책친구님이 계셔서 좀 더 새로운 기분이 들었던 독서토론 날이었다. 아무쪼록 신입회원님께도 의미도 있고 재미도 있는 북토크 시간이 되셨기를 바라는 마음이다. 끝을 모르고 확산되기만 하는 코시국의 어려운 상황이 좀 더 호전되어서, 책모임을 할 때 오프모임의 집합인원 제한에 대한 부담감으로 움츠려들지 않고 더 많은 책친구님들을 좀 더 자유롭게 만날 수 있게 되기를 바란다.

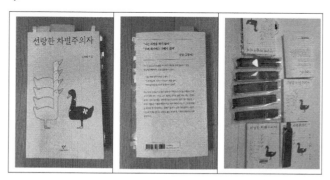

6

제6화 『우리가 빛의 속도로 갈 수 없다면』

김초엽 著

제6화 『우리가 빛의 속도로 갈 수 없다면』을 읽고

김초엽 著

♣ 과학기술의 끊임없는 발전은 희망인가? 재앙인가?

▶ 독서토론 발제문

이번달 '함께 읽기' 책은 '김초엽 작가'의 단편소설집 『우리가 빛의 속도로 갈 수 없다면』였습니다.

SF장르소설이라는 선입견에 의해 개인적인 선호도에 따라 호불호가 갈릴 수 있을지 모르나, 호기심과 궁금증으로라도 한 번쯤 읽어보면 좋을 7편의 주옥같은 작품이 수록되어 있습니다. 책 한 권을 다 읽을 수 있다면 재미있고 유익할 것이나, 책모임 날짜가 임박한 이유로 편익을 도모하기 위해 각자 사정에 맞게 '선택독서' 하기로 했었습니다.

책수다를 좀 더 밀도 있게 나눠보고자, 독서토론은 7편의 작품 중 표제작 <우리가 빛의 속도로 갈 수 없다면>과 <관내분실> 두 편에 집중하여 진행하겠습니다만, 별점주기는 『우리가 빛의 속도로 갈 수 없다면』 책 전체에 대해서 포괄적으로 주셔도 좋겠고, 이번 독서토론 지정작인 표제작 <우리가 빛의 속도로 갈 수 없다면>과 <관내분실> 두 편에 국한해서 주셔도 무방하겠습니다.

여러분은 이 소설집을 어떻게 읽으셨나요?
별점과 함께 읽은 소감을 나눠봅시다.
(1점부터 5점까지 별점을 주세요)

◎별점(1~5점, 소수점가능) ☆☆☆☆☆
독창성/짜임새/재미/깊이/소장가치에 근거하여(   )점

◎읽은 소감(별점을 준 이유)

❶자유논제

<우리가 빛의 속도로 갈 수 없다면>

이 소설의 주인공인 '안나'는 계속해서 '선택'의 문제에 봉착하게 됩니다. 그리고 그 선택이 운명을 가르기도 하고 삶을 좌지우지 하기도 했습니다. 우리 삶의 모습 또한 이와 마찬가지입니다. 우리는 끊임없이 많은 '선택'을 하면서 살아갑니다.

여러분은 '선택'을 할 때 기준이 무엇이며, 지금까지 살아오면서 자신의 삶에서 했던 수많은 '선택' 중 가장 기억에 남는 것은 어떤 것이었는지 이야기 나누어 봅시다.

❷자유논제

<우리가 빛의 속도로 갈 수 없다면>

인류가 새로운 기술로 인해 우주 멀리까지 여행과 이주를 할 수 있게 되었지만, 너무 빠른 과학의 발전 속에서 경제성이 없는 노선을 폐지됩니다.

가족이 있는 행성으로 갈 수 있는 노선이 폐지되면서 가족과 생이별을 하게 된 과학자인 주인공 '안나'는 우주 정거장에서 가족들에게 돌아갈 수 있는 방법이 생기기를 하염없이 기다리며, 냉동인간 상태가 되었다 풀렸다를 반복하면서 노인이 되는데요,

가족과 생이별하게 되었던 자신의 경험이나 주변에서 목도한 이야기들이 있다면 내어놓아 봅시다.

그리고 그때 자신의 느꼈던 감정을 이야기 나누어 보아요

❸자유논제

<우리가 빛의 속도로 갈 수 없다면>

연구 중인 과제를 포기하고 떠날 수 없었던 '안나'의 모습에서 과학자로서 '순수한 열망'을 엿볼 수 있었는데요,

이렇듯 꿈을 이루기 위해서는 누군가에게는 무모한 '고집'으로 보일지도 모를 '자신만의 신념'이 있어야 합니다.

여러분은 소설 속의 '안나'와 같이 자신이 원하는 '꿈'을 이루기 위해 매진해 본 경험이 있나요?

또는 앞으로 꼭 이루고 싶은 일이 있나요?

본인의 이야기도 좋겠고, 인상적으로 느껴졌던 '꿈'을 이룬 타인의 스토리도 좋습니다. '꿈'에 대하여 함께 이야기 나누어 보아요

❹자유논제

<우리가 빛의 속도로 갈 수 없다면>

가족들이 슬렌포니아로 먼저 떠나기를 '안나'가 권유하여 그들을 먼저 보냈습니다.

아무리 그랬다 하더라도 '안나'만 남겨두고 먼저 떠나간 '안나'의 남편과 아들 내외의 행동에 대해 여러분은 어떻게 느끼셨나요?

'안나'만 남겨두고 먼저 떠났던 그 가족들의 마음을 미루어 짐작하며, 이 상황에 대한 각자의 생각을 이야기 나누어 봅시다.

❺자유논제

<우리가 빛의 속도로 갈 수 없다면>

너무 오랜 세월이 흘러서 가족의 생존 가능성이 희박함에도 불구하고, '안나'는 자신의 낡은 우주선을 타고 슬렌포니아를 향해 떠나가는 마지막 선택을 합니다.

안나가 떠나는 마지막 장면에 대해 여러분은 어떻게 생각하셨는지 함께 이야기 나눠봅시다.

❻자유논제

<우리가 빛의 속도로 갈 수 없다면>

이 소설에서와 같이 현재에도 과학기술은 끊임없이 발전하고 있습니다.

여러분은 하루가 다르게 변화하며 계속해서 발전해가는 '과학기술 진보의 방향성'에 관해 어떻게 생각하시나요?

각자의 생각을 나누어 봅시다.

❼선택논제

<우리가 빛의 속도로 갈 수 없다면>

주인공 '안나'는 우주 정거장에서 만난 남자에게 남편과 아들을 먼저 슬렌포니아로 보낸 사연을 말합니다.

그녀는 '슬렌포니아에 이왕 정착할 거면 일찍 가서 적응하는 것이 나을 거라고 생각했다.'고 말하며, 그래서 가족을 먼저 보냈다고 했고, '이렇게까지 지연될 줄 몰랐다.'고 덧붙여 말합니다.

그러면서 그녀는 '설령 알고 있었더라도 막상 그때로 돌아가면 내가 해왔던 모든 것을 포기하고 슬렌포니아로 갈 수 있었을까?'라고 말하는데요,

만약 여러분이 '안나'의 입장이었다면 어떤 선택을 하시겠습니까?

A : 과학자로서 십여 년 연구한 결과발표 등의 중대한 일과 모든 것을 포기하고 가족과 함께 떠난다.
B : '안나'처럼 가족을 따라 떠나지 못하고, 하던 연구를 마무리하기 위해 홀로 남는다.

❸자유논제
<관내분실>
이 소설에서는 사람이 죽으면 그 사람의 뇌를 스캔해 생전의 모습과 흡사한 AI로 남겨놓는 마인드 도서관이 공간적 배경입니다. 주인공은 도서관에 저장된 어머니의 데이터베이스가 분실되었다는 소식을 듣게 되는데요,
삭제된 것이 아니라 어머니 AI에 붙어 있던 인덱스가 사라져 검색이 불가능해졌고, 그 인덱스를 다시 찾으려면 어머니의 AI가 반응할 만한 물건을 찾아와야 했습니다.
'지민'은 동생 '유민'과 아빠 '현욱'을 만나 아빠로부터 받은 어머니가 생전에 표지 디자인을 했던 종이책 네 권을 가지고 도서관에 가서 드디어 엄마를 만나게 되는데요,

만약 여러분의 '마인드'가 분실되었을 때 여러분을 다시 불러낼 수 있는 자신의 유품이 될만한 것을 꼽는다면 무엇이 있을까요?
그리고 그것을 선택한 이유는 무엇인지 이야기 나누어 주세요

<관내분실>

'지민'은 임신 8주의 임산부였고, 자연유산 대부분이 이 무렵에 일어나므로 조심해야 한다며 임신 초기 주의사항을 강조하는 안내 메시지를 병원으로부터 받습니다. 임신 시기에는 약복용도 힘들고 놀라거나 스트레스받는 사소한 일도 유산이나 태아의 발달 문제의 원인이 될 수 있다는 사실에, '지민'은 '아직 인간의 형상은커녕 제대로 된 신경체계조차 구축하지 못한 세포가 어떤 살아 있는 인간보다도 강한 존재감을 지닌 셈'이라고 생각하게 됩니다. (허블 p227)

여러분은 임신 기간 동안 임산부가 겪는 심신의 상태가 잉태하고 있는 아기에게 많은 영향을 끼친다는 사실에 대해 어떻게 생각하시나요? 각자의 생각들을 나누어 봅시다.

❿자유논제

<관내분실>

이 소설 속 주인공 '지민'은 '엄마와 딸이라는 관계는 애증이 얽힌 사이로 표현된다.'며 자신과 엄마 사이에도 그런 애착과 복잡한 감정이 있었을지 모른다고 엄마의 사후에야 생각합니다.

'엄마'의 생전에 '지민'은 우울증에 걸려 자식을 잘 돌보지 않았던 '엄마'와 사이가 좋지 않았고, 급기야는 연을 끊게까지 됩니다.

이 장면에서 여러분은 '부모와 자식'의 관계를 인위적으로 끊는 일이 가능한가에 대해 어떻게 보셨나요?

그리고 부모인 '엄마 또는 아빠'와 자식인 '딸 또는 아들'과의 관계에 대한 생각들을 함께 이야기 나누어 보아요

⓫자유논제
<관내분실>
주인공 '지민'의 엄마는 출산한 이후에 심한 '산후우울증'을 겪습니다. 아버지 '현욱'은 그런 엄마를 원래부터 예민한 성격이었다며 대수롭지 않게 여기며 방치했고, 엄마의 병은 점차 심각해졌다고 하는데요,

임신과 출산 과정에서 '지민' 부모가 서로에게 부부로서 보인 태도에 대해 여러분은 어떤 생각을 하셨나요?

바람직한 '부부관계'에 대해 함께 이야기 나누어 봅시다.

⓬자유논제
<관내분실>
직장의 '팀장'은 '지민'의 임신상황을 배려한답시고 일에서 배제된 업무분장을 하여 일방적으로 통보하며 말합니다.

'지민씨가 일 욕심이 많은건 알지만, 그래도 나는 엄마가 아기를 직접 키우는 게 아이 정서에 좋다고 생각한다.' (허블 p244)

여러분은 이 장면을 어떻게 보셨나요?

출산으로 인해 자의가 아닌 타의에 의해 이른바 '경단녀'(경력이 단절된 여자)의 길로 들어서는 상황에 대한 여러분의 생각을 이야기 나누어 봅시다.

⑬자유논제

<관내분실>

'지민'은 엄마와 나누었던 마지막 대화를 떠올리며, 기억 속에서 엄마의 쓸쓸한 표정을 반복 재생산합니다. 동시에 '지민'은 아직 어떤 애틋함도 느끼지 않지만, 언젠가는 사랑해야 할 자신의 뱃속에 있는 태아를 생각합니다.

그러면서 '지민'은 엄마가 자신을 사랑했던 것이 맞을까? 그건 사랑이었을까?' 반문하는데요,

여러분은 '지민'의 엄마가 '지민'을 사랑했다고 생각하시나요?
'지민'이 자신의 엄마와 뱃 속의 아기에 대해 갖는 복잡미묘한 양가감정의 실체는 무엇이라고 생각하시나요?
여러분의 의견을 함께 나누어 봅시다.

⑭자유논제

<관내분실>

'지민'은 엄마가 표지 디자인을 한 책 네 권을 가지고 도서관에 갑니다. 직원이 그 책으로 스캐닝을 하자 분실되었던 엄마의 데이터가 나타납니다.
지민은 가상공간에서 시뮬레이션된 엄마를 보며 문득 '엄마와 함

께 살던 집에는 엄마만의 방이 없었다는 사실'을 떠올립니다.
'지민'은 생전에 사이가 좋지 않았던 엄마에게 '미안하다'거나 엄마를 '용서한다'는 말을 하지는 않았습니다.
그리고 말합니다.

─────────────────────

"갑자기 찾아와서 놀랐죠?"
"이제 엄마를 이해해요."
(허블 p270~271)

─────────────────────

여러분은 이런 지민의 모습을 어떻게 보셨나요?
이때 지민이 엄마를 이해한다는 말의 의미는 무엇이었을까요?
함께 이야기 나누어 봅시다.

⓯선택논제
<관내분실>
이 소설에서는 고인을 불러내어 사후에도 고인과 재회할 수 있었던 '마인드 도서관'이라는 신선한 설정으로 이야기가 전개되는데요,
여러분은 자신의 사후에 나의 기억도 마인딩 되길 바라시나요?
한가지 경우를 선택하여 그 이유를 나누어 봅시다.

A : 바란다.
B : 아니다.

⓰선택논제

<관내분실>

이 소설처럼 만약 우리의 현실에서 고인의 인격을 AI로 남겨놓는 기술이 개발된다면, 데이터에 불과한 AI를 다시 만났을 때 생전의 사람처럼 대할 수 있을까요?

한 가지를 선택해 그 이유에 대한 여러분의 생각을 나누어 주세요

A : 있다.
B : 아니다.

⓱기타 보충사항

그 밖에 함께 이야기 나누어 보고 싶은 자유논제 또는 선택논제가 남아 있다면 자유롭게 내어놓고 함께 얘기해 보아요

⓲전체적인 소감 및 마무리 발언

이번 '함께읽기책'과 오늘의 '독서토론'에 대한 소감 및 전체적인 마무리 평가를 해 주세요

⓳인상 깊었던 문장이나 핵심 메시지 & 한 줄 총평

'기억에 남는 의미로운 구절이나 핵심 메시지 한마디' 또는 '한 줄 총평'을 해주세요

▶ 책리뷰

►내가 준 별점 (4.0)

영화도 그렇고 책도 마찬가지이고 개인적인 경향성이 반영된 선택을 하게 될 때가 많아서 SF(science fiction)장르를 가까이할 기회가 별로 없었는데, 단순한 호기심에서 이번 달의 '함께읽기 책'으로 선정한 이 책을 읽으면서 기대 이상의 만족감을 느낄 수 있었다. 평소 과학 분야에 관심이 많지는 않아도 워낙 '멍때리며 공상하기'를 잘하는 편이라, 이 소설에서 설계되어 있는 시간과 공간을 넘나드는 설정이 내가 언젠가 해봤던 공상과 비슷한 면이 있다고 생각했다.

김초엽 작가가 SF장르를 소재로 가져와 이렇게 여러 편의 단편 소설로 스토리를 엮어 나간 것은, 아마도 작가가 풍부한 상상력을 바탕으로 포항공대 석학 출신이라는 이력을 가진 이공계 인재로서 갖추고 있는 과학적인 베이스가 필연적으로 작용한 까닭이란 것을 엿볼 수 있었다.

한편으로는 글에 기교를 부리거나 현란한 글솜씨로 독자의 감정선을 휘감아 돌며 감탄을 자아내지는 않았고, 그저 무덤덤하고 담백하게 간결한 문체로 써 내려간 서사가 오히려 읽기에 부담이 없었던 면도 좋게 느껴졌다. SF장르 소설임에도 불구하고 남녀노소 누구나 쉽게 스토리를 이해하기에 무리가 가지 않는다는 면에서 베스트셀러가 될만 했구나 하는 생각이 들었다.

요즘 젊은 여류 작가들의 약진이 대단한데, 최근 각광을 받고 있는 책들을 읽어보면 뭔가 깊이가 느껴지지는 않았고, 그래도 재미와 흥미는 보장된다는 공통점을 발견할 수 있었다. 그 점이 부럽기도 하고 아쉽기도 하게 아이러니한 양가감정이라는 생각을 하던 터였다.

'모름지기 책이란! 작가란! 심오해야 한다.'라는 구세대 마인드에서 못벗어나는 면이 있는 중년의 낡은 정서를, 요즘의 트렌드에 너무 뒤쳐지지 않게 잘 적응하면서 빠릿빠릿하게 따라가는 감각으로 발전시켜 나가야 한다는 깨달음을 다시금 확인하게 하는 유니크한 소설집이기도 하였다.

그렇지만 아쉬운 점이 없었던 것은 아니었다. 스토리 전개 방식이나 문체가 지극히 평범하게 느껴져서, 작가가 소설가로서의 남다른 필력을 가진 '천상 글쟁이'라는 느낌은 별로 들지 않았다. 그래서 별점 1점을 차감했다.

그러나 인문학이 아닌 이공계 공학도 출신임에도 불구하고 소설을 비롯하여 에세이 등 다양한 글을 쓰는 시도를 하고 훌륭하게 완수해낸, 김초엽 작가의 꿈을 향한 추진력과 실천력이 참 훌륭하다고 생각했다. 물론 사람에 따라 다르겠지만 일반적으로 생각하기에 이과생이 자기분야의 논문도 아닌 소설을 이 정도의 문학적인 서사로 써냈다는 것이 결코 쉽지 않은 과정이었을 것이라는 생각이 든다. 그래서 젊은 공학도 출신의 저자가 이렇게 훌륭한 문학적 성과를 이루어냈다는 면에서 작가의 끈기와 열정에 박수를 보내고 싶은 마음이 컸다.

젊은 작가라서 아직 미숙한 면도 없지는 않겠지만, 그런 점으로 인해 작가의 잠재력이 날이 갈수록 반짝반짝 빛날 것이라는 기대가 되었다. 김초엽 작가가 현재 이루어 놓은 것도 대단히 훌륭하지만, 그보다 1993년생인 젊은 작가가 앞으로 펼쳐나갈 문학적 성장을 관심을 갖고 지켜보고 싶은 마음이 들었다.

이 소설집은 7편의 짧은 단편들의 모음집이었는데, 작가가 이렇게 길이가 길지 않은 분량 내에서 짧은 이야기를 통해 사람의 마음을 움직이는 좋은 글을 써냈다는 것이 대단하게 느껴지고 훌륭하고 생각되었다. 또한 나같이 과학에 무관심한 일반인들이 평소 관심을 기울이지 못하는 분야의 과학적 소재들을 가져와 호기심과 궁금증을 자아내면서, 인간사의 희로애락(喜怒哀樂)을 잘 표현해낸 재미있는 책이어서 즐겁게 잘 읽었다.

▶소감 및 마무리 발언
문단의 평론가들은 김초엽 작가를 두고 '문이과 융합형 인재의 바람직한 표본'이라며 찬사를 아끼지 않는다고 한다. 젊은 작가가 앞으로 펼쳐나갈 활동들에 대해 기대되는 마음이 증폭될 만큼 이번달 북토크를 통해 김초엽 작가에 대한 개인적인 관심이 커지게 되었다.
혼자 여러 권의 책을 읽어도 시간이 지나면 남는 게 별로 없이 다 휘발되어 버릴 때가 많은데, 같은 책을 '함께읽기' 하고 '책수다'를 통해 각자의 감상과 생각들을 서로 나누는 책모임을 갖는다면 그 책이 얼마나 훌륭한 책인가의 여부에 상관없이 참 의미롭게 남는다는 것을 늘 느끼게 된다.

같은 책을 읽고도 생각하는 관점이 사람마다 차이가 있고, 다른 사람의 말을 들으며 내가 미처 생각하지 못한 부분도 재발견하게 되기도 해서 독서토론 시간은 늘 즐겁다. 오늘도 시간이 훌쩍 지나간 것도 모를 정도로 몰입해서 이야기를 나누었는데, 생각의 차이가 큰 부분도 있었고 동의가 되는 면도 있었던 만큼, 사람마다 가치관과 인생 경험의 차이가 존재한다는 것이 흥미로웠다.

책을 꾸준히 읽기가 혼자서는 잘 안되는데 책모임을 통해서 함께 읽기를 해나간다면 성실한 독서생활이 가능해진다. 또 북토크로 감상 나누기를 하면 책의 내용도 더 다채로운 의미로 이해될 수 있다는 것을 오늘 독서토론 모임을 통해서 다시금 느끼게 되었다. 무슨 일이든 호기심과 흥미가 생기면 시작은 곧잘 하는데 비해, 꾸준히 하는 게 쉽지 않은 나의 고질적인 취약점을 잘 극복하는 일련의 과정 중에 책모임이 존재한다. 앞으로도 독서토론 모임에 지속적으로 잘 참여할 수 있으면 좋겠다.
앞으로도 '함께읽기'하고 '독서토론'을 빙자한 '책수다'를 나눈다는 것이 얼마나 재미있고 행복한 일인가에 대해 잘 알고 있는 책친구님들을 다양하게 만날 수 있게 되길 바란다.

▶핵심 메시지 & 한 줄 총평
✔내가 진정으로 좋아하는 것이 무엇일까?
✔인생은 유한하니 후회 없이 멋지게 살자.
✔나 자신을 찾을 수 있어야겠다.
✔나를 특정 지을 수 있는 것이 무엇일까?

✔자아를 찾는 김에 나 자신을 위로해 주자.

✔우주와 태양계의 수많은 행성이 기대되면서도 한편으로는 두렵다.

✔과학기술의 끊임없는 발전은 희망이자 재앙이다.

✔가족관계는 숙명이기에 이상적이기가 참 어렵다.

✔가족은 반송 불가한 우편물이다.

과학기술의 끊임없는 발전은 희망인가? 재앙인가?
- 『우리가 빛의 속도로 갈 수 없다면』(김초엽 著)을 읽고 -

♣ 과학기술은 인간의 행복을 위해 사용되어야 한다.
그렇지 않으면 재앙이 된다. - 앨빈 토플러 -

코로나로 멈추었던 오프 북토크 모임을 재개하는 시기에 '함께읽기'책을 선별하면서, 그간 문단에서 각광을 받고 있었거나 근래 베스트셀러로 등극하고 있는 작품들에 대해 관심을 갖게 되었다. 북토크를 진행할 책을 선정하기 위해 작가님들의 커뮤니티도 들여다보고 도서관 사서 선생님들의 추천도서도 찾아보다가 겹쳐지는 작품들을 발견하기도 했다. 그러면서 다양한 서평도 찾아 읽어보았다.

그 과정에서 떠올랐던 가장 뚜렷한 생각은 최근 핫한 베스트셀러 작가의 반열에 올라 있는 책 중에서 젊은 여성 작가들의 약진이 두드러지는 경향이 있다는 것이었다. 지난달까지 '함께읽기' 한 책들도 장류진 작가, 최은영 작가 등 젊은 여성 작가들의 작품이었는데, 이번달의 책인 『우리가 빛의 속도로 갈 수 없다면』의 김초엽 작가는 더 젊은 여성 작가여서 작품 속에서 어떤 이야기를 풀어놓았을지 호기심을 더했다.

『우리가 빛의 속도로 갈 수 없다면』은 2019년 출간 이후 계속해서 독자들의 꾸준한 사랑을 받고 있는 책이라는 유명세는 이미 접한 바 있었다. 다양한 분야의 책을 읽고자 하는 욕구는 기본적으로 갖고 있으나, 실제로는 어쩔 수 없이 선호하는 경향성이 편중되게 책을 고르는 편이고 다소 편독을 하는 탓에, 혼자서는 잘 읽을 기회가 없는 'SF장르소설'이라는 특이점에 끌려서 이번달의 '함께읽기책'으로 이 책을 선정하게 되었다.

원래는 포스텍에서 '생화학'을 전공한 공학도였다는 매우 특이한 이력의 소유자인 '김초엽' 작가의 단편소설집인 『우리가 빛의 속도로 갈 수 없다면』은 작가의 첫 책이었다. 과학도답게 전문적이고 특이한 소재를 가져와 써낸 7편의 단편을 묶어 단편소설집으로 출간했는데, 수록된 작품들을 한편씩 읽어 나가면서 그 발상의 신선함에 흐뭇한 미소가 지어지기도 했다.
SF 장르소설이라는 선입견에 의해 사람에 따라 호불호가 갈릴 수 있을지 모르나, 호기심과 궁금증으로라도 한 번쯤 읽어보면 좋을 7편의 주옥같은 작품이 수록되어 있는 책이었다. 이 책 한 권을 다 읽을 수 있다면 재미있고 유익할 것이므로 각자 사정에 맞게 '전체완독' 또는 단편을 '선택독서' 하기로 했었다. 그리고 독서토론 시간에는 정해진 시간 안에서 책수다를 좀 더 밀도 있게 나눠보고자, 「순례자들은 왜 돌아오지 않는가」, 「스펙트럼」, 「공생 가설」, 「우리가 빛의 속도로 갈 수 없다면」, 「감정의 물성」, 「관내분실」, 「나의 우주 영웅에 관하여」 등 7편의 작품 중 표제작 <우리가 빛의 속도로 갈 수 없다면>과 <관내분실> 두 편에 집중하여 독서토론을 진행하기로 하였다.

<우리가 빛의 속도로 갈 수 없다면>은 좀 더 나은 삶을 위하여 슬렌포니아 행성계로 이주를 결정한 주인공인 과학자 '안나'가 자신이 하고 있던 연구를 다 끝내고 뒤따라 가겠노라며 가족들을 먼저 보내고 홀로 남게 되는 상황이 설정된 이야기였다. 가족들이 떠난 이후로 슬렌포니아 행성계로 갈 수 있는 노선이 폐지되어 버려서 '안나'는 가족들에게로 갈 수 없는 상황이 되고 졸지에 홀로 남겨진 채 이산가족이 되어버린다.

나이를 먹고 늙어서 죽으면 가족을 만날 수 없게 되므로 스스로의 몸을 동결하고 해동하는 과정을 반복하는 가운데 많은 세월을 보내며, 가족을 만날 날만을 기다리다가 어느덧 170세까지 삶을 이어오게 된다. 몸을 동결하고 다시 해동되어 눈을 떴을 때쯤이면 가족을 만날 수 있는 새로운 과학기술이 생기지는 않았을까 하는 기대감과 희망에 가득 차 있지만, 끝끝내 가족들에게로 갈 수 있는 방법은 찾을 수가 없는 상황이 계속해서 반복될 뿐이다. 과학기술의 발전이 이어져서 우리가 아무리 우주를 개척하고 인류의 외연을 확장한다 하더라도, '우리가 빛의 속도로 갈 수 없다면'이라는 소설의 제목이 암시하듯 발전하는 과학기술에 발맞추어 인간의 삶이 새로운 환경을 온전히 따라가며 적응해 갈 수 없다면, 그래서 이 소설의 주인공 '안나'와 같이 뜻하지 않게 가족과 헤어지게 되고 홀로 남겨지는 사람들이 생겨난다면, 그것이 과연 인간의 행복한 삶이라는 관점에서 무슨 의미가 있는 것일까에 대해 생각해 보는 계기를 주는 소설이었다.

또한 인간은 살면서 크고 작은 문제들을 끊임없이 선택하며 살아가게 되는데, 순간의 선택이 너무도 큰 부메랑이 되어 돌아오는 뜻밖의 결과를 감당해 낼 만큼의 현명한 선택을 할 수 있을까에 대해서도 반복해서 고민해 보았으나 명쾌한 결론은 얻을 수 없는 딜레마였다.

<관내분실>에서는 우울증 환자였던 엄마를 아빠는 외면했고, 자식에게 강박증을 가졌던 엄마에게 지쳐버린 딸 또한 엄마를 외면해 버린 것이 이야기의 처음 설정이었다. 엄마가 고인이 된 한참 후에 딸 '지민'은 임신 8주차의 시점에서 엄마를 떠올리고 '마인드 도서관'을 찾아간다. '마인드 도서관'은 인간의 삶 전체가 데이터베이스화 되어 있고 생전 두뇌가 스캐닝 된 후 저장되어 사후에도 고인을 불러내 소통할 수 있었다. 그런데 엄마의 인덱스가 지워져 버려서 엄마의 데이터는 '관내분실' 상태가 되어 버린 상황이라, 지민은 엄마를 불러내어 만날 수가 없게 된다.
분실된 엄마의 인덱스를 되살려내려면 엄마를 상징할 물건이 필요했기에 아빠를 찾아갔고, 엄마의 데이터가 '관내분실'이 되어버린 까닭은 바로 엄마의 유언에 의해 아빠가 엄마의 인덱스를 일부러 지웠기 때문이라는 사실을 알게 된다. 아빠에게서 엄마가 표지 디자인을 했던 책을 받아와 엄마와의 접속에 성공하게 된 지민은 뒤늦게야 비로소 엄마를 이해하게 된다는 내용이었다.
과학의 발전으로 인해 이미 죽은 사람을 불러내 다시 만나듯 시뮬레이션할 수 있는 '사후 마인드 도서관'이라는 신선한 설정임에도 불구하고, 자칫 신파로 흘러갈 뻔한 순간을 아슬아슬하게 비

껴가면서, 부부, 모녀 등의 가족관계와 엄마로서 살아가야 하는 여자의 삶, 사후에 그의 삶을 회고해 볼 수 있게 할 만한 상징적인 그 무엇 등에 관하여 여러모로 생각할 지점이 많았던 소설이었다.

그런데 살짝 아쉬움을 느꼈는데, 단편소설의 한계인가 싶게도 이야기에 몰입하며 재미를 느낄 때쯤이 되면 소설이 끝나 버리는 듯한 느낌이 들었다. 내가 후반부에 살을 더 붙여서 그 이후를 이어 쓰고 싶어질 만큼, 너무 급하게 이야기를 마무리하느라 싱겁게 끝내버린 듯한 느낌도 들었다. 어쩌면 작품을 매개로 독자의 상상력을 불러일으키고자 열린 결말을 추구하려고 했던 작가의 고도로 계산된 의도인지도 모르겠다는 생각도 해보게 되었다. 스토리 전개의 디테일과 구성의 완성도 면에서는 뭔가 아쉬운 점도 없지 않았다. 그렇지만 젊은 작가가 '공학도'라는 자신만의 전문성을 문학작품이라는 틀 안으로 끌고 들어와, 과학적 상상력과 문학적인 감수성을 잘 버무려 내어서 여러 편의 작품을 시작해 마무리 지었다는 사실 하나만으로도, 김초엽 작가의 끈기와 성실함에 박수를 보내고 싶었다. '김초엽'이라는 이름조차도 지극히 작가스럽게 예쁘고 독특한 느낌이었다. 소설의 소재도 독특해서 문/이과를 통합하는, 그야말로 융합형 인재라고 칭송받으며 문단에서 촉망받는 차세대 작가로 충분히 주목 받을만 했겠다 싶었다. 김초엽 작가가 앞으로도 자신만의 독특한 발상으로 좋은 작품들을 많이 써서, 독자들을 행복하게 해줄 거라는 기대 어린 팬심과 사심이 가득한 관심을 앞으로도 지속하게 될 듯하다.

이번달 북클럽에서는 다양한 토론논제들을 발제하여 활기찬 의견 교환이 이루어질 수 있었다. '안나'처럼 가족들을 먼저 떠나보내고 홀로 남겨진 상황과 가족과의 생이별 상황에 대한 생각들, '안나'와 같이 자신의 '꿈'에 매진해 본 경험, 살면서 시시각각으로 결정해야만 하는 갖가지 '선택'에 관한 생각들, 과학기술 발전의 방향성에 관한 의견들, 자신의 유품으로 남길 만한 것들, 임신 기간의 임산부의 상태가 태아에 미치는 영향, 부모와 자식이 인위적으로 관계를 끊을 수 있는가에 대한 생각들, 우울증에 걸린 아내와 무관심으로 방치하는 남편의 이야기, 아기는 꼭 엄마가 키워야만 좋은 것인가에 관한 의견들, 사후에 살아있는 자들이 죽은 자를 기억하고 그리워하는 것에 관한 이야기 등 의미도 있고 현실적이기도 한 수많은 논제들로 2시간의 책수다 시간이 부족할 정도로 활발하고 적극적인 독서토론 시간이 되었다.

우리가 지금 고통스럽게 겪어내고 있는 코로나19의 팬데믹 상황 속에서 살아가게 된 것이 아직도 적응이 잘 안되는 마음이다. 그러나 이 비현실적인 세상 속에서도 인간은 절대적인 사랑을 추구할 수밖에 없는 존재들이라는 것을 이 책을 통해 다시 한번 깨닫게 되었다. 불완전한 세상살이 속에서 정신없이 돌아치는 과학기술의 발전이 인간에게 이롭기보다는 오히려 나쁜 부메랑이 되어 인간을 위기에 빠뜨릴 때도 많은 게 부정할 수 없는 사실이다. 불안한 현실일수록 '사랑의 가치'를 끊임없이 의심하지 말고, 현재에도 미래에도 너와 내가 더불어 함께 하며 공존공생해야 한다는 믿음을 가져야 하리라는 생각도 이 책을 통해 해보게 되었다.

앞으로도 끊임없이 더해나갈 과학기술의 무지막지한 발달과 함께 현재의 코로나19와 유사하게 이유를 알 수도 없는 갖가지 환란 속에서 정신을 차릴 수 없을 만큼 힘겹게 살아가야 하게 될지도 모를 일이다. 만약 인류에게 불행한 일이 어쩔 수 없이 닥쳐온다 하더라도, 인간만의 감성과 자신만의 개별적이고 고유한 마음을 지켜나갈 수 있어야 할텐데 걱정이다.

이 책을 읽으면서 흥미롭고 재미있었던 한편, 어쩌다보면 나도 알 수 없게 어느 날 갑자기 휘몰아치듯 어떤 예측 못할 경우의 시공간적 환경에 빨려 들어가 버려서, 이 책에 수록된 소설 속 주인공들처럼 한 인간으로서 우주 속의 외로운 소수자가 되어 버린 채 '산 것도 죽은 것도 아니게' 떠돌게 되면 어쩌나 하는 두려움도 생기는 것은 어찌할 수 없었다. 지금도 차고 넘치게 발전했을 만큼 발달한 과학이 앞으로 더 발전한다는 것을 별로 원하지 않는 개인적인 마음도 한편으로 들었다. 그렇지만 '피할 수 없으면 즐기라.'는 말이 있듯이, 어쩔 수 없이 맞닥뜨려야 할 다가오는 미래의 변화에 슬기롭게 대처하는 우리들의 자세가 반드시 필요하겠다는 생각도 해보게 되었다.

책수다 모임은 같은 책을 읽고도 서로 다른 관점에서 여러모로 생각할 수도 있고, 정답이 없는 인생에서 각자가 거쳐온 삶의 궤적이 달랐던 만큼 다양한 의견이 공존할 수 있다는 것이 언제나 흥미롭다. 이번달의 북토크 멤버님들의 특징은 '긍정, 공감, 활기, 호의'라는 단어로 표현하고 싶다. 각자가 할 말이 너무 많아서 활발한 토론이 이루어지는 가운데에서도, 서로 말도 잘 들어주고 맞장구도 잘 쳐주는 등 유쾌하고 밝은 에너지가 감돌아 화기애애했던 이번달의 책수다 모임이었다.

이번달 책의 한 중심화두인 '선택의 결과'라는 논제와 '상대에 대한 이해', '가족 간 소통의 어려움'에 대해, 회원님들 모두가 진솔하고 열린 마음으로 자신만의 직/간접 경험과 다양한 생각들을 내어놓으셨다. 그래서 2시간이라는 북토크 시간을 그야말로 '빛의 속도'로 '순삭'하게 만들었다.

그 끝을 알 수 없는 오늘날의 코로나19 상황으로 인해 만남도 조심스럽고 자꾸만 고립되어가는 것 같아서 정말 쉽지 않은 시절임에도 불구하고, 용감하게 오프 책모임에 참여하겠다고 능동적으로 모인 책친구님들의 의지와 성의도 참 대단하다 싶다. 난데없는 전염병 시국이 하루빨리 호전되어서 '함께읽기'와 '책수다 나누기'를 앞으로도 계속해 나갈 수 있게 되기만을 바랄 뿐이다. 아무쪼록 책친구님 모두가 심신이 늘 건강하셔서 오래오래 책읽기와 책모임을 함께 할 수 있게 되기를 기원하는 마음이고, 일단 나부터 몸관리, 정서관리 잘 하며 별일 없이 평안하게 지낼 수 있도록 노력해야겠다.

끝으로, 갑자기 쏟아진 폭우에도 아랑곳하지 않고 장대비를 헤치며 비바람을 뚫고 홍대 세미나실로 모여서 허심탄회하고 진솔한 책수다를 나누어 주신 책친구님들께 감사드린다.

제7화 『낭만적 연애와 그 후의 일상』

알랭 드 보통 著

제7화 『낭만적 연애와 그 후의 일상』을 읽고

알랭 드 보통 著

♣ 배우자의 불완전함을 이해할 때 결혼 이후의 삶이
완전해진다.

▶ 독서토론 발제문

역사학자이자 철학자의 면모를 망라한 현실적인 사회학자라는 의미로 '생활 철학자'라고도 일컬어지는 '알랭 드 보통'의 장편소설인 『낭만적 연애와 그 후의 일상』은 '결혼'이 '연애'와는 180도 다른 '불편한 진실'이라는 것을 현실적이면서도 심리, 철학적으로도 절묘하게 접목시켜서 장편소설인 듯, 에세이인 듯 장르를 넘나들며 조화롭게 서술한 책입니다.

그렇다면 '연애'와 '결혼'이 도대체 그 어떤 면에 있어서 무엇이 얼마나 어떻게 다른가에 관해 흥미롭게 풀어나간 이 책을 여러분은 어떻게 읽으셨나요?

별점과 함께 읽은 소감을 나눠봅시다.

(1점부터 5점까지 별점을 주세요.)

◎별점(1~5점, 소수점가능) ☆☆☆☆☆

독창성/짜임새/재미/깊이/소장가치에 근거하여(   )점

◎읽은 소감(별점을 준 이유)

❶자유논제

낭만적인 사람은 낯선 사람을 언뜻 본 순간부터 최단 경로를 밟아 그 사람의 실존에 대한 무언의 결론을 내리곤 한다
(은행나무 p15)

저자는 낯선 사람과의 첫만남에 대해 말했는데요,
여러분은 사람의 첫인상에 대해 어떻게 생각하시나요?
누군가와 가장 좋은 모습으로 처음 만났던 순간에 비친 그의 긍정적이고 좋은 이미지가 계속 유지되었던 경험이나, 그와는 반대의 경우를 겪어본 바가 있다면 이야기를 나누어 봅시다.
(연인이나 배우자와의 첫 만남의 경우, 또는 동성친구나 사회적인 관계에서 경험한 어떤 만남에 대한 것도 다 좋습니다.)

❷자유논제
위 ❶번 논제에 이어지는 맥락으로, 여러분은 연인이나 배우자의 어떤 매력에 끌려서 연애를 하게 되고 또 결혼을 결정할 수 있을까요? 만약 토론자가 기혼자라면 결혼 전에는 장점으로 보였던 바로 그 점이 결혼 후에는 단점으로 반전되어 결혼생활을 어렵게 한 경험이 있으셨나요?
각자의 직/간접 경험을 바탕으로 함께 이야기 나누어 봅시다.

❸자유논제

합리적 결혼은 어떤 진실한 관점에서도 전혀 합리적이지 않았으며, 자주 편의주의적이고, 편협하고, 속물적이고, 착취적이고, 모욕적이었다. (은행나무 p57)

저자는 순수하고 철없던 시절에 단지 '사랑'이라는 '감정'에 의거해 '무모한 결혼'을 결정하는 것은 '비합리적'일 수 있으며,
역사기록에 의해서나 현대사회에 있어서도 현실적으로 안전한 조건이 부합되어 이른바 '회계적 요구'에 물린 결혼을 '논리적, 합리적, 현명한 결합'이라고 일컫는 '결혼의 안전성'의 본질에 대해 독자에게 화두를 던져주었는데요, 여러분은 이 부분을 어떻게 보셨나요? 자신의 의견을 나누어 주세요

❹선택논제

결혼의 매력은 혼자 산다는 게 얼마나 불쾌한지로 귀결된다. 이는 꼭 우리 개개인의 탓만은 아니다. 사회 전체가 독신 생활을 최대한 성가시고 우울하게 만들기로 작정한 듯하다.
(은행나무 p60)

저자는 현대사회의 독신자들의 삶에 관하여 논하고 있는데요,
만약 여러분에게 현재의 삶을 리셋할 수 있고 다시 선택권이 주어진다면 '결혼'과 '독신' 중 어떤 선택을 할 수 있을까요?
선택해 보고 그 이유에 대해서도 이야기 나누어 봅시다.

A : 결혼을 하여 함께 살겠다
B : 비혼으로 혼자 살겠다.

❺자유논제
이 책의 주인공인 '라비'와 '커스틴'은 '11월의 어느 비 오는 날 아침, 인버네스 등기소에 있는 살굿빛 작은 홀'에서 커스틴의 어머니, 라비의 아버지와 새어머니, 그리고 친구 여덟 명이 참석한 가운데 결혼을 합니다.
공무원의 주례와 스코틀랜드 정부가 마련한 '서로를 아끼고 사랑하겠다'는 일련의 서약을 낭독하면서 결혼 예식을 마치고 난 후, 하객들과 근처 레스토랑에 가서 점심을 먹고 그날 저녁 늦게 파리 생제르맹 근처 작은 호텔에서 편히 몸을 누입니다.

최근 우리나라에서도 결혼문화에 대한 변화가 있는데요,
이러한 실속 있고 소박한 '작은 결혼식'에 대해 여러분은 어떻게 생각하시나요? 함께 의견을 나누어 봅시다.

❻자유논제

_____

결혼 생활에서 '아무것도 아닌 문제'를 두고 벌어지는 말다툼은 거의 없다. 작은 쟁점들은 사실 단지 필요한 관심을 받지 못한 큰 쟁점들이다. 일상에서의 논쟁은 그들 성격의 근본적인 차이에서 비어져 나온 실밥이다. (은행나무 p78)

_____

저자는 결혼생활의 일상적인 다툼에 대해 말하고 있는데요, 여러분은 연애나 결혼생활을 하면서 너무 사소하고 작은 의견 차이로 인해 뜻하지 않게 커다란 다툼으로 번져버린 경험이 있었나요? 자신의 경험이나 주변의 적당한 사례가 있다면 함께 이야기 나누어 봅시다.

❼자유논제

이상적으로 말하자면, 예술은 다른 사람에게서 구할 수 없는 답을 준다. 일반사회가 점잔을 빼느라 탐험하기 꺼려하는 것들을 우리에게 말해주는 것, 어쩌면 이것을 문학의 요점이라고까지 말할 수 있을지 모른다. 권위 있는 책들을 보면 이 저자는 어떻게 우리의 삶에 대해 그렇게 많이 알 수 있었을까 하며 위안과 감사를 느끼고 경탄하게 된다. (은행나무 p81)

예술은 경험을 보존하는 수단이다. 예술은 복잡성을 편집하여, 인생의 가장 의미 있는 측면들에 빠른 시간 내에 초점을 맞출 수 있게 해준다. (은행나무 p295)

저자는 예술의 효용을 말하며 예술가와 예술작품(문학)에 대해 경의를 표하고 있습니다. 또한 역자는 '옮긴이의 말'에서 라고 '알랭 드 보통'의 또 다른 저서인 『아름다움과 행복의 예술』에서 발췌한 '예술의 효용'에 대해 덧붙입니다.

여러분은 예술가나 예술작품으로 인해 삶의 답을 얻거나 마음의 위안을 얻었던 경험이 있었나요?
있었다면 함께 이야기 나누어 봅시다. (문학/미술/음악/연극/영화/춤... 등등 장르를 총망라하여 어떤 예술 분야도 다 좋습니다.)

❽자유논제

우리는 의식에서 거의 지워져 버린 위기들이 오래전에 만들어놓은 대본에 따라 행동할 때가 너무나 많다. 지금은 기억에서 사라져 폐물이 된 논리에 따르고, 우리가 가장 신뢰하는 사람들에게 제대로 밝히지 못할 의미를 쫓는다. (은행나무 p113)

저자는 과거(어린시절)의 '왜곡된 기억'을 통해 현재를 해석하는 고착화된 패턴에 대해 언급하고 있는데요,

여러분은 성장과정에서나 지금까지 삶의 경험에서 '트라우마'처럼 뇌리에 자리 잡아 현재의 자신을 무의식적으로 간섭하는 습관적인 생각의 패턴이 있나요?
편안하게 내어놓고 함께 이야기 나누어 봅시다.

❾선택논제
위 ❽번 논제에 이어지는 맥락으로, 그렇다면 한 인간의 성향은 정말 어릴 적 경험이나 가정의 분위기, 부모의 영향에 의해 얼마만큼 영향을 받는지에 대해 여러분의 생각은 어떠신가요?

A : 우리의 성향은 부모님과 원가족, 그리고 성장환경에 의해 수동적으로 결정된다.

B : 사람의 성향은 교육과 경험, 본인의 의지에 의해 얼마든지 능동적으로 변할 수 있다.

❿자유논제

중년의 유혹자가 보이는 솔직함이란 자신감이나 오만함의 문제가 아니라, 죽음에 점점 가까워지고 있다는 처량한 인식에서 나오는 일종의 조급한 절망감이다. (은행나무 p204)

배우자에게 무관심하기 때문에 불륜에 뛰어드는 경우는 드물다. 파트너를 배신하는 수고를 들이려면 대개 파트너에게 깊은 관심을 갖고 있어야 한다. (은행나무 p207)

저자는 소설 속 인물들을 통해 기혼자의 '불륜'에 대해 스토리를 전개했고, 이 책의 뒷 챕터에서는 '간통'에 대해서도 언급합니다.

이 책의 주인공인 '라비'는 베를린에서 도시 재생을 주제로 열리는 컨퍼런스에서 공공 공간에 대해 발표를 해달라는 초청을 받고 출장을 떠난 곳에서 '로런'을 만나 이른바 '원나잇'을 하게 되었습니다.

여러분은 기혼자의 '불륜'과 '간통'에 대해 어떻게 생각하시는지 함께 이야기를 나누어 봅시다.

❶자유논제

우울감은 치료를 요하는 병이 아니다. 우울은 처음부터 이 각본에는 실망이 적혀 있었다는 확신과 마주할 때 유발되는 일종의 지적 슬픔이다. (은행나무 p239)

심리 치료는 시간과 돈이 남아도는 미친 사람들의 전유물이다. (은행나무 p247)

제대로 된 치료사를 찾는 일은 예컨대 괜찮은 미용사—인간적 관심을 내세우는 데 좀 덜 열정적인 서비스 제공자를 찾는 것보다 훨씬 더 어렵다. (은행나무 p248)

저자는 삶의 고통과 우울과 심리치료에 대해 언급하는데요,
결혼생활뿐만이 아니라 삶의 '우울감'과 '심리상담 치료'에 대하여
여러분은 어떻게 생각하시나요?
그리고 우울한 감정이 올라올 때 극복할 수 있는 자신만의 '필살기' 방법이 있다면 소개해 봅시다.

❷선택논제

이 결혼생활의 위기에 봉착한 소설의 주인공 부부는 심리상담사를 찾아갑니다. 저자는 어린시절 최초의 가정환경에서 실망을 겪은 두 사람은 성인이 되어 관계의 어려움이나 모호함에 직면할 때 어린날의 영향권으로 역행하게 된다고 하였는데요,

어머니를 여의고 새어머니 밑에 자란 '라비'는 불안해하면서 공격하는 '불안정 애착'을 보이고,
기출한 아버지의 부재로 홀어머니에게서 양육된 '커스틴'은 회피하면서 퇴각하는 '회피형 애착'을 보인 것입니다.

여러분은 이 부분을 어떻게 보셨나요?
아래 첨부된 '하잔과 셰이버'가 애착 유형의 평가를 위해 최초로 고안한 설문조사(1987)에서 세 가지 경우(은행나무 p260) 중 자신의 경향과 가장 가까운 것을 한 가지 선택해 보고 그것에 대한 자신의 생각을 함께 이야기 나누어 봅시다.

A : 회피 애착
나는 정서적으로 친밀한 관계를 원하지만, 상대방이 종종 뚜렷한 이유도 없이 실망스럽거나 이기적으로 나온다.
나는 스스로 타인과 너무 가까워지는 걸 용인하면 상처를 입게 되지 않을까 걱정한다. 나는 혼자 지내도 괜찮다.

B : 불안정 애착
나는 타인과 정서적으로 친밀해지기를 원하지만, 다른 사람들은 내가 바라는 만큼 가까워지는 것을 꺼려한다.
내가 다른 사람들을 소중히 생각하는 만큼 그들도 나를 소중히 여길까 하고 걱정한다. 그 때문에 아주 속이 상하고 화가 날 때가 있다.

C : 안정 애착
나는 비교적 쉽게 다른 사람들과 정서적으로 친밀해진다.
타인에게 의지하고 그들이 나에게 의지하는 데 편안함을 느낀다.
나는 혼자 있거나 다른 사람에게 받아들여지지 않는 것을 걱정하지 않는다.

⓭자유논제

'라비'는 '결혼'에 관한 낭만주의 개념들이 재난을 낳는다는 것을 알게 되었지요. 저자는 '라비'가 '결혼'을 하기 위해 '준비된 마음'의 기준에 기초한 몇 가지를 정리하여 서술하였는데요,
여러분은 이 중 어떤 부분에 가장 마음이 가거나 동의가 되는지 선택해 보고, 그것에 대해 함께 이야기 나누어 봅시다.

1. 라비가 결혼할 준비가 된 것은 무엇보다 완벽함을 포기했기 때문이다.
2. 라비가 결혼할 준비가 되었다고 느끼는 것은 타인에게 완벽히 이해되기를 단념했기 때문이다.
3. 라비가 결혼할 준비가 되었다고 느끼는 것은 자신이 미쳤음을 자각하기 때문이다.
4. 라비가 결혼할 준비가 되었다고 느끼는 것은 커스틴이 까다로운 게 아님을 이해했기 때문이다.
5. 라비가 결혼할 준비가 되었다고 느끼는 것은 사랑을 받기보다 베풀 준비가 되었기 때문이다.
6. 라비가 결혼할 준비가 되었다고 느끼는 것은 항상 섹스는 사

랑과 불편하게 동거하리라는 것을 이해하기 때문이다.

7. 라비가 결혼할 준비가 되었다고 느끼는 것은 이제 (평온한 날에는) 행복하게 가르침을 받아들이고, 차분하게 가르침을 줄 수 있기 때문이다.

8. 라비와 커스틴이 결혼할 준비가 된 것은 그들이 서로 잘 맞지 않는다고 가슴 깊이 인식하기 때문이다.

9. 라비가 결혼할 준비가 되었다고 느끼는 것은 대부분의 러브스토리에 신물이 났기 때문이고, 영화와 소설에 묘사된 사랑이 그가 삶의 경험을 통해 알게 된 사랑과는 거의 일치하지 않기 때문이다.

⑭기타 보충사항

그 밖에 함께 이야기 나누어 보고 싶은 자유논제 또는 선택논제가 남아 있다면 자유롭게 내어놓고 함께 얘기해 보아요.

⑮전체적인 소감 및 마무리 발언

이번 '함께읽기책'과 오늘의 '독서토론'에 대한 소감 및 전체적인 마무리 평가를 해 주세요.

⑯인상 깊었던 문장이나 핵심 메시지 & 한 줄 총평

'기억에 남는 의미로운 구절이나 핵심 메시지 한마디' 또는 '한 줄 총평'을 해주세요.

▶ 책리뷰

►내가 준 별점 (4.0)

역시 그 명성이 실망스럽지 않은 '알랭 드 보통'이라는 것을 인정하게 한 책이었다. 제목만 얼핏 보면 연애와 결혼에 대한 이모저모를 서술했겠구나 하는 짐작으로 가볍게 붙잡을 수 있는 책 같은데, 역사학/심리학/철학/사회학 등 여러 분야에 전문적인 식견을 갖추고 있고 '생활철학자'라는 별명을 가진 작가답게 연애와 결혼에 관해 한 편의 논문을 쓰듯이 짜임새 있는 구성으로 잘 집필해 놓은 책이었다.

한쌍의 남녀 커플 주인공을 내세워 스토리를 풀어간다는 면에서 소설의 형식을 갖추고는 있지만, 스토리와 연관된 심리, 철학적 지식이 에세이 형식으로 중간중간 첨부되어 있었다. 남녀의 연애와 결혼, 그리고 인간의 삶에 대해 근본적인 사유의 세계로 자연스럽게 이끌어 준 작가의 의도가 독특한 서술구조로 인해 더욱 독창적으로 느껴졌다. 또한 이 책은 소설의 재미와 인문학의 깊이를 모두 갖추고 있었다.

상당수의 사람들이 삶의 여정 속에서 자연스럽게 거치게 되는 평범한 과정인 듯한 결혼과 일상의 소소한 일들, 그리고 결혼 후 그럭저럭 꾸려나가게 되는 여러 가지 일들에 대해 의미를 제대로 부여하면서 특별한 내용으로 인식할 수 있게끔 책을 집필해 냈다는 것이 참 좋게 느껴졌다. 현재 나의 위치가 내 자녀에게는 부모이기도 하면서 동시에 나의 부모님에게는 자식이기도 하다. 부모로 비롯되는 원가족으로부터 내가 받은 영향으로 인해 나의 자녀들에게 영향을 미치게 되는 가족의 이어짐에 대해서 다시 한번 생각하게끔 해주는 책이었다. 과거의 내 어린날의 이야기가 오늘날 내 아이들의 이야기로 연결되는 흐름을 깨달을 수 있었다. 그런 만큼 결혼생활 전반에 걸쳐서 부부의 모습이 자녀들에게 어떻게 비추어질지에 대해 진지하게 생각해 봐야 할 문제라는 것도 새삼 절감했다.

큰 기대 없이 책을 손에 잡았던 순간에 비해 완독 시점에서 이 책에 뜻밖의 호의를 갖게 되어 비교적 높은 별점을 주게 되었다. 그렇지만 만점을 주기에는 지극히 내 주관적인 관점에서 뭔가 미비한 면이 공존하였기 때문에 별점을 -1점 차감하였다.

보통 책을 한 권 완독하게 되면 뭔가 특별한 것을 깨닫게 되거나 새로운 지식에 눈뜨는 등 인상적으로 남는 것이 있어야 완독한 뿌듯함을 느끼게 되기 마련이었다. 그런데 이 책은 '연애와 결혼'이라는 그다지 특별할 것이 별로 없는 너무도 일상적인 이야기들의 나열이라서 새삼스럽게 특별한 깨달음이 느껴지거나 더 이상 새로울 것이 별로 없는 평범한 내용이라서, 큰 담론이 있는 책들에 비해서는 새겨 간직할만한 메시지는 아쉽다는 생각이 들었다. 그리고 소설의 스토리 전개가 작가가 말하고 싶은 논리 구성에 짜맞춰져서 다소 부자연스럽거나 인위적인 면이 없지 않으니 식상하게 느껴지기도 하였다. 소설도 아니고 인문서도 아닌 이도저도 아니게 되어버린 어정쩡한 책의 정체성으로 인해 소장가치가 있다는 생각은 들지 않았다. 마치 두 마리 토끼를 한 번에 다 잡고 말겠다는 듯한 작가의 지나친 욕심이 느껴져서 그 점은 다소 아쉬웠다.

그럼에도 불구하고, 심각하고 진지하게 생각하려면 한없이 어려운 주제인 '연애와 결혼'의 속성과 본질에 대해 전반적으로 쉽게 풀이해 설명해 주면서 독자가 편안하게 받아들이고 친근하게 느껴지게끔 저술한 작가의 숙련된 필력은 완전 인정한다.

▶소감 및 마무리 발언

'지금 알게 된 것을 그때도 알았더라면……'이라는 유명한 문구가 생각났을 만큼 시행착오로 좌충우돌했던 나의 신혼초기를 소환하게 했던 책이었다. 여타의 로맨스 소설들이 연애 과정에서 온갖 시련을 겪었다 하더라도 결혼에 골인하기만 하면 '그래서 그들은 행복하게 살았답니다.'라며 훈훈하고 아름다운 결말로 끝나곤 한다. 사실 결혼 전 보이던 것들은 빙산의 일각일 뿐이며, 결혼 그 이후에는 수면 아래에 숨겨져 있던 어마무시한 빙산의 몸체가 드러난다는 것을 '그때는 미처 알지 못했다'는 말이 저절로 나오는 것이 불편한 현실이다

연애와 결혼에 대해 고민하는 청춘남녀에게 '결혼은 현실이다.', '동화 같은 현실은 존재하지 않는다'라며 결혼생활에 대해 돌직구를 날리는 많은 기혼 남녀들이 존재한다. 또한 실제로 이혼율이 갈수록 높아지고 있는 것이 현실이다. 이 책은 결혼을 앞둔 연인들이나 갓 결혼을 한 신혼부부들이 꼭 한번 읽어보면 어떤 식으로든 도움이 될 만한 좋은 내용의 책이라는 생각이 들었다.

이 책을 읽고 책 이야기를 함께 나누고 나니 연애와 결혼에 대한

근본적인 사유를 다시 한번 해볼 수 있었다. 오늘 북토크를 통해 가장 크게 느낀 것은, 세상에 참 많은 부부가 있는데 살아온 여정은 각기 다 달라도 결혼생활의 과정에서 별의별 다양한 일들은 다 겪었구나 싶었다. 그리고 사람 사는 모습이 모두 다 다른 것 같아도 본질적으로는 누구나 다 비슷비슷한 면도 참 많구나 하는 생각을 해보게 되었다. 결국은 큰 틀 안에서는 결혼생활은 누구에게나 만만하지 않은 것이고, 삶을 잘 살아내기 위해서는 인간과 삶에 대한 근본적인 철학적 사유가 필요하고, 현실적으로 많은 노력을 해야 한다는 것도 다시 한번 상기해 보는 계기가 된 시간이었다.

이 책에 등장한 소설 속 주인공 남녀의 삶과 중간중간 첨부된 심리학/철학의 이론들이 하나같이 너무도 잘 이해될 만큼, 어느덧 나이를 많이 먹어버린 내 현재도 다시금 되돌아볼 수 있게 만들어준 책이라 기억에 남을 듯하다. 세월의 연륜과 삶의 경험은 이해의 폭을 넓히고 의연한 여유를 갖게 하는 장점이 있다. 그런데 좀 더 젊은날에 연애와 결혼의 속성에 대해 좀 더 깊은 이해가 있었더라면 그간 겪어내야 했던 시행착오를 많이 줄일 수 있었을 거라는 생각이 들었다.

갈수록 비혼도 많고 이혼율도 높아져서 우리 사회의 근간이 흔들거리는 느낌이 없지 않은데, 기혼은 물론이거니와 미혼에게도 연애와 결혼에 대한 통찰을 줄 수 있는 좋은 책을 추천해 주신 책 친구님께 감사드린다.

►핵심 메시지 & 한 줄 총평

✔가족은 동등해야 할 인간관계여야 한다.

✔결혼은 모험이다.

✔'결혼후 일상'의 본질이 뭔지 잘 몰랐기에 결혼을 할 수 있었다.

✔부부가 다투며 내뱉은 상처의 말을 평생 견디며 살 수 있을까?

✔장기간의 결혼생활을 통해서도 난 결혼에 대한 준비가 아직 안 끝났다.

✔결혼할 때 '자기사용설명서'를 배우자에서 서로 제출해야 한다.

✔대학 교양과목에 '결혼학개론'을 넣어야 한다.

✔2% 부족한 사람이 2% 넘치는 사람과 연민으로 상생해야 한다.

✔삶은 유년시절의 상처를 치유하는 기나긴 여정이다.

✔나는 안하면서 상대방 덕 볼 생각 좀 하지 말자.

✔가까이서 보면 사실은 모든 사람이 조금씩 잘못되었다는 진실을 인정하자.

✔배우자의 불완전함을 이해할 때 결혼 이후의 삶이 완전해진다.

배우자의 불완전함을 이해할 때 결혼 이후의 삶이 완전해진다.

-『낭만적 연애와 그 후의 일상』(알랭 드 보통 著)을 읽고 -

♣ 결혼은 어떤 나침반도 일찍이 항로를 발견한 적이 없는 거친 바다이다. - 하이네플러 -

누구나 '결혼은 현실이다.'라는 말을 흔히 들어 보았을 것이다. 심지어는 '결혼은 미친 짓이다.'라는 영화도 있지 않았던가? 이 책은 바로 '결혼의 현실성'에 관해 '팩트폭격'을 하는 내용이었다. 불꽃 튀는 사랑으로 시작해 결혼에 골인하게 되면 그 사랑이 완성되었노라고 전제하는 영화나 문학 등을 포함하여 수많은 예술 작품들이 결혼의 참진실을 숨기고 있었던 허술함을 적나라하게 드러내 놓는 내용이 바로 이 책이라고 할 수 있겠다.

일상이란 항상 반복되는 일들의 연속이다. 너무도 지루하게 흘러가고 있어서 그 속에서 일어나는 소소한 일들을 소중하고 중요하게 생각하지 못하고 스치듯 지나쳐 버리기도 한다. 또한 결혼 생활을 이어가면서 어쩌다 보면 허무하게 놓쳐버리고 마는 삶의 수많은 의미들이 있다. 그런 일상성과 항상성의 이면에 숨겨져버린 불편한 진실의 단면들을 학술적으로 분석하듯 예리하게 꼬집어

내어 철학적으로 풀어낸 이 책은 현실을 직시하게 만들었다.

독특하게 펼쳐진 '알랭 드 보통'의 소설 작법을 이 책을 통해서 경험하면서 그가 왜 '생활 철학자'라는 별칭을 얻게 되었는지 감각적으로 이해할 수 있었다.

이 책은 '라비'와 '커스틴'이라는 남녀 두 사람을 주인공으로 내세워, 그들이 첫 만남에서 매력을 느끼고 호감을 갖게 되면서 서로 반하여 연애하고 사랑하고 결혼하고 아이들을 낳고 갈등하고 외도하고 부부의 위기를 겪는 과정을 소설화하여 스토리를 엮어 나갔다. 이야기 중간중간에 작가의 철학적인 고찰이 담긴 에세이들을 첨부하여, 소설의 형식을 갖추고 있으면서 동시에 에세이의 면모도 갖고 있는 독특하고 특이한 구조여서 더 흥미로웠다.

결혼을 한다는 것은 단순히 사랑하는 남녀가 결합한다는 것만을 의미하는 것이 아니다. 그들이 시간과 공간을 공유하며 삶을 함께 엮어 나가야 한다는, 책임과 의무와 권리의 기나긴 약속이자 계약인 것이다. 이 얼마나 어마무시한 일인지에 대해서 깊이 있게 고찰해 본 후 결혼하는 사람들의 수가 실제로는 그다지 많지는 않을 것이다. 막상 결혼이라는 것을 하여 함께 살아가다 보면 뜻밖의 난관에 부딪히게 된다. 성인이 될 때까지 서로 다른 문화를 가진 각자의 원가정으로부터 고착화된 생활습성이라든가 사소한 생활방식, 그리고 어린 시절부터 서서히 형성되어 부지불식간에 굳어져 버린 자신만의 가치관과 사고의 틀이 불협화음을 내면서, 갈등과 반목이라는 모습으로 튀어나와 힘겨워지다가 급기야 서로를 죽이고 싶을 만큼 미워하고 증오하게까지 이르게 되기도 한다.

그러나 갈등보다 무관심이 더 무섭다는 말이 있듯이 서로 싸운다는 것은 희망을 씨앗이기도 하다. 서로 삐거덕거리며 티격태격 다투어 나가면서 모양새가 서로 다른 각자의 톱니바퀴를 갈고 닦아 끼워맞추어 나가면서 조화롭게 되도록, 서로 공을 들이는 과정이 바로 결혼생활이 아닐까 하는 결혼의 실체가 이 책을 읽으며 정리가 되는 기분이었다.

서로 더이상은 맞출 여지가 전혀 없으니 헤어지는 것만이 모두가 살길이라고 결론을 내리고 각자의 길로 돌아서게 되는 것이 '이혼'일 것이다. 서로 죽일듯이 싸우다가 지쳐 나가떨어지면서 급기야 냉담하게 되다가 이혼의 수순으로 가게 되는 부부들의 사례를 보아도 '싸움'보다 더 무서운 것은 '무관심'이라는 말의 속뜻을 다시금 알 수가 있다. 다투기는 다투되 상황을 조금이라도 나아지게 만들고 서로를 좀 더 발전하게끔 돕는 결과를 얻을 수 있도록 현명하게 싸우는 요령이 슬기로운 결혼생활을 가꾸어 나가기 위한 필수요소인 듯하다. 그러니 '사랑과 결혼'에 대해 철학적으로 고찰한 '알랭 드 보통'은 '사랑은 단순히 열정이 아니라 기술'이라는 명쾌한 명제를 이 책 전반에 걸쳐 깔고 있었던 것 아닐까 하는 생각을 하게 된다. 이 부분이 바로 독일 출생의 미국 신프로이트학파 정신분석학자이자 사회심리학자였던 '에리히 프롬'의 '사랑의 기술'에서 논했던 사랑에 대한 철학적인 본질과 그 결을 같이하는 것 아닐까 싶었다.

현실 속에서의 기술의 발전은 어떻게 이루어지고 있는가를 생각해 보아도 그 논리는 단순하다. 기술은 끊임없이 변화하고 발전하기 때문에 도태되지 않고 발맞추어 앞으로 나아가기 위해서는 쉼 없이 새로운 기술을 익혀서 실력을 갈고닦으며 진보해 나가야만 매일 변화하는 현대사회에서 적응해 잘 살 수 있다. 이렇듯 사랑과 결혼생활 또한 마찬가지로 지속적으로 행복을 추구하고자 한다면 끊임없이 노력하고 꾸준히 발전해 나가야만 할 것이다. 그것은 비단 부부만의 관계에만 국한되는 것이 아니며 모든 인간관계가 다 그러할 것 같다.

이 책을 읽는 내내 사랑을 잘 지켜나가기 위한 근본적인 방법이라고 작가가 일관되게 외치고 있는 것은 '너에 대한 바람이 아니라 나에게 필요한 태도'라는 것을 깨달을 수 있었다. 즉 부부가 결혼생활을 통해서 원만하게 신뢰를 쌓아가며 사랑과 결혼을 발전적으로 지켜나가려면, 자신이 상대방으로부터 대우받고 싶어서 상대방을 변화시키고 내 의도에 따르도록 조정하려는 욕심을 갖는 것은 비틀어진 생각이며, 실은 자신이 상대로부터 사랑받기를 원하는 만큼 상대방을 위해 끊임없이 노력하며 배우자를 존중해 주어야 한다는 것을 저자는 계속해서 설명하고 있었다. 그리고 자신이 홀로 서서 어디든 나섰을 때 그 어떤 사람에게도 매력적으로 느껴질 만큼 독립적이고 발전적인 인간이 되어야만, 배우자에게도 당연히 인간적인 그 가치에 대한 인정을 받게 되면서 훌륭한 삶의 파트너가 될 수 있지 않을까 하는 생각이 들게 하는 책이었다.

부부가 서로에게 사랑받기만을 끝없이 바라고 배우자에게 요구만을 하면서 정작 자기 자신은 변화도 발전도 없고 시종일관 고루한 자세를 고수한다며 그런 상대방에게 지속적으로 매력을 느끼는 사람이 과연 얼마나 있을까? 배우자가 신의 경지에 오른 것이 아닌 이상 존재하기 어렵지 않을까?

남녀가 처음 만나 첫눈에 반해 머릿속에 종소리가 울리고 상대방의 뒤통수 위로 후광이 비치는 듯한 착각을 일으킬 만큼, 이른바 눈에 콩깍지가 씌워진 듯이 삶의 존재 이유 자체가 온통 그 사람임을 가슴 벅차게 안고 사는 나날이 일평생 지속될 수는 없다. 만약 첫 만남의 가슴 떨림이 일평생 계속 지속된다면 심장마비에 걸려 죽을 것이다. 일정 기간이 지나면 상대방이 헛점투성이의 그냥 그 인간이 어쩔 수 지닌 부족한 실체의 온상으로써 적나라하게 드러나게 되는 것은 너무도 자연스러운 일이다. 또한 내가 하는 만큼 상대방으로부터 되돌려받고 싶은 마음이 드는 게 나약하고 이기적인 인간의 속성인 것이고, 더 욕심을 내게 된다면 내가 어떻든 무조건 이해받고 인정받고 존중받기를 바라는 응석받이 같은 마음이 올라오는 것이 인간의 본성이며 지극히 현실적인 모습일 것이다.

이 소설 속 주인공인 '라비'와 '커스틴'은 아이들을 낳고 양육하는 과정에서 부모로서의 위치에서 살아가는 역할수행을 하면서 진정한 어른으로 성숙해 가는 과정이 그려진다. 이 부분은 현실부모인 내입장에서 특히 공감이 가는 이야기였다. 나와 남편도 이들처럼 연애를 하고 결혼을 하고 아이를 낳고 부모가 되었다. 시간의 가속도는 나이에 비례한다더니 무심한 세월은 참 빨리도 흘러

갔다. 어느덧 중년의 문턱에 들어선 나이가 되었다는 것이 믿기지 않을 만큼 숫자상으로는 반백의 연령이 되었어도, 마음은 그저 어린날의 정서에서 크게 변한 것이 없는 것 같다는 생각을 문득문득 할 때가 있다. 나또한 연애를 하다 결혼을 하여 가정을 꾸리고 결혼생활의 통과의례와 같은 희로애락의 과정을 겪으면서 나름대로 '산전수전 공중전'을 거쳐왔다. 사실 아이를 낳아 키워보지 못했더라면 그나마 현재의 내가 부족하게나마 갖추게 된 삶의 원숙함이라 할만한 나만이 아는 내 정서적 깊이는 얻지 못했을 거라는 생각이 들기도 한다. 어찌보면 우리 부부가 부모로서 아이를 키워낸 것이 아니라, 아이가 부모를 진정한 어른으로 성숙해지게 만들고 조금씩이나마 성장하게끔 만들어 준 촉매자이자 조력자 역할을 했다는 생각도 해본다.

'배우자의 불완전함을 이해할 때 결혼 이후의 삶이 차차 완전해진다.'라는 부제를 뽑으면서 배우자를 있는 그대로 인정하고 이해하는 일이 결혼생활에 있어서 가장 중요하다는 생각을 하였다. 사랑과 결혼에 완성이란 있을 수 없으며 완벽한 결혼이란 실존하지 않는다는 것을, 50줄 들어서도록 이어온 결혼생활을 통해 어느정도는 알 수 있게 되었다.
서로의 불완전함을 이해하고 끊임없는 노력으로 함께 발전해 나갈 때, 결혼 이후의 삶이 차차 완전해진다는 결론을 내리게 되었다. 어떤 일이든 지속성과 꾸준함으로 노력을 이어나간다면 숙련이 되고 노련해지게 마련이듯이, 결혼생활 또한 마찬가지인 면이 분명 있다고 느낀다. 수많은 시행착오를 겪으면서도 중간에 포기하며 때려치우지 않고 어떻게든 방법을 찾아 은근과 끈기로 지속적으로 이어나가며 조금씩이나마 앞으로 걸어 나간다면, 일정한 어느 분기점을 넘어서면서 고수의 경지에 올라 평화로운 여유가 생기게 되는 듯하다. 물론 도저히 희망이라고는 찾아볼 수 없는 이른바 '노답'인 배우자라는 결론이 확연해진다면, 인생을 낭비하지 말고 애초에 정리하여 새출발 하는 것이, 인간적인 품위를 지킬 수 있는 삶으로 나아갈 수 있는 또다른 기회를 놓치지 않는 용기 있는 결단이 될 수 있을 것이다.

이 책의 작가 '알랭 드 보통'이 결혼을 논함에 있어 '낭만주의'에 대해 계속해서 피력했듯이, 나도 '낭만주의'를 부정적으로 생각하지 않는다. 아니 오히려 사랑과 결혼에 있어서 '낭만주의'는 가장 근원적인 출발점이자 중요한 가치라고 생각한다. 사랑과 연애, 그리고 결혼에 있어서 낭만이 빠지면 '앙꼬 없는 찐빵'이 아니겠는가? 사랑에 빠져 연애를 하고 청혼을 하고 결혼에 골인하게 되는 과정에서는 가장 로맨틱해야 하는 것은 당연하다.

문제는 이 책의 제목에서 함축하듯이 낭만적 연애 그 후의 일상이 아닐까? 그것이 바로 이 책의 핵심적인 주제의식이기도 하다. 연애는 최대한 낭만적이고 로맨틱하게 하며 아름다운 추억을 많이 쌓고 난 후, 결혼 이후에는 결혼생활에 대해 과도한 환상을 갖지 말고 현실의 한계와 배우자의 인간적인 면모를 자연스럽게 인정하고 이해하며 받아들일 수 있어야 할 것이다. 그리고 서로의 삶에 걸림돌이 되지 않을 수 있도록 끊임없이 노력하여 발전해 나가면서 배우자와 더불어 상생하며 서로의 발전을 독려해 나갈 수 있어야 한다. 어딘가 조금씩 이상하기도 하고 부족하기도 한 두 인간이 만나서 이 험한 세상에 서로에게 의지가 되어 준다면, 나름대로의 행복한 삶을 살아갈 수 있지 않을까 하는 희망이 삶의 동력이 될 수 있을 거라고 믿는다. 또한 부부가 사랑의 결실로 낳은 자녀의 삶에도 좋은 본보기가 되어, 그들의 앞날에도 좋은 영향을 줄 수 있는 부모로 발전하여 세대를 이어 행복한 삶으로 나아갈 수 있게 되기를 간절히 바라는 마음이 들었다.

한편 역사학자이자 사회학자이기도 한 '사실 알랭 드 보통'은 철학자의 면모가 두드러진 작가이기에, 그의 책은 얼핏 보면 그냥 술술 잘 읽히는 것 같아도 책장을 넘겼다가도 되돌아와서 다시 반복해서 곱씹고 사유해야 할 단락이 정말 많았다. 처음에는 이해가 잘 안되었다가 반복해서 읽었을 때 그 속에 숨겨진 진리를 깨닫는 순간을 만나면 '유레카'를 외치고 싶은 심정으로 '아하!' 하며 무릎을 탁 치게 만드는 작가의 통찰력이 특별하게 느껴졌다. 작가로서 자신만의 독특한 문체를 느끼게 하는 개성 있는 서술방식이 있다는 것은 참 부럽고 존경스러운 일이다.

이번달의 '독서토론'에는 새로운 멤버님이 합류하셨는데 평소 책을 좋아하며 꾸준히 독서를 해 오신 분이셨다. 생각해 보면 학연도 지연도 아니고 살고 있는 지역도 동서남북으로 각기 다른 사람들이 단지 '책'이라는 매개체로 인해 책모임으로 만났다는 것이 예사롭지 않은 인연이다. 책수다를 나누는 과정에서 허심탄회하게 본인의 의견을 말하다 보면 지금껏 자신의 살아온 삶의 스토리나 개인적인 신념을 내비치게 되기도 한다. 때에 따라서는 가장 솔직하고 은밀할 수도 있는 개인적인 이야기까지도 스스럼없이 꺼내 놓게 될 만큼 어느새 무장해제를 하게 된다. 그런 만큼 서로를 속 깊게 이해하게 되고 친근감이 빠르게 형성되는 것 같다. 이렇듯 책벗은 신기하고도 소중한 인연이다.

이번달 '함께읽기' 책인 '알랭 드 보통'의 『낭만적 연애와 그 후의 일상』은 사랑과 결혼이라는 주제로 책수다를 나누었던 책이었기에 미혼은 미혼대로 기혼은 기혼대로 책친구님들의 연애와 결혼에 관한 개인적인 사연들이 나올 수밖에 없었다. 그렇지만 그런 사적인 이야기들을 꺼내놓은 것을 후회하지 않아도 될만큼 진솔함과 공감력을 갖춘 분들과 함께 좋은 시간을 나눌 수 있어서 참 다행이고 의미롭다는 생각이 들었다. 문득 우리 책모임의 책친구님들이 서로에 대한 배려와 예의를 지킬 줄 알고 기본 교양이 있으신 분들이셔서 참 고마운 일이라고 느꼈다.

오늘의 책모임도 역시나 '스트레스 타파'라는 '수다의 효용'을 다시 한번 확인할 수 있었던 행복한 북토크 시간이었다. 앞으로도 어떤 책을 함께 읽게 되든 책수다 시간만큼은 책 내용과 관련지어서 자연스럽게 떠오른 본인의 생각을 자유롭게 표현하면서 자신의 이야기를 원하는 만큼 가장 편안하고 솔직하게 꺼내 놓을 수 있었으면 좋겠다. 그런 가운데 다른 사람의 생각도 참고하면서 서로 긍정적인 영향을 주고받는 시간을 참여자 모두가 마음껏 누리게 되길 바란다. 더 나아가 자신의 현재 상태를 살펴보고 자기 자신을 다정하게 보살피면서 치유와 발전의 시간으로까지 나아갈 수 있는 작은 디딤돌 같은 책모임으로 성장한다면 더 이상

바랄 게 없겠다.

이번달에도 책친구님의 추천으로 참 좋은 책을 읽게 되어서 기쁘다. 리더 혼자서 책을 선정하다 보면 아무래도 개인이 선호하는 장르와 작가의 책을 선택하게 되기에 경향성이 편중되는 면이 없지 않다. 사람마다 취향과 성향에 따라 어떤 선택이든 호불호가 갈리게 마련이다. 각기 다른 개성을 가진 책친구님들이 서로 책을 추천해 공유하면 좀 더 다양하고 색다른 책들을 만날 수 있게 될 터이니 얼마나 즐거운 일인가 싶다. 선택된 책이 어떤 책이든 함께 읽고 토론하고 리뷰 등의 기록을 남기게 된다면, 읽고 그냥 덮어버린 후 시간이 지나면 책의 내용이 가물거리는 여타의 책들에 비해 오래도록 기억 속에 의미 있게 남게 된다. 그렇기에 북토크에서 앞으로 만나게 될 다양한 책들이 기대되는 마음이다.
살방살방 야외로 놀러 다니기에 딱 좋은 가을날의 주말에 책모임에 참여하겠다는 의지로 참 귀한 시간을 내어서 멀리까지 한걸음에 달려와 주신 5인의 책친구님께 진심으로 고마움을 전하고 싶다. 오늘은 가을날답지 않은 급작스러운 한파가 찾아와 책모임을 마치는 시간에는 강추위를 뚫고 각자의 집으로 향하는 길로 뿔뿔이 흩어졌다. 이렇듯 여러 변수에도 불구하고 오로지 북토크 모임을 위해 한자리에 모이는 우리 책친구님들의 열정이 참 대단하고 고맙다. 특히 오늘 새로 합류하신 뉴페이스 책친구님께도 오늘 북토크가 부디 좋은 시간이셨기를 바라는 마음이다. 곧이어서 재미도 있고 의미도 있는 새로운 책으로 다시 만날 다음달의 북토크 모임을 기약한다.

8 ── 제8화 『우리는 언젠가 만난다』 ──

채사장 著

제8화 『우리는 언젠가 만난다』를 읽고

채사장 著

♣ 삶은 본질적으로 나, 타인, 세계와의 관계를 풀어가는 긴 여정이다.

▶ 독서토론 발제문

이번 달 '함께읽기'책은 '채사장'의 『우리는 언젠가 만난다』였습니다.

《지대넓얕》, 《시민의 교양》을 통해 최소한의 지적대화를 할 수 있을 만큼의 넓고 얕은 지식을 갖춘 교양 있는 시민이 될 수 있도록 이끌어준 젊은 인문학자 '채사장'이 삶의 유한함 속에서 산재해 있던 나와 타인, 그리고 세계와의 관계가 어떻게 융합되는가에 대해 고찰한 철학적 수필인 이 책을 여러분은 어떻게 읽으셨나요

별점과 함께 읽은 소감을 나눠봅시다.

(1점부터 5점까지 별점을 주세요)

◎별점(1~5점, 소수점가능) ☆☆☆☆☆

독창성/짜임새/재미/깊이/소장가치에 근거하여(   )점

◎읽은 소감(별점을 준 이유)

❶ 자유논제

저자는 '무엇이나 잘 잊는 사람', '조금만 오래되어도 기억을 못
하는 사람'이라고 자신을 표현하면서, 그럼에도 불구하고 '머릿속
에 선명하게 그려진 별 하나'와 같이 어떤 장면이나 순간이 선명
하게 기억날 때가 가끔 있다. (웨일북 p20)고 하였는데요,

이렇듯 여러분에게도 기억 속에 각인되어 한 번씩 떠오르는 어떤
장면이나 사람, 또는 사건이 있나요? 함께 이야기 나누어 보아요

❷ 자유논제

내 눈앞에 드러난 세계와 타인이 적어도 실제의 세계와 타인과는
큰 차이를 갖는다. 그것은 차라리 그림자에 가깝다 (웨일북 p27)

내 외부에 나처럼 자의식을 가진 타인이 존재할 것이라고 믿고,
그에게 어느 정도나마 닿을 수 있을 것이라 믿기 때문이다.
이것은 {사실}이 아니라 {믿음}의 문제다. (웨일북 p28)

저자는 위와 같이 말하며 '껍질'을 넘어선 '의식'을 강조하고 있습
니다.

여러분이 지금껏 살아오면서 사람이든 일이든 '표면적인 이미지'
와 '내면적인 실체'의 괴리감을 겪어본 경험이 있었나요?

각자의 경험과 그 때 들었던 생각을 함께 이야기 나누어 봅시다.

❸자유논제

작가는 대학시절 실연의 상실감을 오카리나를 불기 시작하면서 아무렇지 않은 척했던 후배가 대학 졸업 후 사회생활을 한지 십여 년이 지난 시점에서도 오카리나 공연을 할 만큼 향유해 가는 진지한 표정을 보면서 '인생이란 무엇일까?'(웨일북 p43)라고 생각하며 삶에 대한 근원적인 고민을 합니다.

또 '길고 긴 인생 중간에서 만나는 인연이란 무엇이고, 그 인연이 나의 세계에 남기고 가는 흔적들은 무엇일까?'(웨일북 p43)라며 '인생을 살아가면서 스치게 되는 인연'에 대해 '나와 타자'라는 화두를 던집니다.

지금까지 여러분이 만났던 인연으로 인해 영향을(긍정적, 부정적 영향 모두 포함) 받았거나, 그 인연으로부터 비롯해 새롭게 시작하게 되었던 어떤 일이 있었다면 함께 이야기 나누어 봅시다.

❹선택논제

저자는 이 책 속에서 '소년병 이야기'를 통해 타자를 사랑하는 방법(남녀 간의 사랑을 포함한 인간과 인간의 친교)의 차이를 이야기하고 있습니다.

여인의 방을 들여다보고자 했던 소년병을 끝까지 허락하지 않았던 탓에 '무엇인가를 아끼고 지키고 숨기는 사람과는 미래를 약속할 수 없다.'(웨일북 p49)

위와 같은 결론에 도달한 소년병은 마침내 여인을 떠납니다.

'사랑'이든 '친교'든 망라하여 모든 인간관계에서 나와 타자가 밀접한 관계를 만들고 유지해 나가려면 어떠해야 하는지의 관점에서 여러분은 이 부분을 어떻게 보셨나요?
한 가지를 선택해 보고 각자의 생각을 나누어 봅시다.

A : 소년병의 생각에 동의한다.
B : 소년병의 생각에 동의하지 않는다.

❺자유논제

나는 더 넓은 세상을 봐야 한다며 젊은이들에게 세계로 나갈 것을 권유하는 어른들을 그다지 좋아하지 않는다. 그런 말은 떠났다가 돌아왔을 때에도 자기 기반이 남아 있는 다급하지 않은 사람들이나 할 수 있는 이야기라고 생각하기 때문이다.
......
우리의 삶은 충동적으로 내던질 수 있을 만큼 그렇게 가볍지 않다. (웨일북 p77)

저자는 위와 같이 말하며 '현실적인 삶의 무거움'에 대한 안타까움과 마주하게끔 합니다.
이어서 20세기에 발견된 고대 이집트의 도시 옥시린쿠스(oxyrhynchus)의 유물 중 발견된 예수 그리스도의 행적이 담긴 파피루스 문서에서 발견해 낸, 당시 고대인들의 '연애편지, 초대장, 비용 청구서, 임대계약서, 계산서, 영수증, 학생들의 연습장'과

같이 친숙한 것들을 통해 '보통의 사람들은 그저 자신의 삶 안에서 최선을 다하고 마음을 쓰며 살아가고 있었을 것'(웨일북 p78)이라고 추측하면서,

'가끔 인생이 몇 년이나 남았을까를 가늠해본다.' (웨일북 p79)라고 말하며 '삶의 현실성'을 이야기합니다.

여러분은 이 부분을 어떻게 읽으셨나요?

'현실적인 삶의 무거움'과 '삶의 현실성'에 대한 자신의 생각을 함께 이야기 나누어 봅시다.

❻자유논제

살아간다는 것이 생각보다 버거운 이유, 내 삶이라는 게 남의 삶보다 더 고된 이유, 내가 손에 쥔 것이란 남이 가진 것처럼 쉽게 얻을 수 있는 것이 아니었던 이유, 나의 삶은 이상하게 번잡스럽고 고통스러웠던 모든 이유는 그래서였던 것이다.

....

우리의 부단함 애씀과는 무관하게, 움켜쥐고 멈춰 세우려는 노력과는 무관하게, 이유도 모른 채 받은 선물은 이유도 모른 채 돌려줘야 할 것이다. (웨일북 p95)

저자는 '집착'이 '고통'이 된다고 말합니다.

그리고 '나'라는 존재가 '세계'에 던져져서 인간으로 살아가야 하는 한계에 대한 작가의 생각을 보충 설명합니다.

여러분은 이 부분을 어떻게 읽으셨나요?

각자의 생각을 내어놓고 함께 이야기 나누어 보아요

❼선택논제

작가의 글에는 저자의 자전적인 이야기가 녹아들 수밖에 없습니다. 더욱이 이 책은 저자 '채사장'의 생각이 담긴 '철학 에세이'인 탓에 녹록지 않았던 부모님과 연관된 저자의 아픈 마음이 배어들어 있는 개인적 경험을 발견할 수 있었는데요,

---

나는 어릴 적, 커서 결혼하지 않으리라 다짐했었다. 그것은 어머니의 말 때문이었다. 새끼는 지 애비를 그대로 닮는다는. 손찌검을 보고 자란 아이는 커서 손찌검을 한다는 어머니의 말에 나는 불안했다. 그리고 어른이 되어서야 알게 되었다. 내가 누군가에게 손찌검을 할만한 사람이 아니라는 것을. (웨일북 p107)

내 안의 막연한 불안'을 '지금의 삶 이전에 주어진 업보 때문인지, 아버지의 영향 때문인지, 나의 나약함 때문인지. 삶이 끝나는 순간까지도 그 원인을 알 수는 없을 것이다. (웨일북 p107)

여러분은 이 부분을 어떻게 읽으셨나요?
'가족사의 대물림'이라는 관점에서 어떤 생각들을 하셨나요?
한 가지를 선택하여 의견을 나누어 봅시다.

A : 인간은 유전적인 기질이나 어릴 적 부모로부터 받은 영향권에서 평생을 벗어나기 어렵다.

B : 성장과정의 경험이나 부모로부터 받은 영향을 노력으로 얼마든지 극복하고 바꿀 수 있다.

❽자유논제

나는 도시 속의 순례자들을 심심치 않게 발견하게 되었다. 회사 안에서, 상점에서, 거리에서, 지하철에서. 겉보기에는 특별할 것 없는 평범한 모습이지만 자신의 삶을 순례하고 있는 사람들을 알아보게 되었다. 현실과 일상의 고통을 인내하며 자기 안에 숨겨진 내면의 빛을 키워나가는 사람들. 그들이 현실을 걷는 건 한발 한 발이 오체투지의 눈부신 절정이었다. (웨일북 p112)

저자는 내면의 아름다움을 느끼게 하는 사람들에 대해 언급하고 있는데요, 여러분은 이 부분을 어떻게 읽으셨나요?
지금껏 살아오면서 외부의 세계에 굴하지 않고 내면의 빛을 밝히는 '현실 속 순례자'의 모습으로 살아가는 사람에 대한 자신의 생각을, 직/간접적인 경험을 바탕으로 함께 이야기 나누어 봅시다.

❾선택논제

내 기억에 남아 있는 아버지는 언제나 술 냄새에 찌들어 있었고, 옷과 손은 흙먼지로 더러웠다.... 어떤 마음이었을까.... 그는 어떤 심정이었을까. (웨일북 p116)

삶을 움켜쥐고 싶을 때, 나는 아버지의 만다라를 생각한다. (웨일북 p118)

작가는 고인이 되신 아버지에 대한 단상을 이야기합니다.
이렇듯 부모님에 대한 어릴 적 기억을 성인이 된 이후에 재평가하게 된 자녀의 마음에 대해 여러분은 어떻게 생각하시나요?
함께 이야기 나누어 보아요

⑩자유논제
작가는 동료들과의 여행 중 큰 교통사고를 당해 동료들의 죽음을 코앞에서 목도하며 극적으로 살아나오는 일생일대의 충격적인 경험을 하게 되었다고 합니다.

큰 교통사고 이후 내가 아무것도 하지 못했던 이유도, 직장 동료들의 죽음 속에서 나는 끝을 보았던 것이다. 그때부터의 삶은 어정쩡한 시간이 되었다..... 끝난다는 것이. 나는 언젠가 분명히 죽음을 맞이할 것이고, 이렇게 아등바등 발버둥 치며 쌓아올린 결실과 절실함은 모래가 바람에 날리듯 허공으로 흩어지고 말 테니까. 아무것도 하지 않을 테다. 나는 예정되어 있는 죽음을 원망했고, 무기력하게 마지막을 기다리는 자가 되었다. (웨일북 p120)

저자는 큰 사고 이후로 '무기력하고도 지루한 시간'을 견뎌내야 했던 경험에 대해 서술하고 있습니다.

여러분은 '죽음'에 대해 경험해 본 적이 있나요?

여러분이 직/간접적으로 겪은 '죽음'과 그에 대한 생각들을 솔직하게 내어놓고 이야기 나누어 봅시다.

⓫선택논제

저자는 '죽음'에 대해 두 가지로 해석하고 있습니다.

(웨일북 p123~124)

한 가지를 선택하여 그에 대한 자신의 생각들을 나누어 봅시다.

아울러 '연명치료', '안락사', '존엄사'에 대해서도 함께 이야기 나누어 봅시다.

A : 수동적으로 닥쳐오는 하나의 사건으로 이해할 수 있다.

죽음이란 내가 어찌할 수 없는 하나의 사고이고 돌발이며 일탈인 것이다. 그러니 그것을 회피하고 거부하는 태도를 취할 수 있다.

B : 능동적인 선택으로 이해할 수도 있다.

죽음을 전체 과정의 마무리로, 수동 작업의 마감질로, 여행의 마지막 날로, 긴 문장의 마침표로 이해하는 것이다.

이러한 이해를 가진 이에게 죽음은 삶과 단절된 사건이 아니다.

그것은 길고 긴 인생을 마치고 결실을 수확하는 시간이 된다.

⓬자유논제

나이가 든다는 건 다행이다. 어린 날의 들뜸과 격정은 가라앉고, 섬세함은 무뎌지고, 무거움은 가벼워진다. 죄책감은 줄어가고, 헛된 희망은 사라지고, 안타까움은 오래가지 않는다.(웨일북 p128)

저자는 '나이듦'에 대한 단상을 밝히고 있는데요,
'나이듦'에 대한 여러분의 생각은 어떠신가요?
나이가 들고 늙어가는 것에 대한 각자의 생각을 함께 이야기 나누어 봅시다.

⓭선택논제

통증은 자아와 신체가 관계 맺고 있는 방식이고, 동시에 자아와 신체는 통증으로 서로의 존재를 확인하게 된다. 나는 통증을 통해 비로소 내 신체의 내면을 보고, 신체는 통증을 통해 내면을 보는 나를 본다. (웨일북 p136)

작가는 '신체라는 껍질'과 '자아라는 내면'의 관계성에 대해 설명하고 있습니다.
여러분은 '육체'와 '정신'의 연결성에 대해 어떤 생각을 가지고 있나요? 한 가지를 선택하여 함께 이야기 나누어 봅시다.

A : 육체가 정신을 지배한다.
B : 정신이 육체를 지배한다.

⑭자유논제

거짓 안에 진리가 섞여 있을 경우, 혹은 진리 안에 거짓이 섞여 있을 경우, 우리는 그것을 쉽게 제거하지 못한다. (웨일북 p149)

그래서 의심해야 한다. 모든 사람이 믿고 있다 하더라도, 너무나 오랜 역사와 전통을 갖고 있다 하더라도, 그것의 크기가 너무나 압도적이라 하더라도 당신이 심리적 위안보다 진실의 이면을 보고 싶어 하는 사람이라면 의심해 봐야 한다. (웨일북 p149~150)

저자는 '진리의 복잡성'에 대해서 설명하고 있습니다.
종교와 전통, 관습과 윤리, 국가와 사회 등 우리의 삶에서 사람들이 모두 믿는 것들 중 거짓과 진실이 혼재되어 뒤엉켜 버렸다고 할 수 있는 것이 무엇이 있을까요?
각자의 생각을 자유롭게 이야기 나누어 봅시다.

⑮선택논제

나는 너무 어릴 때부터 책을 읽는 것은 도움이 되지 않을뿐더러 좋지 않은 영향을 미칠 수도 있다고 생각한다. (웨일북 p175)

독서를 위한 최소한의 조건은 한글이 아니라 선체험이다. 우리는 책에서 무언가를 배운다고 생각하지만, 실제로는 그 반대다. 우리가 앞서 체험한 경험이 책을 통해 정리되고 이해될 뿐이다.

(웨일북 p176)

저자는 실질적 '독서의 적기'가 어린 시절이 아닌 충분히 나이를 먹은 후라고 말하고 있는데요,
여러분은 저자의 이런 생각을 어떻게 보셨나요?
한 가지를 선택해 그 이유를 이야기 나누어 봅시다.

A : 동의한다.
B : 동의하지 않는다.

⓰기타 보충사항
그 밖에 함께 이야기 나누어 보고 싶은 자유논제 또는 선택 논제가 남아 있다면 자유롭게 내어놓고 함께 이야기 나누어 보아요

⓱인상 깊었던 문장이나 핵심 메시지 & 한 줄 총평
'기억에 남는 의미로운 구절이나 핵심 메시지 한마디' 또는 '한 줄 총평'을 해주세요

⓲전체적인 소감 및 마무리 발언
이번 '함께읽기책'과 오늘의 '독서토론'에 대한 소감 및 전체적인 마무리 평가를 해 주세요

▶ 책리뷰

►내가 준 별점 (4.0)

나는 채사장의 '지대넓얕' 팟캐스트 초창기 청취자였다. 당시 젊은 인문학도였던 그의 성정과정을 지켜보는 입장에 있었기에 책벗님의 추천으로 올라온 이 책이 많이 반가웠다.

채사장의 토크쇼나 강연에서 얼핏 엿볼 수 있었던 그만의 독특한 가치관과 생각하는 방식이 흥미로우면서도 매우 신박하다고 느끼곤 했었다. 그의 저서 중 내가 접해 본 것은 '지대넓얕' 시리즈 뿐이었는데, 엄밀히 말하면 채사장의 저서라고 할 수 없고 4인 공동 진행자들의 공동저서라 할 수 있었으니, 채사장의 저서로는 이 책을 처음 만난 것이라 할 수 있겠다.

책을 완독한 직후 첫느낌은 한마디로 애매했다. 삶에 대한 작가의 통찰은 대단하다고 느껴졌는데, 작가가 무슨 말을 하고 싶은 것인지 알 듯도 모를 듯도 한 게 참 난해했다.

그럼에도 불구하고 철학도로서 사유의 방향과 깊이가 남다른 작가의 독창성은 참 탁월하여서 재미있게 읽었다. 그러나 숨겨진 의미를 이해하기 위해 생각을 반복해야 했고, 혹시 저자가 특정 종교에 심취한 종교철학자는 아니었을까 하는 느낌도 살짝 받으면서, 일반대중들로부터 보편적 공감을 이끌어내기에는 다소 무리가 있겠다 싶은 마음도 들었다.

나는 평소 작가의 독특한 상상력이 바탕이 된 글들을 참 좋아한다. 한편 기존의 질서만을 절대선이며 진리인냥 강조하며 성공하

고 싶다면 이렇게 저렇게 하라고 강요하는 자기개발서 성격의 어설픈 훈계나 지적, 개도하는 듯한 느낌의 책들에는 별로 호감이 가지 않는다.

그런데 이 책은 저자가 삶에 대해 고민했던 깊은 사유를 바탕으로 삶을 대하는 자세가 이러했으면 좋지 않을까 하는 개인적인 생각을 솔직하게 이야기하고 있었다. 자기 생각이 진리라고 주장하는 것은 아닌데도 책을 읽다 보면 부지불식간에 저자의 철학과 주관에 자연스럽게 긍정이 되고 빠져들면서 묘하게 스며듦이 있다는 것이 이 책의 매력이었다.

또한 나 역시 일생을 관통해 정답을 찾아 헤매이고 있는 인간의 삶과 죽음에 관한 호기심과 의문을, 저자가 깊이 있게 사유하고 있어서 그 점에서 공감이 생기고 좋았는데, 한편으로는 이토록 생각이 많은 젊은 작가의 깊은 고뇌가 그를 얼마나 힘들게 했을까를 생각하니 안스러운 마음이 들기도 했다. 그러면서도 이렇듯 지적이고 숭고한 고민들을 생활철학으로 품고 살아가는 작가의 감수성과 깊은 사유의 세계가 참 아름답다고 느꼈다.

이 책을 읽으며 저자의 고민 못지않게 나또한 삶/죽음/인생에 대해 생각할 기회를 갖게 되어 좋은 시간이었다. 저자의 독특한 정신세계에 푹 빠져 흥미롭게 읽은 책이었으나 작가의 생각에 동의하기 어려운 부분도 더러 있기는 했었고, 논리적으로 뭔가 설익은 듯이 느껴지는 면이 없지 않았던 만큼 별점을 어떻게 매겨야 할까 고민이 좀 되었다. 매우 개인적이고 주관적인 책모임에서는 늘 그렇듯이 책의 별점을 매기는 것은 지극히 주관적인 견해에 기반하고 있는 것이라서, 저자나 책에 대한 오피셜한 평가에 결정적인 역할을 하는 것은 아니니 재미나고 가벼운 마음으로 너무 진지하지 않은 자유로운 마음으로 별점을 준다.

저자의 지적인 매력에 깊이 매료된 나의 마음과 서사를 풀어가는 서술방식의 불완전성에 대한 아쉬움이 공존하였던 양가감정과 함께, 앞으로 더 발전할 것이라 기대되는 대단히 철학적인 작가라는 것에 호의를 느끼며 이 책에의 별점은 평균점 이상의 4.0점을 주었다.

►소감 및 마무리 발언

책도 그렇고 영화도 그렇고 개인적인 선호와 취향을 좀 타는 편이라, 좀 더 다양성을 추구하기 위하여 책모임 리더인 내가 일방적으로 함께읽기책을 매번 선정하기보다는 책친구님들이 돌아가며 북토크책을 선정하도록 하였다. 그래서 도저히 책장이 안넘어갈만큼 비호감인 책을 억지로 읽어야 할 때도 드물게 있기는 했지만, 대부분은 좀 더 다양한 장르와 색다른 내용들을 담은 책들을 만나게 될 때가 많았다. 그럴 때면 책벗님들의 책 추천을 받았던 의도에 대한 기대 효과 그 이상으로 더 좋았다.

이번달 함께읽기와 책수다 나누기 책으로 선택된 책도 책친구님의 추천으로 결정되었는데, 그 책이 내가 익히 잘 알고 있었던 '지대넓얕 채사장'의 책이어서 반갑고 기뻤다. 생활도 바쁘고 노안도 오고 여러가지 이유 아닌 이유로 예전에 비해 최근에는 책을 붙잡고 있는 시간이 많이 줄어들기는 해서, 간혹 전혀 호감이 아닌 책이 '함께읽기'책으로 정해진 기간 안에 강제로 읽어야 하는 상황에 직면하면 솔직히 괴롭기도 했었다. 그런데 이 책은 '지대넓얕의 초창기 찐팬으로서 손에 잡는 그 순간부터 호기심 가득하여 무조건 호감이었고, 철학적인 책 내용 또한 너무도 내 취향이어서 읽는 내내 즐거웠기 때문에 비교적 빠르게 완독해냈다.

사회적 동물인 인간은 사회적 관계를 맺으며 살아가야 하는데 타인으로 인한 힘겨움과 관계의 공포로 점철된 인생이었음을 고백하는 작가의 솔직함에 반했다. 나와 타자와 세계를 큰 틀에서 연결지어 하나로 아우르고자 하는 작가의 철학적 고찰 속에서, 인간과 삶의 본질에 대해서 깊게 생각해 보는 시간을 가질 수 있어서 의미 있는 책이었다. 하지만 책을 덮고 다시 현실로 들어와 보면 형이상학적 이야기만 붙들고 살 수는 없는 현실적인 삶 속의 인간인 까닭에, '나, 너, 우리, 세계, 삶과 죽음... 결국 본질은 모두 하나이다.'라는 작가의 생각들이 마치 몽상가의 읊조림처럼 아련하게 느껴지기도 하면서 피식 웃음이 나오는 순간도 있었다. 아무튼 이번달 북토크를 통해 돌아치는 듯한 현실 속에서 너무 정신없게만 살지 말고, 이렇듯 인간과 삶과 죽음에 대해서 철학적이고 사색적인 생각들도 좀 하면서 살아야겠다고 다시금 마음을 환기시켜준 좋은 책이었다.

이 책은 동서고금의 망라한 거장의 거창한 철학을 이해할 수 있는 수준은 아닐지라도, 생활 속에서 소소하게 체험하고 느끼고 생각하며 살아가야겠다는 깨달음으로 이끌어주었다.

앞으로도 책친구님들이 추천하는 다양한 책들을 계속해서 만나게 되기를 기대하면서, 같은 책을 읽고 북토크를 나누는 시간을 가능한 한 계속 이어나갈 수 있도록 노력하고 싶다.

►핵심 메시지 & 한 줄 총평

✔떠날 때야 비로소 정착하는 것이다.

✔삶은 여행이다.

✔세상은 살만한 곳이다.

✔삶을 가치 있게 만드는 것은 부와 명예가 아니라 내 곁에 있는 사소한 사람들이다.

✔타인은 지옥이 아니라 사실은 조력자이다.

✔한 발자국 떨어져야 진실을 볼 수 있다.

✔타인의 말에 휘둘리지 않는 사람은 고독하다지만, 그럼에도 불구하고 자주적으로 살고 싶다.

✔너와 나와 세계는 큰 틀에서는 하나의 우주이다.

✔성숙한 영혼이라면 무너지는 것 안에서 배운다.

✔세상과 타인에 무관하게 살 수는 없지만 휘둘릴 필요는 없다.

삶은 본질적으로 나, 타인, 세계와의 관계를 풀어가는 긴 여정이다.

- 『우리는 언젠가 만난다』(채사장 著)을 읽고 -

♣ 인간은 타고난 결함을 가지고 있다. 그 인간의 미숙함을
인지하고 극복하는 초인이 되어야 한다.
-프리드리히 빌헬름 니체

나는 한때 그 유명했던 진보 정치 팟캐스트 <나는 꼼수다>(나꼼수)를 비롯하여 초창기 팟캐스트들을 즐겨 듣던 독립방송 마니아였다. <지대넓얕>은 그 시절 내가 만났던 팟캐스트 프로들 중 대표적인 것이었는데, 네 명의 젊은이들이 허물없이 나누는 지적인 수다의 매력에 푹 빠져들곤 했었다. <지대넓얕>의 최초 기획자이자 리더 격인 인물이 바로 '채사장'이었는데, 그는 '자본주의와 미스터리에 관심이 많다.'고 자신을 소개하며 다소 엉뚱한 매력을 발산하는 진행으로 흥미진진하면서도 편안하고 재미있는 방송을 만들어 주었다.

우리 독서토론 모임의 책친구님이 이번달의 '함께읽기책'으로 추천한 책이 바로 '채사장'의 저서인 '우리는 언젠가 만난다.'여서 반가운 마음이 훅 올라왔다. 작가 '채사장'이 이 책에 도대체 어떤 내용을 담았을까 하는 호기심이 생겼다. 내가 소장하고 있는

<지대넓얕> 시리즈는 이미 다 읽어보았으나, 그 외 '채사장'의 단독 저서를 접한 적은 없었기 때문에 뜻하지도 않게 독서모임의 '함께읽기책'으로 이렇게 만나게 되니 기뻤다.

작가가 철학을 전공한 사람이라는 사전 지식이 있었기에 갖게 된 약간의 선입견일지도 모르겠는데, 방송 중 나온 그의 발언이나 저서의 내용들에 기반하여 추측해 보자면, 그는 어린 시절부터 항상 인간의 삶에 대한 철학적 질문들을 습관적으로 달고 사는 그런 아이였던 것 같다. 그래서인지 다소 독특한 자신만의 사유 속에 갇혀서 어려움을 겪었던 시절도 있었던 듯했다. 그에게 그런 시간들이 있었기에 깊이 있는 통찰이 가능했을 것으로 짐작해 본다. 그저 생각 속에 머물지 않고 그 통찰을 뜻있는 친구들과 함께 교류하며 서로의 생각을 나누고, 그것을 음원으로 만들어 팟캐스트라는 매체를 활용해 일반 대중에게 다가가는 시도를 하였다는 것은 정말 용기있는 일이다. 팟케스트에 이어 공동집필한 책을 출간하고, 또 자신만의 개성 있는 언어로 단독저서를 집필하게 되기까지 그의 발전과정을 지켜보았던 초창기 청취자로서는 이 책이 매우 뜻깊다.

인간은 누구나 자신의 존재와 세계에 대해 근원적인 의구심을 갖고 있다.
'나는 누구인가?'
'너는 누구인가?
'삶은 무엇인가?'

'내가 세상 속에서 어떻게 살아갈까?'

'죽음에 대하여…'

하는 밑도 끝도 없는 질문들을 자문자답하며 그 해답이 무엇인지? 정답이 있기는 한 것인지? 참진리를 찾아 헤매이고 헤매이다가 그냥 삶을 마감하게 되는 게 인생인지도 모르겠다는 생각도 든다.

한 인간이 태어나 성장하고 삶을 마무리하게 되기까지 인생의 전 과정을 생각해 보면 어느 하나 신비롭지 않은 것이 없다. 인간은 세포의 화학적 결합에 의해 융합과 분열을 계속하는 유기체인 동시에, '육체'라는 유기물 속에 '영혼'이라는 신비로운 무언가를 탑재하고 있다. 그렇게 신체는 탄생하고 자라나고 쇠락하고 소멸하는 과정을 거치는 한편으로 영혼 또한 끝없이 변화해 간다. 어찌 보면 그 모든 과정들은 의문 투성이이기도 하면서 신비롭기까지 한 것이다. <우리는 언젠가 만난다>는 이러한 영육의 절묘한 결합으로 존재하는 인간의 근원적인 자기 물음과 자아성찰의 과정을, 작가 개인이 그의 삶을 통해 깨달았던 나름의 통찰에 대입시켜서 잘 풀어낸 이야기였다.

책의 제목에도 '만난다'라는 어휘가 들어가는 것이, 한 인간이 삶의 전 과정을 거치면서 만나게 되는 여러 가지 사람들과 사건들의 무궁무진함에 대한 작가의 다양한 사유들을 바탕에 깔고 책을 집필한 듯하다. 우선 자기 자신과 진실하게 마주 대하며 자기 존재의 이유와 진실을 직면하는 순간이 선행되어야만, 타인/세계와의 만남이 순탄하게 이루어질 수 있다는 이야기를 작가는 강조하고 싶었던 것 아닐까 하는 짐작을 하게 된다. 나 자신과의 만남,

부모/형제와의 만남, 친구와의 만남, 연인과의 만남, 세계와의 만남, 우주와의 만남, 삶과 죽음에의 만남 등등 이 모든 만남들이 실질적으로는 자신의 삶을 총체적으로 구성하는 유기적 결합의 결과인 것이리라. 결국은 한 곳에서 모두 함께 결합하는 전체의 만남으로 귀결되는 것이 인간의 삶이 아닐까 하는 생각을 하게 만드는 책이었다.

어떤 사람은 자신의 우주 안에서 독립적이거나 고독하거나 하는 삶을 선택하게 될 수도 있고, 또 다른 사람은 타인이라는 다양한 우주와 만나 결합하여 좀 더 커다란 우주로 새롭게 거듭나기도 한다는 것의 차이는 있겠다. 그러나 그 모든 과정을 거친 후에는 결국은 자기 자신으로 다시 되돌아오게 되는 것이므로, 한 인간이 전 우주와 같은 것이라고 볼 수도 있다는 것이 작가의 논리라고 파악되었다. 얼핏 들으면 이 무슨 괴변인가 싶게 지식인의 먹물타나는 말장난이나 어설픈 철학자의 난해하고 작위적인 가설 같기도 하지만, 한 번 더 생각해 볼수록 이해가 되고 공감 가는 면이 증폭되는 것이 신기하기도 했다.

우리가 살아가면서 겪어왔던 많은 경험들을 되돌아보아도 일이든 인연이든 우리 삶 속의 모든 것들이 시작과 끝이 있었고, 그것은 마치 '뫼비우스의 띠'처럼 절묘하게 맞닿아 있었다는 것을 우리는 깨닫기도 한다. 또한 누구에게나 녹록지 않은 삶의 희로애락들이 세상 속에서 만나는 타인들과 사건들에 의해 좌지우지되는 것보다도, 결국은 그 타인과 그 일들에 대한 나 자신의 판단과 결정, 그리고 나의 실천적 행위에 의해 결정되고 향방이 정해졌다는 것을, 나도 삶 전반을 통해 뒤늦게야 알게 된 바가 있었다. 다시 말하자면 타인의 생각과 평가에 동요되고 중심이 흔들거렸던 어린 시절에 비해서는 중년의 지금에 와서는 나름의 가치관과 철학 안에서 결정하는 일들이 많아졌지만, 더 깊이 생각해 볼 때 그 어린시절 남의 말에 쉽게 동요되었던 약하고 여렸던 그 마음조차도 누구의 강요가 아닌 나 스스로의 판단과 결정이었다는 것을 이제는 깨달을 수 있었다. 이러한 일련의 과정들을 아우르는 작가의 통찰에 크게 공감하게 되었다.

광활한 태양계 안의 하나의 작은 행성일 뿐인 지구, 그리고 그 지구 안에서도 아시아 대륙의 지극히 자그마하게 위치한 대한민국 땅, 한반도의 남한에서 존재하는 아주 작은 나!

그것은 전우주적인 관점에서 보자면 티끌만큼 작은 존재이기도 하다. 우주 안에서 결합과 분열을 반복하는 나와 너는 결국 서로의 일부이며 근원적으로는 하나로 만난다는 작가의 논리가 처음에는 갸우뚱하며 '이게 도대체 뭔 말인가?' 싶다가도 곱씹어 볼수록 차차 수긍이 되었다. 왜냐하면 인간과 인간의 삶은 복잡다단하면서도 근본적인 논리구조는 사실 단순하기 짝이 없으며, 세상에서 벌어지는 온갖 비극들이 한 발자국만 떨어져서 관조하듯 바라다보면 그런 코미디와 희극이 없다는 것을 우리는 각자가 걸어온 삶의 경험을 통해 자연스럽게 알게 되었기 때문이다. 이렇듯 세상의 모든 존재하는 것들은 극과 극, 끝과 끝이 맞닿아 있고 결국은 한 곳에서 만난다는 것을 저절로 인식하게 된다. 또한 인간과 삶의 관계에 대한 전체적인 메커니즘을 기본적으로 이해할 때 우리는 나와 너와 세계, 그리고 우리와 삶과 죽음에 관한 근원적인 실체를 탐구하는 일을 시작할 수 있게 된다. 그럼으로써 삶의 희로애락에 대해 일희일비하기보다는 조금은 관조적으로 바라볼 수 있는 여유가 생길 수 있겠다는 생각을 하게 된다.

이 책을 완독하며 어느덧 중년의 나이에 이르고 보니 인생이 내 뜻대로 흘러오지 않았고, 나름대로 참 힘든 일들을 많이도 겪어 냈다는 것을 문득 인식하게 되는 순간이 있었다. 그간 내가 걸어온 개인적인 삶에 대한 여러가지 소회가 치고 올라올 때에는 못다한 것들과 놓친 여러가지에 대한 후회와 안타까운 마음이 들다가도, 그래도 이만하길 다행이고 나름대로 수고 많았다며 나 자신을 위로하고 격려해 주고 싶은 마음이 공존하듯 뒤엉키기도 했다. 그리고 나를 거쳐간 수많은 사람들과 현재 나와 맞닿아 있는 인연들에 대해서도 다시 한번 생각해 보는 계기가 되었다. 책친구님들과 이 책을 '함께읽기'하고 북토크를 나누는 과정에서도 가장 큰 화두는 '관계'였을 만큼 사람은 누구나 원하든 원하지 않든 간에 나 아닌 타인으로 인해 역동을 겪게 될 때가 많은 것 같다. 인간은 사회적 동물이기 때문이리라.

이 책을 통해 얻은 나의 결론은 '나는 네가 될 수 없고 너는 내가 될 수 없다'라는 진실이었다. 그러니 우리는 서로에게 온전히 닿지 못하는 답답함과 슬픔을 숙명처럼 짊어지고 살아가야 할 수밖에 달리 방법이 없을 듯하다. 언어와 몸짓, 눈빛 등 여러 가지 수단을 동원하여 '소통'이라는 것을 늘 시도하며 살지만, 미묘한 감정과 생각의 차이로 인해 서로에게 완전히 이해되기가 낙타가 바늘구멍을 뚫기만큼 어렵다. 그래서 모든 인간은 근본적으로 외로운 존재인가 보다. 어느 날 불현듯 짙은 고독과 죽을 것 같은 외로움에 빠져 버리면서 깊은 우울을 느끼는 순간에는 차라리 그만 살고 콱 죽어버릴까 하는 몹쓸 생각들이 얼핏 스치고 지나가기도 한다. 물론 내 인생은 한결같이 늘 푸르기만 했다는 일부의 사람들도 개중에는 있을지 모르겠으나, 인간은 누구나 자기 몫의 고난이 있다고 생각한다. 그런 관점에서 볼 때 서로에 대한 이해와 연민으로 좀 더 양질의 인간관계를 맺기 위해 노력하며 살아가는 것은 가치로운 일이라는 생각을 하였다. 수많은 사람 중에 '만남'을 갖게 되는 타인의 존재가 신기하고, 또 그들 중 좀 더 특별한 '인연'으로 발전하게 되는 '관계'는 생각해 볼수록 대단한 일이 아닐 수 없다. 나와 너의 만남은 단순히 사람과 사람의 만남이 아닌 것이고, 나라는 세계와 너라는 세계가 만나서 전 우주적인 충돌과 융합을 통하여 하나로 이어지게 되는 것이니 이 얼마나 신비롭고 놀라운 일인가를 이 책을 통해 상기하게 되었다.

말이 그렇듯 글 또한 곧 그 자신일 수밖에 없기에 어떤 작가이든 집필 과정에서 자신의 가치관과 경험을 자연스럽게 드러낼 수밖에 없게 된다. 특히 그런 경향성은 에세이 장르의 가장 도드라진 특징으로 나타나는데, 이 책이 '채사장' 본인 삶의 개인적인 경험들을 가미한 철학적 에세이라서 그런지 작가와 한층 더 친해진 느낌이 들어 더 좋았다. 하지만 채사장이 불교에 홀릭한 사람인지는 잘 몰라도, 마치 스님의 설법에서나 나올듯한 윤회나 인연설, 공(空)사상 같은, 이게 도대체 뭔 소린가 싶어서 한참을 곱씹어 보며 골똘히 생각해야 겨우 뭔가 실마리가 잡힐듯 말듯한 이야기들이 많아서, 이 책은 호불호가 있겠구나 싶었다. 팟케스트 '지대넓얕'의 팬이었던 나야 뭐 초창기 채사장의 푸른 청춘기의 독특한 궤적을 어느정도 알고 있기에 다소 엉뚱한 작가의 성향을 느끼며 살짝 미소 짓기도 했지만, 지극히 논리적인 성향의 누군가에게는 '이거 뭐 종교철학 이야기냐, 젊은 철학자의 개똥철학이냐, 헷갈리는 형이상학적 성토냐' 하며 투덜거릴지도 모르겠다는 생각을 잠깐 하며 살짝 웃음도 나왔다.

그간 여타의 철학책들을 한 번씩 접할 기회가 있기는 했지만, 이 책처럼 친근감에 근거하여 가볍게 잡았다가, 읽는 과정에서 잠시 잠깐 멍하게 곱씹어 보다가, 시간이 갈수록 서서히 이해가 되며 어떤 깨달음이 드는 책은 오랜만에 읽게 된 것 같다. 책친구님의 추천이 아니었다면 이런 소중한 사유의 기회를 얻지 못했을 것이기에 여러분의 추천책을 함께 읽고 토론하는 책모임이 늘 의미롭고 소중하게 느껴진다. 매번 책친구님들이 추천해 주시는 독특한 책들을 만날 때마다 작은 기쁨을 느끼게 되는데, 이 책을 이번달 책모임에 추천해 준 책친구님께 감사드린다.

끝으로 나와 타자, 그리고 이 세계와의 유기적 관계에 대해 끊임없이 번민하는 분들을 포함하여, 자기 자신의 고유성을 찾아 자신만의 든든한 주관을 정립하고 싶은 사람이라면 이 책 한 번 읽어보시고 권하고 싶다. 아마도 잠시라도 큰 틀에서의 나와 타인과 세상의 상호 작용에 대한 이해와 득도의 세계(?)에 빠져보실 수 있는 색다른 경험이 될 것이다.

9

제9화 『시, 나의 가장 가난한 사치』

김지수 著

제9화 『시, 나의 가장 가난한 사치』를 읽고

김지수 著

♧ 돌아치는 일상 속에서 책을 읽고 시를 음미하는 시간은 삶의 쉼표이다.

▶ 독서토론 발제문

이번달 '함께읽기'책은 '김지수' 작가님의 『시, 나의 가장 가난한 사치』였습니다.

패션잡지 에디터였던 저자 김지수 작가가 그녀만의 탁월한 안목으로 엄선한 50여편의 시들을 소개하며, 시에 대한 작가의 재해석과 감상을 에세이 형식으로 덧붙인 '시 에세이'입니다.

독자로 하여금 시를 더욱더 친근하게 느끼게 하고 시와 연관지어 생활 속에서 발견할 수 있는 감상의 파편들을 인식하게 하는 이 책을 여러분은 어떻게 읽으셨나요?

별점과 함께 읽은 소감을 나눠봅시다.

(1점부터 5점까지 별점을 주세요)

◎별점(1~5점, 소수점가능) ☆☆☆☆☆

독창성/짜임새/재미/깊이/소장가치에 근거하여(   )점

◎읽은 소감(별점을 준 이유)

❶자유논제

김수영 시대와는 달리 이 시대에 진정한 사치는 명품이 아니라 시가 될 거라고 확신했다. 진정한 영혼의 시는 물질을 포용한다. 쉽게 소유할 수 없고, 쉽게 누릴 수 없는 단독자로서의 시. 가슴으로 사랑하고 이성으로 사유해야만 가질 수 있는 시. 진정한 정신적 자산으로서, 내 삶의 해석 능력을 고취시키는 시. 마놀로 블라닉을 신고, 샤넬 백을 든 여자보다 모더니스트 김수영의 산문집 『시여! 침을 뱉어라』를 쥔 여자가 진정한 삶의 사치를 누리는 시대가 온 것이다. (페이지원 p20~21)

저자는 '시'가 그 어떤 호화로운 물질보다도 우위에 있음을 피력합니다. 여러분은 이 부분을 어떻게 읽으셨나요?
자신의 의견을 나누어 주세요

❷자유논제

사랑이 시작될 때, 누가 더 많이 사랑하는가는 누가 더 많이 기다리는가다. 사랑은 시간을 점유하는 일이고 서로의 시간을 공유하는 일이다. (페이지원 p25)

남녀 관계뿐 아니라 많은 인간관계가 타인의 시간을 나의 리듬으로 점령하기 위한, 혹은 점령당한 시간을 극복하기 위한 반복된 투쟁인 것이다. (페이지원 p27)

천천히 와. 말할수록 더 기분 좋아지는 말. (페이지원 p27)

저자는 시간을 공유하는 관계에 대해 강조합니다.

또한 상대방에게 시간을 내어주는 일이 사랑이 바탕이 되어야만 가능한 일이라는 것을 강조합니다.

여러분은 누군가에게 시간을 내어주는 일에 관하여 어떻게 생각 하시나요?

그리고 과거에 가장 많은 시간을 쏟았거나, 현재 가장 많은 시간을 할애하고 있는 일이나 사람이 있다면 함께 이야기 나누어 봅시다.

❸자유논제

인간관계의 근본적인 상처는 상대를 너무 믿기 때문이다.
(페이지원 p34)

인간을 믿지 마라. 인간은 믿을 만한 존재가 아니다. 대신 인간을 사랑해라고 말하는 내적 치유 이후, 관계의 상처에서 나는 자유 로워졌다. 그리고 나는 비로소 내가 상처로 이루어진, 상처투성이 의, 언제든 상처받을 준비가 되어 있는 상처적 체질이라는 것을 알았다. 나를 키운 8할이 상처라는 것도 (페이지원 p36)

그리하여 누군가 나에게 너무 예민하다고 염려하면 이렇게 대답

하리라. "음, 상처는 나의 힘이야"라고 (페이지원 p36)

상처를 준 가해자나 상처를 받은 피해자나 인생이라는 건 함께
뒤엉켜 곪은 채로 그 냄새를 참아가며 혹은 그 냄새를 피해 앞으
로 도망가는 게 아닐까. (페이지원 p35)

저자는 류근 시인의 『상처적 체질』이라는 시를 가져와 인간관계
의 상처에 대해 말합니다.
여러분이 지금껏 살아오면서 가장 아프게 상처를 주었거나 받았
던 일이나 사람이 있었나요?
내어놓고 말할 수 있다면 언급해 주시고, 그 상처를 어떻게 다루
고 극복하였는지에 관해서도 함께 이야기 나누어 봅시다.

❹ 선택논제

순종은 신이 인간에게 주신 가장 고귀한 본능이다. 자유의지는
신이 인간에게 주신 가장 곤혹스러운 선물이다. 사랑에서도 인생
에서도 나는 자유를 좋아하지 않는다. 자격 미달인 채로 자유를
누린다는 것이 실제 그 어휘의 달콤함처럼 행복하지도 효율적이
지도 않다는 것을 알기 때문이다. 우리는 누군가 나를 구속해주
길 바라면서 오래도록 원치 않는 자유를 누려왔다. 당신은 알아
야 한다. (페이지원 p40)

지리멸렬한 자유 속에서 나를 구속할 수 있는 사람은 내 인생 전체를 사랑하는 사람이어야 한다는 것을. 그렇게 진정한 자유는 구속과 복종 속에서 꽃핀다. (페이지원 p41)

저자는 민족시인 '한용운'님의 시 『복종』을 제시한 후, '자유와 구속과 복종'의 상관관계에 대해서 말합니다.

'진정한 자유는 구속과 복종 속에서 꽃핀다.'라고 말한 작가의 숨은 뜻을 여러분은 어떻게 보셨나요?

한 가지를 선택해 보고 각자의 생각을 나누어 봅시다.

A : 동의한다.

B : 동의하지 않는다.

❺자유논제

아이들에겐 하루하루가 잔치다. 그 매일의 잔치가 끝났다는 걸 아는 순간, 그도 어른이 되겠지. 하지만 그 잔칫상의 어귀마다 엄마인 내가 함께 있었다는 것만으로도 얼마나 큰 위로가 되겠는가. (페이지원 p50)

이 책의 저자는 '최영미 시인'이 90년대 초 발표하여 문단에서 스타 시인으로 떠올랐던 시 『서른, 잔치는 끝났다』를 언급하며 아이들에게는 어머니의 존재 자체만으로도 얼마나 위로가 되는지를 강조하며 말합니다.

여러분은 이 부분을 어떻게 읽으셨나요?
함께 이야기 나누어 봅시다.

❻자유논제

인터뷰를 하다 보면 사람이라는 벽을 만날 때가 있다. 아니, 늘 사람이 벽이다. 사람이라는 벽에 문을 내고 들어갈 때마다 그 불가능에 가깝게 느껴졌던 일이 얼마나 매혹적인 고통인지 체감하곤 한다. (페이지원 p60)

패션 잡지사 에디터로서 수많은 스타와 저명인사들을 인터뷰했던 저자는 사람들 간에 관계의 물고를 트기까지 맞닥뜨려야 하는 '사람들이 치고 사는 벽'에 대해 언급합니다.
여러분은 이 부분에 대해 어떻게 생각하시나요?
자신의 생각을 이야기 나누어 봅시다.

❼자유논제

나는 아무것도 아닌 사람이다. 나는 아무것도 아니다. 내가 나이고 싶을 때도 있고, 내가 아니고 싶을 때도 있다. 실제로 나일 때도 있고 아닐 때도 있다. 나에게서 멀리 도망갔을 때도 있고, 나에게서 한 발짝도 나아가지 못할 때도 있다.
....중략.... 하지만 그 아무것도 아닌 것이 또 얼마나 대단한 것이냐 말이다. (페이지원 p85)

작가는 박경원 시인의 시 『지금, 이 시대』(페이지원 p84)를 통해 '내 존재의 실물적 근원'에 관해 언급하면서 '라며 '아무것도 아닌 것의 위대함'에 대해 고찰합니다.

여러분은 '사람의 존재감'과 '자아에 대한 인식', 그리고 '한 사람의 고유한 가치'에 대해 어떻게 생각하시나요?

함께 이야기 나누어 보아요

❽자유논제

질투는 벌거벗은 감정이다. 우리 모두 자신이 가지지 못한 것들 때문에 괴로워한다. 저마다 그 질투의 괴로움을 어떻게 처리하는 가가 삶에서 커다란 문제다. (페이지원 p90)

우리 모두 질투에서 자유로울 수 없다. (페이지원 p92)

작가는 기형도 시인의 시『질투는 나의 힘』(페이지원 p88)를 통해 '질투의 열정'에 대해 언급합니다.

여러분은 '질투'에 관해 어떤 생각과 경험을 가지고 있나요?

함께 이야기 나누어 보아요

❾자유논제

지나가는 시간 앞에서, 내가 할 수 있는 일은 아무것도 없다. 나와는 상관없이 눈부시게 흘러가는 것을 바라보는 일밖에는, 그러다 보면 어느 날 혼자 중얼거리겠지.

"젠장, 언제 이렇게 나이를 먹어버렸나." (페이지원 p106)

작가는 최하림 시인의 시 『버들가지들이 얼어 은빛으로』(페이지원 p104)를 통해 '시간을 바라보는 일'에 대해 이야기합니다. 또한 저자가 느끼는 시간을 바라보는 쓸쓸함에 대하여 솔직한 마음을 드러냅니다.

여러분은 시간의 흐름과 어느새 나이를 먹어버렸음을 느끼는 순간이 어떤 때인가요? 함께 이야기 나누어 봅시다.

⑩선택논제

작가는 오세영 시인의 시『야간산행』(페이지원 p116)를 통해 '인생은 결국 혼자'라는 것을 언급합니다.

이어서 영화 <바람난 가족>으로 여우주연상을 받았던 문소리 배우를 당시 인터뷰할 때 '배우의 삶이 등짐을 지고 산을 오르는 시지푸스의 운명 같다.'던 문소리 배우의 말을 예시로 들었습니다. 그러면서 '인생이란 혼자서 슬픔을 삭이며 오르는 야간산행 같은 거라고 생각했다.' (페이지원 p118)고 작가는 말하고 있는데요,

여러분은 작가의 이러한 인생 성찰에 대해 동의하시나요?
한 가지를 선택해 보고 각자의 생각을 나누어 봅시다.

A : 인생은 결국 혼자이다.
B : 인생은 함께 하는 여정이다.

❶자유논제
작가는 이정록 시인의 시 『의자』(페이지원 p138)를 통해 자신
이 공감한 바를 이야기합니다.

───────────────────────────────

전쟁 같은 삶에서 우리 모두 의자가 필요하다.
내 몫으로 쉴 수 있는 의자, 내 권위를 확보해줄 수 있는 의자.
(페이지원 p139)

───────────────────────────────

여러분은 이 부분을 어떻게 읽으셨나요?
세상사에 소진되고 지쳤을 때 '나 자신, 언제든 편안히 기댈 수
있는 의자'와 같은 나만의 장소나 사람이 있나요?
있다면 소개해 주시고, 없다면 휴식하고 싶을 때 바라는 장소나
대상에 대해 함께 이야기 나누어 봅시다.

❷자유논제

───────────────────────────────

새끼를 낳은 부부는 더 이상 설레는 사랑을 하지 않지만, 그 변
화무쌍한 설렘을 무력화시키고, 의리를 지키는 동지가 된다. 탯줄
로 묶인 가족이 된다. 참으로 크고 비밀한 일이다.
(페이지원 p209)

내 생각에 남편과 아내가 만난 부부라는 관계는 신이 만들어주신 가장 위대하고 질긴 동맹이다. (페이지원 p208)

저자는 문정희 시인의 시 『남편』(페이지원 p206)를 통해 작가가 생각하는 부부에 대한 정의를 언급합니다.
여러분은 이 부분을 어떻게 읽으셨나요?
부부라는 관계에 대한 각자의 생각을 함께 나누어 보아요

⓭자유논제

저자는 『초산』(페이지원 p232)을 쓴 '장석주 시인'을 만나러 안성 금강 저수지 끝자락을 방문한 적이 있었다는 일화를 언급하며 다음과 같이 말합니다.

'초산'을 한 '개'를 위해 미역국을 끓였다는 시인의 자상한 심성을 '타자의 아픔을 온몸으로 받아들이는 것'에 연결지어 이야기합니다. 복잡한 도심을 떠나 자연 속에서 시를 쓰는 시인을 인터뷰하며 '인간이 압도하지 않은 세상은 얼마나 서로에게 공의롭고 겸허한지. 도심으로부터 바글거리는 인간으로부터 멀리 떠나 있으면 얼마나 많은 것이 보이고 들리는지. (페이지원 p234)

인간이 자연 속으로 들어가면 자연은 다시 인간 속으로 들어온다. 진정한 교감이란 그런 것이 아닐까. (페이지원 p234)

여러분은 자연과 인간의 관계에 대한 저자의 생각을 어떻게 읽으

셨나요? 자신의 의견을 내어놓고 함께 이야기나누어 봅시다.
아울러 귀농과 귀촌에 대한 각자의 생각들도 공유해 봅시다.

⓮자유논제

해석의 힘이 없을 때, 인간은 패닉 상황으로 빠진다. 마치 어느 겨울, 날씨가 너무 우울하다고 센 강에 빠져 죽는 것과 같다.
(페이지원 p238)

이 세상에 세들어 살면서 내야 하는 '월세' 같은 것이 바로 '고통'이라는 황지우 시인의 시구절에서.....
너도 견디어라, 나도 견딜테니.
겨울산이 그랬듯이 나도 묵묵히 삶을 견뎌낼 수 있게 되었다.
(페이지원 p238)

저자는 '황지우 시인'의 시 『겨울산』(페이지원 p236)를 통해 누구에게나 삶은 녹록지 않다는 것에 대하여 말합니다.
여러분은 이 부분을 어떻게 읽으셨나요?
삶에 대한 작가의 성찰에서 여러분은 어떤 생각이 들었는지 함께 이야기 나누어 봅시다.

⓯자유논제

아무것도 아닌 존재감으로, 아무것도 아니라는 것을 견디기 힘들

었습니다. 나중에야 알았습니다. 내가 마음이 약해지면 존재감이 약해진다는 것을. 존재감은 본인의 마음의 결정을 상대가 알아차리는 것입니다. 내가 단단할 땐 사람들도 무서워하지만, 내가 무기력할 땐 사람들도 무시합니다. (페이지원 p244)

저자는 이 에세이집의 집필을 끝내면서 책의 말미에 '아무것도 아닌 시가 나에게 온 순간'이라는 '에필로그'를 통해 삶에 대해 자신이 느낀 바를 솔직하게 말합니다.
이러한 작가의 인생 통찰을 여러분은 어떻게 읽으셨나요?
함께 이야기 나누어 봅시다.

⓰기타 보충사항
그 밖에 함께 이야기 나누어 보고 싶은 자유논제 또는 선택 논제가 남아 있다면 자유롭게 내어놓고 함께 이야기 나누어 보아요

⓱전체적인 소감 및 마무리 발언
이번 '함께읽기책'과 오늘의 '독서토론'에 대한 소감 및 전체적인 마무리 평가를 해 주세요

⓲인상 깊었던 문장이나 핵심 메시지 & 한 줄 총평
'기억에 남는 의미로운 구절이나 핵심 메시지 한마디' 또는 '한 줄 총평'을 해주세요

▶ 책리뷰

이 책의 작가가 나와 비슷한 연배여서 그런지 동시대를 살아왔고, 살아가는 여성으로서의 연대감과 세대공감을 하게 하는 면이 많아서 편안하게 읽히는 책이었다.

이미 유명한 시인과 그들이 쓴 주옥같은 시들을 가져와 그 시를 통해 작가가 감동받고 위로를 느꼈던 삶의 경험들을 에세이 형식으로 풀어나갔기 때문에 저자의 마음에 쉽게 동화되는 느낌이었다. 직장의 일과 현실적인 생활 속에 밀착된 작가의 에피소드에 투영된 시들을 다시 읽어보니 그 느낌이 새로웠다.

저자는 유명 패션지 에디터이자 기자로서 훌륭한 커리어를 인정받은 사람이고, 뭔가 감각적이고 세련된 차도녀(차가운도시여자)의 이미지가 느껴질 만큼 겉으로 드러나는 모습만 얼핏 보기에는 성공한 커리어우먼의 모습 그 자체였다. 그렇지만 보이는 이미지와는 다르게, 시인이 되고 싶었던 꿈을 이루지 못한 안타까움과 저자의 가정적인 개인사들을 꾸밈없고 솔직하게 드러내며 진술한 글을 썼기 때문인지, 참 인간적이고 솔직한 작가의 감수성이 느껴져서 공감대가 형성되면서 잔잔한 감동이 있어서 참 좋았다.

또한 저자 자신이 사회생활을 하며 깨달은 삶과 인간에 대한 통찰이 살아 있는 글이라 생생함이 느껴졌고, 살아오면서 역경이 올 때마다 '시'에서 위안을 얻고 길을 찾았던 경험들을 조화롭게 서술한 '시 에세이'라는 형식도 독특하고 특별하게 다가왔다.

그러나 이미 충분히 유명한 시인들과 그 시인들의 작품들이 책 분량의 절반을 차지하고 있기에, 시작부터 끝까지 작가 자신의 영혼을 담아 글을 쓰고 책을 출간하는 많은 작가들의 노고를 높이 평가하는 내 입장에서는 완성도 면에서 다소 부족하다는 생각이 드는 것은 어쩔 수 없었다.

작가의 영역에서는 유니크한 창작자로서의 가치가 최상이라는 기존의 고루한 관점에서 깐깐하게 평가해 본다면, 온전히 저자만의 글로 책 전체의 분량이 채워진 것이 아니라는 면에서 더없이 후한 별점을 줄 수는 없었다. 그러나 책의 구성과 짜임새가 훌륭하고 진솔한 에세이 내용이 참 따뜻하고 좋았고, 자연스럽게 공감이 되었기에 비교적 높은 별점인 4.0점을 주었다.

한편 이 책 덕분에 시와 에세이를 동시에 읽을 수 있어서 일거양득의 시간을 가졌다. 저자가 엄선한 참 좋은 시들의 컬렉션이라서 그런지 수록된 시들이 다 좋았다. 그중에서는 내가 이미 알고 있는 시들도 있었으나 잘 몰랐던 시들도 새롭게 접해 볼 수 있는 기회가 되어서 더더욱 의미가 있었다.

작가가 나와 비슷한 연배로써 시대와 세대의 공감대가 기본적으로 깔려 있어서 그런지, 마치 편안한 친구나 선후배와 두런두런 수다를 나누는 기분으로 술술 잘 읽은 책이었다.

이 책은 이미 절판된 책이라 중고서점에서 어렵게 구한 만큼 나의 책장에서 귀한 대접을 받으며 '절대 소장각'으로 등극하였다.

나는 이번 책모임 이전까지 이 책의 존재를 알지도 못했었고 내가 스스로 구입해서 읽지는 못했을 책인데, 이번달에 책친구님의 추천 덕분에 일부러 찾아 읽게 되어 좋은 기회였다고 생각한다.

►소감 및 마무리 발언

나도 감수성 예민하던 그때 그 시절, 지금보다 훨씬 젊었던 시절에는 시를 즐겨 읽었고, 시집 꽤나 사서 선물하던 '시'의 독자였다. 그러나 어쩌다 보니 지금의 나는 시를 잘 읽지 않는 일상을 살고 있다. 기껏해야 지하철 게시판이나 잡지 한구석에서 우연히 접한 시구절에 순간순간 심쿵! 하는 정도인데, 이번달 북토크를 통해 좋은 시들을 많이 접하게 되어 참 좋았다. 게다가 이 책은 대한민국에서 내로라하게 저명한 시인과 그들의 이미 유명한 시들이 많이 등장해서 더 반갑고 친근하게 느껴지는 책이었다.

저자가 오랜 커리어우먼으로 살아온 사람이었고, 특히 각계각층의 다양한 사람들을 많이 만나는 기자라는 직종에 종사하는 사람이라서 그런지, 에세이의 내용이 지극히 현실적이기도 하면서 다방면의 다양한 소재들을 끌어와 다채로운 주제들을 다루고 있어서 재미가 있었고, 공감이 가는 내용들이 많았다. 그래서인지 한 줄줄 읽고 음미하면서 고개를 끄덕이는 순간이 많았다.

성공한 커리어우먼의 이미지인 저자가 자신의 삶에서 역경에 부딪히는 순간마다 위로를 받았던 시들을 소개하며, 자신의 삶 곳곳에서의 소회를 진솔하게 풀어나간 에세이를 읽으면서, 사람 사는 모습은 제각기 다 다른 것 같아도 본질적으로는 통하는 부분이 많구나 싶었다.

제아무리 유명한 사람이고 자신의 분야에서 괄목할만한 큰 성공을 거둔 사람일지라도, 인간이기에 맞닥뜨려야 하는 관계와 심리의 어려움과 그것을 극복하기 위해 고군분투해야 하는 것은 사람이라면 누구나 비슷하구나 싶은 생각이 들어서 위안이 되기도 했다. 인간은 밥만 먹고 살 수 있는 존재가 아니기에, 책을 읽고 시를 음미하고 글을 쓰고, 음악/미술/공연예술 등의 다양한 문화를 향유하는 가운데, 정서적으로 채워가며 살아가는 것은 반드시 필요하다는 진리를 다시 한번 생각하게 하는 책이었다.

전문 전공 서적이 아닌 이상, 이미 절판된 책을 일부러 찾아 읽게 되는 것은 흔하지 않은 일이다. 책모임의 추천책이 아니었다면 접할 수 없었을 이 책을 함께읽기 하고 북토크까지 하게 되어 참 의미로웠다. 처음에는 가볍게 집어 들 수 있었지만 그 의미는 결코 가볍지만은 않았고, 얼핏 내용이 별것 없어 보이는 듯하지만 막상 면밀히 읽어보니 깊이 생각하게 만드는 이 책을 소개해 준 나의 가장 이상적 취미친구인 지적이고 영민한 책친구님께 진심으로 감사드린다.

▶**핵심 메시지 & 한 줄 총평**
✔이제 나도 시를 읽는 여자가 되었다.
✔새해에는 내 마음을 들여다볼 동굴체험이 가능할지?
✔시는 음악과 같다.
✔음악은 몸을 일깨워 춤을 추게 만들고, 시는 마음을 일깨워 감성을 출렁이게 만든다.
✔일상에서 시를 읽는다는 것은 마음의 여유다.
✔문학은 삶의 가장 지혜로운 사치다.
✔어머니의 부재는 뜻 모를 슬픔의 근원이다.
✔전쟁 같은 사회생활에서도 결국은 '인간미'이다.

✔살면서 영글어가는 것이 삶의 진정한 '시'이다.

✔실크 드레스, 샹드리아, 오스타 드 라 렌타, 뵈브 클리코, 마놀로 블라닉… 어때요? 나에게 '시'는 이런 거예요

✔돌아치는 일상 속에서 책을 읽고 시를 음미하는 시간은 삶의 쉼표이다.

✔함축적인 시구절은 깊은 사유의 세계로 이끌어준다.

✔공감하는 글쓰기는 자기 치유의 효력이 있다.

✔시인은 천재다.

돌아치는 일상 속에서 책을 읽고 시를 음미하는
시간은 삶의 쉼표이다.
- 『시, 나의 가장 가난한 사치』(김지수 著)를 읽고 -

♣ 한 편의 좋은 시를 읽는다는 것은, 영혼의 항아리 속에
향기로운 꽃을 꽂아두는 것과 같다. - 이어령 -

이제는 다 지나간 옛이야기이기는 하나, 한때는 언론인이 되고도
싶었고 작가를 꿈꾸기도 하면서 패기 넘치던 시절이 나에게도 있
었다. 호기심이 많아 다양한 분야를 얕고 넓게 공부하고 경험하
면서도 뭘 한가지 진득이 해나가는 일이 다소 부족했던 내 삶을
통해 그나마 꾸준했었노라고 꼽을만한 일이 있다면 늘 다양한 책
들을 가까이하며 살았다는 것이다. 그렇게 항상 책과 함께 살아
왔던 나에게도 '시'라는 장르는 좀 특별하고 색다른 레벨이라는
약간의 거리감과 생소함이 있었다. 그럼에도 불구하고 한 번씩
우연히 발견한 시의 한 구절에 사로잡혀 깊은 감명을 받고 마음
의 위로를 얻었던 기억은 많다.
가톨릭 재단의 여고에 재학하며 교지편집부에서 활동하던 시절에
는 교지의 한 꼭지를 채우기 위한 작가 탐방 활동으로 교장 수녀
님의 주선에 힘입어 시인 이해인 수녀님을 인터뷰할 기회가 있었

다. 그리고 대학 시절 학보사 문화부 기자로서 여러 현대시와 시인들에 관한 기획기사를 쓰기도 했으니, 내가 '시'와는 인연이 아예 없었다고 할 수는 없겠다. 공학도인 남편과 연애하던 시절에도 당시 대형서점의 추천 신간 가판대에 등장했던 시집을 골라 남친이었던 그에게 선물하기도 했었다. 당시 무협지에 푹 빠져 살던 그가 그 시집들을 다 읽지는 않았을 거라고 짐작하지만, 아무튼 그 시집들을 결혼 후 남편의 책더미들 가운데에서 다시 만났을 때에는 반가웠고 감회가 새로웠다.

나는 평소 시를 일부러 찾아 읽지는 않는 편이다. 주로 소설이나 에세이, 간간히 평론 종류를 많이 읽고 쓰는 편이라 그것만으로도 바쁘기 때문에 여유로운 마음으로 시집을 집어 들 기회를 만들지 못하며 살았다. 간혹 지하철 게시판에서 만나게 되는 아름다운 시들과, 웹서핑 중 우연히 얻어걸리는 보석 같은 시구절에 순간 심장이 내려앉는 듯한 감동이 밀려올 때가 있는데, 그럴 때마다 시인에 대한 경이로운 마음이 절로 올라오는 것을 느낀다. 단 몇 줄의 짧은 글로도 그토록 사람의 마음을 휘저어놓을 수 있다는 것이 시인에 대한 존경심을 감출 수 없게 만든다.

마음속에 하고픈 말이 많이 쌓여있는 탓인지, 아니면 본디 수다스럽기 때문인지, 나는 다소 만연체의 문장으로 글을 쓰는 게 습관화되어 있어서 문체를 좀 고쳐보려고 노력 중이다. 이런 나에게 짧고 간결한 언어로 함축적인 의미를 전달하는데도 불구하고 크나큰 감동과 마음의 울림을 선사하는 시인들의 글솜씨는 어쩌면 천재들만이 구사할 수 있는 특별한 영역이 아닐까 하는 경외

감마저 느끼게 한다.

돌이켜보면 그간 내가 활동했던 책모임에서 다룬 책들이 참 많았고 그 장르도 다양했지만, '시'라는 장르와 시집을 가져와 북토크를 한 적은 한 번도 없었다. 많은 사람들이 소설 장르처럼 스토리가 있는 책들을 선호하는 편이기도 했고, '시'라고 하면 낭독회를 떠올리기는 해도 북토크를 하기에는 분량도 성격도 잘 맞지 않을 거라는 선입견도 있었기 때문이었던 듯하다. 그랬기 때문이었던지 그간 회원님 어떤 누구도 책모임의 함께읽기 책으로 시집을 추천하지는 않았었다.

그런데 우리 책모임 신입회원님이 이번달 북토크 책으로 추천해주신 책이 바로 『시, 나의 가장 가난한 사치』라는 책이었고, 이 책은 패션지 에디터였던 김지수 기자가 자신의 삶을 시로 풀어낸 '시 에세이'였다. 에세이라는 장르의 특성상 저자의 삶 속의 경험과 가치관, 철학이 녹아 흐를 수밖에 없다. 작가가 자신의 삶에서 감동과 울림을 준 시들을 선별하여 그 시의 전문을 책에 실었고, 그 시에서 느낀 인생의 성찰들을 현실적인 경험에 빗대어 솔직하게 드러내면서 서술하였는데, 그 진술한 면이 작가를 좀 더 친근하게 느낄 수 있도록 만들었다.

그간 발표된 수많은 시들 중에서 저자가 신중하게 골라서 이 책에 수록하기 위해 최종 선택한 시들의 그 어떤 면이 작가에게 감명 깊게 다가왔었는지, 그녀의 에세이를 통해 공감대를 형성할 수 있었고 작가의 시선을 따라가면서 다시 새롭게 시를 읽고 재해석하면서 다채로운 생각들을 할 수 있었다. 시를 제대로 읽어본 것이 언제인지 기억도 안나는 상황에서 이렇듯 매력적인 '시

에세이'를 만나게 된 것은 분명 기쁜 일이었다.

나는 얼마 전 한 중년 여성을 만나 식사를 함께하는 자리가 있었는데, 그녀는 자그마한 체구에 여성스러운 이미지를 지닌 분이셨다. 처음 만나 인사를 나눌 때 참 단아하신 분이구나 하는 첫인상을 받았다. 그런데 식사를 하며 대화를 나누는 과정에서 그녀의 목소리가 남다르다는 것을 실감할 수 있었는데, 목소리가 또랑또랑 청아한데다가 딕션이 정확하여 전직이 혹시 성우가 아니었을까 하는 상상도 했었다. 식사를 마치고 이어진 티타임에서 더 많은 대화를 나누며 그녀에 대해 좀 더 알아 갈 수 있었다. 알고 보니 시낭송을 취미로 하시면서 각종 시낭송 대회에서 수상한 경력도 상당수 보유하고 있는 분이셨다. 이후로 유튜브에 올려져 있는 그녀의 시낭송 동영상들을 찾아 시청해 보면서 시가 그렇게 가슴 깊이 박혀서 때로는 눈물을, 때로는 웃음을 자아낼 수 있다는 것을 실감하였다.
때마침 북토크팀의 이번달의 함께읽기 책으로 '시 에세이'를 읽고 있었던 터라 '시'라는 장르의 서정성과 감동에 대해 더 깊이 있게 생각해 보는 시간을 가질 수 있었다. 패션지 보그의 에디터답게 세련된 감각을 갖고 있으리라 추측되는 저자였기에, 그녀가 어떤 감수성으로 시를 고르고 읽었을까 하는 호기심으로 이 책을 읽기 시작했다. 그런데 책을 완독한 시점에서는, '차도녀'에 가까울줄 알았던 작가가 의외로 소박하고 다정하며 참 따뜻한 사람이라는 것을 알 수 있었다. 그리고 그녀가 아련하고 쓸쓸하고 아팠던 삶을 극복하며 씩씩하게 살아냈음을 발견하게 되면서, 살아간다는 것은 누구에게나 녹록지 않은 일임을 공감했고, 작가에 대해 동질감마저 느낄 수 있었다. 저자는 단순히 좋은 시들을 선별하여 소개하는 데 그치는 것이 아니라, 그 시를 읽은 자신의 마음이 이러했었다는 진솔한 에세이들을 함께 붙여 수록하였다. 그 이야기들이 저자의 이야기인 동시에 어느새 나의 이야기로 동화되는 신기한 경험을 하게 되기도 했다.

저자는 원래 시인을 꿈꾸던 문학도였다고 하는 내용을 에세이에서 발견할 수 있었다. 꿈과는 다른 길로 들어서서 현실적으로 자신의 삶의 현장으로 이어진 어느 지점에서 발버둥 치듯 치열하게 살아내면서도 마음 한켠에서는 늘 문학에의 열망을 놓을 수 없었다던 작가의 안타까운 마음을 생각하니 가슴이 뭉클해졌다. 시인을 꿈꾸었던 터라 그런가, 그녀의 에세이마저 한 편의 시처럼 느껴지는 부분들도 있었다. 지금껏 살아오면서 내가 처한 상황이 어떠한 희로애락의 골짜기에 있다고 할지라도, 언제든 부담 없이 만나 위로를 받을 수 있는 참 좋은 친구 같은 존재가 바로 '문학'이라고 감히 호언장담할 수 있는 나로서는, '시'에서 위안을 얻을 수 있었다는 작가의 문학적 가치관에 대해 깊은 공감을 느꼈다. 이렇게 내가 공감했던 것처럼 작가의 생각이 자신의 생각과 결이 비슷하다는 동질감을 느끼는 독자들이 아마 많았으리라는 추측을 해볼 수 있었다.

분명 활자로 된 책을 읽었지만, 마치 음성이 지원되는 듯이 이 책의 시들을 읽었다. 저자가 시를 읽어주며 '나는 이 시를 읽으며 이런 생각들을 했었다.'라고 나긋나긋이 이야기해주는 것처럼 느껴져서 마치 작가와 친구가 된 듯한 느낌이 들었다. 익히 알고 있었던 시들과 이 책을 통해 처음으로 접하게 된 시들 모두가 좀 더 특별하게 다가와 마음 깊이 훅 들어오는 듯했던 것도 분명 작가의 솔직 담백한 에세이 덕분이었으리라 생각한다.

사실 시와 시인을 떠올리면 참 낭만적이고 우아하구나 하는 선입견을 갖지 않을 수 없었는데, 이 책을 통해 시인이라는 사람들은 삶 자체를 '시'로 표현하고, 날것의 생활을 '시'로 드러내며, 많은 것을 느끼고 깨달을 수 있는 사람들이라는 것을 새롭게 인식하게 되었다. 이미 유명하고 세상에 많이 알려졌거나 누군가가 참 좋더라 하는 것을 기준으로 시를 골라 읽는 것이 아니라, 다른 어느 누구도 아닌 나에게 의미롭게 다가온, 내게 참 좋았던 시를 골라 읽는 일이 필요하다는 것도 다시 한번 깨닫게 되었다.

내가 얼마 전 접했던 예술서인 '예술의 주름들'의 집필자인 시인 '나희덕' 교수는 한 인터뷰에서 시인의 감수성에 대해 언급한 적이 있었다. 시인은 예민하고 민감한 오감을 통해 세상 만물을 느끼는 사람들이라는 말이 가장 기억에 남았다. 길가의 풀 한 포기에 눈길을 빼앗겨 가던 길을 멈추기도 하고, 그 용도를 알 수 없는 어떤 것을 처음 접했을 때에도 만져보고 냄새 맡고 혀로 맛봐가며 탐구하기를 주저하지 않는 것이 시인들의 본능이자 습성이라는 이야기를 들으며 고개를 끄덕였던 기억이 불현듯 떠오른다. 나는 그 인터뷰를 들으면서 시인의 감수성에 대해 다시 한번 생각해 보게 되었다. 시인들은 일상 속의 크고 작은 모든 일들을 그냥 지나쳐 버릴 수 없고 늘 호기심에 차서 오감을 통해 세밀하게 느끼는 사람들이라서 때로는 속 터지게 느리거나, 때에 따라서는 위험에 노출될 여지도 있으며 여린 감성을 다칠 수도 있겠다는 생각이 들었다. 그러나 그만큼 삶에 대해 해맑고 진솔하게 맞설 수 있는 당당한 용기를 가진 사람들이라는 것을 다시금 깨달을 수가 있었다.

이렇듯 시와 시인에 대해 다시 한번 깊게 생각해 볼 수 있는 계기를 마련해 준 이 책 『시, 나의 가장 가난한 사치』를 만나게 된 것이 문득 고맙다. 또한 이 책의 저자 '김지수' 작가를 알게 된 것도 매우 기쁘다. 오래전 영화 <여배우들>에서 '윤여정/이미숙/고현정/최지우/김민희/김옥빈'등 당시 인지도가 최고였던 기라성 같은 여배우님들을 인터뷰하는 패션지 기자 역할로 영화에서 자연스러운 연기를 펼쳤던 그 사람이 바로 이 책의 저자인 '김지수'님이란 것을 알게 되어서 더 흥미롭고 새롭게 느껴지기도 하였다.

이렇게 광폭의 활동을 한 저자는 그 유명한 패션잡지 <마리끌레르>, <보그>의 에디터이기도 했고, 현재 조선일보의 문화부장으로 활동하고 있는 23년 차 기자로서 그녀만의 커리어를 차곡차곡 잘 쌓아가고 있는 멋진 전문직 여성인 그녀가 진정으로 열망했지만 이루지 못한 꿈이 시를 쓰는 '시인'이 되는 것이라고 하니, 저자가 지닌 기본적인 감수성이 어떤 것이었는지를 잘 알 수 있게 하는 대목이었다.

이 책에 첨부된 에세이를 통해 알 수 있었듯이 작가는 어린날 어머니가 부재한 상황에서 성장했으며, 그것이 작가에게는 평생의 심리적 비틀거림으로 자극되면서도 그만큼 그녀를 더 강하게 성장하게끔 만들어 주었다. 삶의 과정 속에서 그녀가 결코 쓰러지지 않고 한 걸음씩 앞으로 나아가게끔 도와준 것이 바로 '시'였다. 그 의미로웠던 시들을 한 권의 책으로 묶어내며 진솔한 에세이를 첨부했으니 좀 더 순수하고 생동감 있는 공감을 불러일으키기에 부족함이 없었던 책이었다.

세상에 태어나 자신에게 주어진 삶을 살아낸다는 것은, 살아가는 일 그 자체만으로도 각자가 짊어진 제 삶의 무게를 지탱하며 버티어 내기 위해 고군분투해야 하는 숙명과도 같다는 것을 이 책을 통해 다시 한번 생각해보게 되었다.

앞으로도 가끔씩이라도 한 편의 시를 읽으며 심리적인 산책을 하듯 엉킨 생각을 정리하는 시간을 가질 수 있으면 좋겠다. 그러면서 시를 읽을 때처럼 순수한 감수성을 유지하면서 마음을 좀 더 여유롭게 먹으며 살아가야겠다는 결심도 해본다.

끝으로 이 책을 이번달의 함께읽기책으로 추천해 주신 책친구님이 참 고맙고, 함께읽기하고 북토크 시간을 나누며 각자의 감상과 경험을 허심탄회하게 공유해 주신 책벗님들께도 감사드린다.

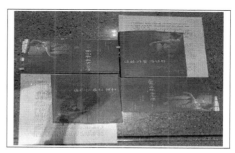

10

제10화 『시선으로부터』

정세랑 著

제10화 『시선으로부터』를 읽고

정세랑 著

♣ 시대 너머를 볼 수 있는 사람이 진보적인 미래의 토대가
된다.

▶ **독서토론 발제문**

이번달 '함께읽기책'은 정세랑 작가의 장편소설 『시선으로부터』였습니다.

2020년 한국 문학 작품 중 가장 많이 읽힌 것으로 알려져 있고, 출판계에서 많은 시선을 모았던 이 장편소설의 저자인 정세랑 작가는 이 책을 '20세기를 살아낸 여자들에게 바치는 21세기의 사랑이다.'라고 정의 내리며, '혹독한 지난 세기를 누볐던 여성 예술가가 죽지 않고 끈질기게 살아남아 일가를 이뤘다면 어땠을지 상상해 보고 싶었고, 또 예술계 내 권력의 작동방식에 대한 소설이기도 하다'고 소개했는데요, 여러분은 이 책을 어떻게 읽으셨나요?

별점과 함께 읽은 소감을 나눠봅시다.

(1점부터 5점까지 별점을 주세요)

◎**별점(1~5점, 소수점가능)** ☆☆☆☆☆

독창성/짜임새/재미/깊이/소장가치에 근거하여(   )점

◎**읽은 소감(별점을 준 이유)**

❶자유논제

심시선의 장녀인 '명혜'는 한 달에 한 번씩 남매들이 모여 점심을 먹는 자리에서 "엄마의 제사를 지내야겠어."(문학동네 p10)라고 선언합니다.

"하와이에서 기일 저녁 여덟시에 제사를 지낼 겁니다. 십 주기니까 딱 한 번만 지낼 건데, 고리타분하게 제사상을 차리거나 하진 않을 거고요. 각자 그때까지 하와이를 여행하며 기뻤던 순간을 수집해 오기로 하는 거에요. 그 순간을 상징하는 물건도 좋고, 물건이 아니라 경험 그 자체를 공유해도 좋고."(문학동네 p83)

어머니 심시선 여사의 타계 10주기를 맞이하여 하와이에서 제사를 지내겠다는 말이었습니다.

또한 '명혜'는 이색적인 제사 계획을 발표하는데요,

여러분은 이 장면을 어떻게 보셨나요?

우리나라의 뿌리 깊은 제사 문화와 연결 지어서 이 장면에 대한 각자의 생각을 이야기 나누어 봅시다.

❷자유논제

심시선 여사는 『여성XX』 주최 다과회(2003)에서 라는 기자의 질문에 다음과 같은 대답을 하여 좌중의 웃음과 웅성거림을 자아냅니다.

"성공적인 결혼의 필수 요소는 무엇이라고 생각하시나요?"

"폭력성이나 비틀린 구석이 없는 상대와 좋은 섹스"

"베이직을 갖춘 사람이 오히려 드물다고 봅니다. 안쪽에 찌그러지고 뾰족한 철사가 있는 사람들, 배우자로든 비즈니스 파트너로든 아무데도 못 갖다 써요. 꼭 누군가를 해치니까."

(문학동네 p19 ~ p20)

여러분은 결혼과 배우자를 선택할 때 필수 요소가 무엇이라고 생각하시나요?

자신의 직/간접 경험이나 가치관을 토대로 이야기 나누어 봅시다.

❸선택논제

'심시선 여사'의 외며느리인 '난정'은 평소에 워낙 많은 책을 읽는 다독자였습니다.

특히 아픈 아이 '우윤'을 케어하며 걱정과 고통의 나날을 견디기 위해, 그리고 '우윤'이 낫고 나서도 '아이의 병이 다시 재발할까 봐, 혹은 나쁜 일들이 딸을 덮칠까 봐 긴장을 놓지 못해 읽는 일을 멈출 수가 없었다' (문학동네 p23)며 '낙관을 위해, 현재에 집중하기 위해, 자기중심성에서 벗어나기 위해 책만한 게 없었다.' (문학동네 p23)라고 하였는데요,

여러분은 이러한 '난정'의 생각을 어떻게 보셨나요?

'독서의 효용'이라는 관점에서 한 가지를 선택해 보고 각자의 의견을 나누어 봅시다.

A : 동의한다.

B : 동의하지 않는다.

❹자유논제

'마티아스'는 하와이에서 자신을 도와준 '시선'에게 하와이 체류가 끝나갈 즈음 '교육의 기회를 주겠다고 제안'(문학동네 p47)했고 함께 독일 뒤셀도르프로 갑니다. 하지만 교육을 받기보다는 '나는 잡역부였고 조수였고 아주 가끔 제자였다. 운이 좋지 않은 날에는 분풀이 대상이었고 말이다.'(문학동네 p137)라는 단락에서 '시선'의 고통스러웠던 독일 생활을 짐작할 수 있습니다.

하와이 체류가 끝나갈 즈음 나에게 교육의 기회를 주겠다고 제안해 왔다. 20세기 여자들이 교육의 기회라는 말에 따라나섰던 수많은 길들은 정말 교육에 닿기도 했고, 위험한 나락에 닿기도 했다. 그럼에도 교육의 기회를 원했던 여자들을 생각하면 울고 싶어진다. (문학동네 p47~48)

여러분에게 이 부분이 어떻게 다가왔나요?
20세기 여자들에게 교육의 기회라는 것은 어떤 실상이었을지에 대해 짐작할 수 있는 이 장면에서 각자가 느끼는 것을 함께 이야기 나누어 봅시다.

❺자유논제

심시선 여사는 『월간불교XX』 작가의 경전(1978) 기고문에서 '질투'의 감정을 극복하기 위해 노력하는 삶의 가치를 피력합니다.

문화계에 몸담고 있다 보면 어찌나 자주 질투에 빠지는지 모른

다. 남의 작품의 빼어남을 탐내기도 하고, 인생의 곡절 없는 수월함을 시기하기도 하고...

질투는 문화계를 움직이는 힘 중 하나겠지만 비틀린 데 없이 환한 안쪽을 가진 이만이 가능한 경지, 범인은 끝내 다다르지 못할 경지일지 몰라도 목표로 삼으려 한다. (문학동네 p76)

여러분은 이 부분을 어떻게 읽으셨나요?

여러분은 '질투'에 대해 어떻게 생각하시나요?

'질투'의 폐해, 또는 '질투'의 순기능과 역기능에 대해 '일반인' 또는 '문화 예술인'라는 입장에서 어떤 유사점과 차이점이 있을지, 관점을 자유롭게 확장시켜서 함께 이야기 나누어 봅시다.

❻자유논제

하와이에서 함께 외출한 명준-난정 부부는 비숍 박물관에 갑니다. '명준'은 '난정'이 다독자인 까닭에 다방면에 해박한 지식을 갖고 있으며 비즈니스 고급 영어에 능통한 재원임에도 불구하고 결혼과 출산, 아픈 아이 케어의 과정을 거치며 일을 포기하게 된 현실에 대해 상기하게 됩니다.

명준은 난정이 직장으로 돌아가지 못했던 것을 이해할 수 없었다. 그것이 어쩌면 자기 탓인 것도 같았다. 아이가 아팠고, 돈이 급했다는 흔해 빠진 이유로 저 특별한 여자를 주저앉힌 것이 세상인지 자신인지 헷갈렸다. (문학동네 p90)

여러분은 이 부분을 어떻게 읽으셨나요?

'경력 단절녀'와 '여성의 결혼과 출산, 이후의 복직'에 대한 각자의 생각들을 함께 나누어 보아요

❼자유논제

명준-난정 부부가 비숍 박물관에서 '하루종일 있는 강의 프로그램'을 보고 '웬만한 학교 시간표'와 비슷해 보인다고 생각합니다. 그러면서 '구부정하게 복도를 걸어가는 노인'이 '아까 폴리네시안 항해 기술을 설명하던 도슨트였다'는 것을 알아차리고 "여기 걸어다니는 책들이 있어." (문학동네 p90)라고 난정이 말합니다.

여러분은 이 부분에서 어떤 생각이 들었나요?

'고령화 사회'에서 '원로 지식인의 활동'과 '노인 일자리 창출'이라는 관점에서 자신의 생각을 나누어 봅시다.

❽자유논제

'우윤'과 '규림'은 써핑을 배우기 위해 함께 레슨을 받습니다.

그러나 같은 활동을 하였음에도 불구하고, 체력적으로 워낙에 약한 '우윤'은 피곤해서 바로 쓰러질 것만 같았는데, '규림'은 아무렇지도 않은 듯했습니다.

'우윤은 사촌동생이 무척이나 부러웠지만 꼬인 마음을 가지지 않으려 노력했다. 누군가는 건강하게, 좋은 운동신경을 가지고 태어나고 누군가는 그렇지 않은 것이다. 그뿐이었다.' (문학동네 p102)라고 좋게 생각하려고 노력합니다.

여러분은 이 부분을 어떻게 보셨나요?

여러분은 노력으로도 도저히 극복할 수 없다고 느낀 본인의 태생적인 한계, 그리고 자신이 가지지 못한 것에 대한 부러움을 느껴본 경험이 있었나요?

그때 그것을 인정하며 받아들이거나, 극복하기 위해 고군분투 하였거나, 안타깝고 괴로운 마음을 떨쳐버릴 수 없어서 괴로웠거나 했던 다양한 경험들이 있었다면 함께 이야기 나누어 봅시다.

❾자유논제

'화수'는 직장에서 앙심을 품은 거래처 사장의 '염산테러'라는 큰 사고를 당하면서 PTSD(외상후 스트레스 장애)를 겪게 됩니다. 하와이의 맛있는 팬케이크 가게에서 주문한 음식이 나온 것도 모를 정도로 멍하게 앉아있으면서 '가끔은 나쁜 기억들에 잠겨 몸 안에 갇히는 기분이 들었으니까. 그럴 때는 말도 잘할 수 없었으니까.' (문학동네 p111)라는 생각을 합니다.

여러분은 이 장면을 어떻게 보셨나요?

PTSD(외상후 스트레스 장애)에 대한 직/간접 경험이나 알고 있는 지식, 생각하는 바가 있다면 함께 이야기 나누어 봅시다.

❿자유논제

심시선 여사는 저서 『잃은 것들과 얻은 것들』(1993)에서 '인간의 폭력성'에 대한 소회를 이야기하는데요,

누구에게나 공격성은 있지만, 그것이 희미한 사람과 모공에서 화약 냄새가 나는 사람들의 차이는 컸다. 나는 단단히 마음먹고선, 어찌 살아남았나 싶을 정도로 공격성이 없는 사람들로 주변을 채웠다. 첫 번째 남편도 두 번째 남편도 친구들도 함께 일했던 사람들도 야생에서라면 도태되었을 무른 사람들이었기에 그들을 사랑했다. 그 무름을, 순정함을, 슬픔을, 유약함을. (문학동네 p125)

마티아스 아우어는 그런 면에서 예방주사에 가까웠던 셈인데, 그런 예방주사 두 번 맞았다간 죽을 일이었다. 조각하다가 아예 부숴버리기도 하지만, 폭력에서 살아남은 사람은 폭력의 기미를 감지할 수 있게 되는데, 그렇게 얻은 감지력을 유용하게 쓰는 사람도 있고 절망해 방치해버리는 사람도 있어서 한 가지 결로 말할 수는 없다. 나는 치욕스러운 경험도 요긴한 자원으로 썼으니 아주 무른 편은 아니었던 듯하다. (문학동네 p126)

———————————————————————————

여러분은 이 부분을 어떻게 읽으셨나요?
'인간의 폭력성'에 대한 각자의 생각을 나누어 보아요

❶자유논제
'마티아스'는 결국 '시선'에게 연서 겸 유서를 남기고 자살합니다.

———————————————————————————

사랑했기에 나의 배신을 견딜 수 없었다 썼고, 그럼에도 그림과 집과 모든 재산을 내 앞으로 남겼으므로 나는 온 유럽의 증오를 받아내야 했다.

재능 있는 화가를 파멸로 몰아넣은 아시아 마녀가 되었다.

...(중략)...

어떤 자살은 가해였다. 아주 최종적인 형태의 가해였다.

그가 죽이고 싶었던 것은 그 자신이기도 했겠지만 그보다도 나의 행복, 나의 예술, 나의 사랑이었던 게 분명하다.

그가 되살아날 수 없는 것처럼 나도 회복하지 못했으면 하는 집요한 의지의 실행이었다. (문학동네 p178)

여러분에게 이 부분은 어떻게 다가왔나요?

살아남은 시선의 입장과 떠나간 마이어스의 입장에서,

각자의 느낌을 함께 이야기 나누어 봅시다.

⓬선택논제

'시선'은 『한국 XXXX 부모 연합 초청 강연(1984)』에서 자녀교육에 대한 자신의 생각을 밝히며, 학부모들에게 당부합니다.

자기 자식이 어떤 성품인지 다 아실 테니 재능이 있고 없고를 떠나, 하지 않으면 스스로를 해칠 것 같습니까? 즐겁게 그리고 쓰고 노래하고 춤추는지, 하지 않으면 괴로워서 하는지 관찰하십시오, 특히 후자라면 더더욱 인생의 경로를 대신 그리려고 하지 마십시오, 그런 아이들을 움직이는 엔진은 다른 사람이 조작할 수 없습니다. 네, 다른 사람입니다. 부모도 결국 다른 사람입니다. 세상에 대한 지나친 환상을 걷어내주시기야 해야겠지만, 가능성이 조금 번쩍대다 마는지 오래 타는지 저가 알아서 확인하도록 두십

시오 (문학동네 p220~221)

여러분들은 이 부분을 어떻게 읽으셨나요?

내가 부모로부터 받은 양육이나 교육, 혹은 내 자녀를 키우며 가졌던 나의 생각과 경험에 기초하여, 자녀교육에 대한 심시선 여사의 가치관을 어떻게 생각하는지 한 가지를 선택해 보고 각자의 의견을 나누어 봅시다.

A : 동의한다.

B : 동의하지 않는다.

⓭선택논제

'시선'은 자신의 저서 『어쩌다보니 마지막으로 남은 사람(2002)』에서 평소 자신이 갖고 있는 예술적 재능에 대한 소신을 밝혀 서술합니다.

누군가는 유전적인 것이나 환경적인 것을, 또는 그 모든 걸 넘어서는 노력을 재능이라 부르지만 내가 지켜본 바로는 질리지 않는 것이 가장 대단한 재능인 것 같았다. 매일 똑같은 일을 하면서 질리지 않는 것. 수십 년 한 분야에 몸을 담으면서 흥미를 잃지 않는 것. 같은 주제에 수백 수천 번씩 비슷한 듯 다른 각도로 접근하는 것.

...(중략)...

예외는 있지만 주제도 한둘이었다. 각자에게 주어진 질문 하나에온 평생으로 대답하는 것은 질리기 쉬운 일이 아닌가?

그런데도 대가들일수록 질려하지 않았다. 즐거워했다는 게 아니다. 즐거워하면서 일하는 사람은 드물다. 질리지 않았다는 것이 정확하다.

그러므로 만약 당신이 어떤 일에 뛰어난 것 같은데 얼마동안 해보니 질린다면, 그 일은 하지 않는 것이 낫다.

당장 뛰어난 것 같지는 않지만 하고 하고 또 해도 질리지 않는다면, 그것은 시도해볼 만하다. (문학동네 p288~289)

───────────────────────────────────

그녀가 독일 체류시 화가를 꿈꾸었지만, 조국으로 귀국 후에는 미술 작업을 하지 않고 평생 글을 쓰는 작가의 길을 선택했는데요,

자신이 지켜본 바로는 '질리지 않는 것이 가장 대단한 재능인 것 같다.' (문학동네 p288)라고 확언합니다.

여러분은 이 부분을 어떻게 읽으셨나요?

한 가지를 선택해 보고 각자의 의견을 나누어 봅시다.

A : 동의한다.

B : 동의하지 않는다.

⓮자유논제

'묻지마 범죄'가 비일비재하게 일어나는 현대 사회에서 '염산테러'라는 끔찍한 사고를 겪은 후 PTSD(외상후 스트레스 장애)에 고

통받고 있는 '명혜'의 큰딸 '화수'는 말합니다.

"할머니 덕에 중산층이 몰락하는 시대에 몰락하지 않을 수 있었죠. 행운이란 걸 알아요. 그래도 요즘 여자들이 아이를 낳지 않는 걸 모조리 경제적인 이유로 설명할 수는 없어요. 공기가 따가워서 낳지 못하는 거야. 자기가 당했던 일을 자기 자식이 당하는 걸 상상하는 것만으로도 견딜 수가 없어서, 혼자서는 지켜줄 수 없다는 걸 아니까. 한국은 공기가 따가워요" (문학동네 p322)

그러면서 아이를 갖지 않을 결심을 밝힙니다.
여러분은 이 부분을 어떻게 읽으셨나요?
우리 사회의 저출산 문제에 대해 함께 이야기 나누어 봅시다.

⓱자유논제
이 책에는 많은 인물들이 등장합니다. 작가가 책의 첫머리에 '심시선 가계도'를 소개하고 있는데요, 그 가계도의 흐름이 시선으로터 뻗어 나온 '모계'라고 할 수 있습니다.
'태호'는 '전형적인 집안에서 태어나 뭔지 알 수 없는 집안으로 장가를 왔다'(문학동네 p274)라고 자신의 인생을 한 줄로 요약하기도 하였고, 등장인물이 저마다 지니고 있는 각각의 서사가 흥미롭게 펼쳐지는 장편소설이었습니다.
여러분에게는 등장 인물들 중 어떤 인물이 가장 인상적으로 다가왔나요? 딱 한 사람을 꼽아보고, 그 이유를 함께 나누어 봅시다.

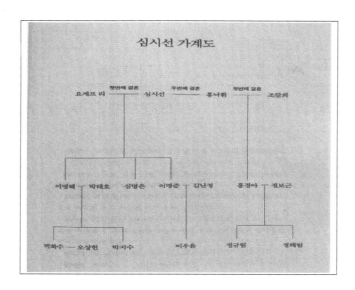

심시선 가계도

⓰기타 보충사항

그 밖에 함께 이야기 나누어 보고 싶은 자유논제 또는 선택 논제
가 남아 있다면 자유롭게 내어놓고 함께 이야기 나누어 보아요

⓱전체적인 소감 및 마무리 발언

이번 '함께읽기책'과 오늘의 '독서토론'에 대한 소감 및 전체적인
마무리 평가를 해 주세요

⓲인상 깊었던 문장이나 핵심 메시지 & 한 줄 총평

'기억에 남는 의미로운 구절이나 핵심 메시지 한마디' 또는 '한
줄 총평'을 해주세요

▶ 책리뷰

►내가 준 별점 (4.5)

나는 현재 시점에서 핫하게 떠오르는 책들보다도 출간된 지 몇 해 지나면서 꾸준히 좋은 반응을 얻고 있는 책들에 대해 더 높은 신뢰도를 갖는 편이다. 이 책 또한 그런 책 중 하나로 2020년에 초판이 나온 이후로 끊임없이 출반 부수를 올리면서 많은 독자들로부터 꾸준한 사랑을 받고 있는 작품이다.

이 책을 예전에 대충 훑어보듯 가볍게 읽었던 적이 있었고, 이번에는 북토크 모임을 위해 꼼꼼하게 읽었는데, 꽤 높은 별점을 기본으로 주고도 남을만큼 훌륭한 작품이었다.

한 인간을 구성하는 데에는 유전자/환경/교육/성격/능력 등등 많은 요소들이 있는데, 그중 선대로부터 후대로 이어지는 필연적인 어떤 것들로부터 받는 영향은 그 비중이 참 크다는 생각을 하게 만드는 소설이었다. 또한 어느 시대에 어디에서 태어났느냐에 따라 삶이 크게 달라질 수 있는 만큼, 한 인간의 삶에서 외부적인 조건으로부터 자유로울 수 없다는 것도 부정하기 어렵다.

이 소설은 전체적으로 짜임새가 있고 분명 잘 쓰여진 훌륭한 소설이다. 그러나 모든 사건이 작가의 치밀한 설계에 의해 다소 작위적으로 배치되고 살짝 무리하게 끼워넣은 듯이 인위적인 느낌이 살짝 있어서 리얼리티라는 관점에서는 좀 거리감이 느껴졌던 게 사실이었다. 작가가 너무 많은 이야기들을 다루려는 의욕이 앞서다 보니 사건마다 의미있는 사회적 이슈들을 빼놓지 않고 모두다 다루고 싶다는 욕심이 과해져서 전체적인 스토리 전개가 좀 부자연스럽고 숨이 막히는 듯한 느낌도 살짝 들었다.

그리고 등장인물들이 다소 많은 편이라 책을 읽는 도중에 책 첫 페이지에 작가가 친절하게 첨부해 놓은 '심시선 가계도'를 왔다 갔다 들춰가며 인물 간의 관계에 대한 이해도를 높여가며 책을 읽어야 하는 번거로움도 있었다

이렇게 많은 인물들을 등장시켜 각 캐릭터들이 품고 있는 이야기를 다채롭게 다루려는 작가의 의도는 충분히 이해할 수 있겠지만, 한편으로는 너무 여러 명이 등장하여 각 등장인물들의 서사가 펼쳐지다 보니 겉만 살짝 건드리다 말아버리는 느낌이었다.

차라리 등장캐릭터를 조금 더 축소하여 각각의 인물들에 집중하여 깊이있게 들어갔다면 더 좋지 않았을까 하는 생각도 해보았다.

사람은 누구나 자기가 아는 만큼의 식견 내에서 세상을 볼 수밖에 없는데, 작가 또한 자기 삶의 경험치 안에서 본인의 시선으로 본 세상사들을 소설에 녹여낼 수밖에 없다. 그러니 젊은 작가의 한계적인 세상 경험 내에서 이야기를 풀어내는 입장이라는 것을 이해할 수 있었으나, 중년의 내가 보기에는 다소 얕게 느껴지지고 아쉬움이 살짝 드는 것은 어쩔 수 없다 싶었다.

그럼에도 불구하고 다이내믹한 서사에 빠져들게 하는 흡입력이 있는 소설이라서 재미있게 읽었다. 정세랑 작가가 스토리의 구성력과 전개 방식이 참 독특하면서도 광범위하다는 생각이 들었고, 젊은 작가의 훌륭한 필력에 반백의 늦깎이 소설가 지망생으로서 많이 부러운 마음이 들었다.

단지 다수의 등장인물 만큼이나 우리 역사의 과정과 현실 사회의

여러 문제들에 대해 너무 많은 담론들을 한꺼번에 다 다루고 싶은 욕심이 과해서, 다소 산만하고 복잡한 소설로 독자를 부담스럽게 만드는 면은 작은 옥의티 정도의 아쉬움으로 남기게 된다. 아무튼 이 소설은 극찬을 받을만한 매력적인 서사였고, 정세랑 작가가 앞으로 길이길이 뻗어나갈 문학적 성과가 무척이나 기대되는 마음으로 이 훌륭한 소설에 대한 호감을 무한대로 표현하고 싶다.

►소감 및 마무리 발언

최근 문학계에서는 현대 젊은 작가들의 약진이 눈부신데, 과거의 작가들에 비해 좀 진지함과 무게감이 줄고 다소 가벼워진 느낌을 받는다는 책친구님의 앞선 의견에 나 또한 비슷한 생각을 갖고 있으며 동조하는 입장이다. 그러나 작가가 이 정도로 긴 호흡의 소설을 완성도 있게 써낸 필력에는 놀라움을 금할 수 없었다. 현재도 충분히 훌륭하지만 앞으로 탄생할 다음 작품들이 더더더 기대되는 정세랑 작가였다.

이 소설은 시공간적 배경의 범위가 무척 넓고, 등장인물들이 참 많았다. 그래서 '수박 겉핥기'식으로 이야기를 하다말고 다음 서사로 넘어가는 듯한 느낌을 받게 만드는 아쉬움이 살짝 있었다

역사, 특히 근현대사에 대한 관심이 많은 나는 우리나라가 일제강점기와 해방, 그리고 6.25전쟁과 분단을 겪는 과정에서 일어난 수많은 일들을 모티브로 한 다양한 문학작품과 영화들에 흥미롭게 빠져들었고는 했었다. 그럴 때마다 그 시대적 배경을 진지하게 생각하게 되었고, 질곡의 시대를 살아가며 온갖 고난을 겪어

야 했던 수많은 사람들, 특히 여성의 삶에 대해서 몰입하게 될 때가 많았다.

이 책은 20세기로부터 21세기를 관통하는 여러 인물들이 등장하여 참 많은 이야깃거리들을 전개해 나갔다. 그런 만큼 대화를 나눌 부분이 너무 많아서 이번달 북토크 시간이 그 어느 때보다도 빠르게 흘러가고 책수다에 즐겁게 몰입되었다.

기존 책친구님들도, 또다시 돌아와 합류하신 신입인 듯 아닌 듯한 책친구님도 모두 함께 할 수 있어서 감사하고 즐거운 시간이었다.

코로나 상황이 언제 종식될지 그 끝을 알 수도 없고, 오프모임에 대한 제약이 많다 보니 여러가지로 불편하고 불안한 마음이 있고, 현실적인 방안의 하나로는 줌 화상으로도 만나 미팅을 할 수도 있었다. 그렇지만 여러 제약을 뚫고 정해진 방역규정을 지키는 선에서 오프에서 만나 책모임을 갖는 것조차 어려워진다면 좀 슬퍼질 것 같다. 아무쪼록 각자 개인방역에 신경 쓰면서 할 수 있는 한 계속 책모임을 이어나갈 수 있기를 바란다.

이번 북토크 책은 참신하고 새로웠다는 의견이 많이 나왔다. 이런 독특한 작품을 쓰게 된 정세랑 작가의 삶이 궁금해져서 작가의 또 다른 작품들도 찾아 읽어보고 싶은 마음이 들었다.

뜻밖의 코로나로 활동의 제약이 있는 만큼, 어딘가에 들어앉아 책읽기에는 참 좋은 기회라는 아이러니한 상황에 대해 되도록이면 긍정적인 생각으로 마음껏 누리고자 한다.

►핵심 메시지 & 한 줄 총평

✔후대에 대한 나의 영향력이 클 수 있다는 걸 깨달았다.

✔나의 유전자와 내 삶이 후손들에게 끼칠 영향력에 대해 생각하면 두렵다.

✔사랑하는 사람에게 잘해 주고 싶었던 거야. 그 사람이 죽고 없어도.

✔용기는 절실함에서 나온다.

✔자기결정권을 끝까지 잃지 않고 주체적인 삶을 살다 간 심시선 할머니가 참 좋다.

✔나도 심시선처럼!(선한 영향력을 끼치는 사람이고 싶다.)

✔언제나 말줄임표보다는 필요할 땐 표현하는 사람으로 거듭나 보자.

✔시대 너머를 볼 수 있는 사람이 진보적인 미래의 토대가 된다.

✔호랑이 굴에 들어가도 정신만 차리면 산다.

✔삶에 능동적인 사람만이 꿈을 이룰 수 있다.

✔피 속에 흐르는 뿌리에 대한 자부심은 삶의 동력이 된다.

✔개선하고 발전하려면 아집에 가까운 고집이 필요하다.

✔나에게 어울리고 맞는 시대에 태어나는 것도 운일까?

시대 너머를 볼 수 있는 사람이 진보적인
미래의 토대가 된다.

- 『시선으로부터,』(정세랑 著)을 읽고 -

♣ 제 갈 길을 아는 사람에게 세상은 길을 비켜준다.

-찰스 킹슬리 -

이 책을 처음 받아들었을 때 먼저 『시선으로부터,』라는 제목이 눈에 들어왔다. 제목 말미에 쉼표가 찍혀 있는 것이 인상적이었는데, 작가가 제목 끝에 왜 쉼표를 찍었을까에 대해 곰곰이 생각해 보았다. 작가가 숨겨놓은 의미심장한 의도를 찾아보아야겠다는 호기심으로 집중하며 책을 읽기 시작하였다.

책을 완독하고 나서는 삶의 시련에 절망하며 마침표를 찍지 말고, 힘들 땐 한 호흡 쉬고 앞으로 계속 나아가라는 의미를 쉼표에 함축적으로 싣고 싶었을 작가의 마음이 느껴졌다. 또한 작가가 제목의 끝에 쉼표를 찍은 것은 뭔가 단편적이지 않은 다양한 이야기들을 하기 위해 심호흡이 필요했음에서 비롯되었을 듯하다는 생각도 들었다.

즉, 이 소설은 '심시선'이라는 주인공 인물을 중심으로 전개되는 방대한 이야기들, 그리고 그녀로부터 뻗어 나온 자손들의 이야기들인 동시에, 과거에나 지금이나 여전히 세상과 타인의 '시선으로 부터' 자유로울 수 없는 여성들의 삶에 대한 현실 인식과 사회 고발적 의미를 동시에 상징하는 중의적인 제목이었다는 것을 완독 시점에서는 자연스럽게 깨달을 수 있었다.

책을 읽기 시작하며 첫 페이지를 넘겼을 때 가장 먼저 만나게 되는 것이 '심시선 가계도'였다.

책의 첫 장에 '심시선 가계도'를 첨부해 놓은 것이 작가의 의중이었을지, 아니면 출판사 편집자의 아이디어였을지 정확히 알 수는 없었지만, 소설 속에 등장하는 인물의 총원이 워낙 많았기에 읽는 도중 중간중간 가계도가 있는 첫 페이지로 회귀하여 인물 간의 관계를 이해해가며 책을 읽어 나갔다. 그렇게 하니 스토리 전개 과정이 더 잘 연결되고 인물에 대한 이해도 한층 높아졌던 것을 보면 이 가계도를 맨 앞에 배치한 것은 분명 성공적인 편집이었다는 생각이 들었다.

나는 정세랑 작가의 작품을 접할 때마다 참 독특한 세계관을 가진 작가이며, 이 세상에서 일어나는 다양한 일들과 각양각색의 인물들을 다각도로 입체화시켜 볼 수 있는 넓은 시각을 갖고 있는 작가라는 생각을 하곤 했었다. 이전에 '목소리를 드릴께요'라는 작품을 읽었는데, 그때에는 작품 속 디스토피아적인 배경 설정과 스토리 전개를 보면서 어떻게 이런 기발한 발상을 하여 그토록 독특한 이야기로 소설을 구조화 시켰을까 싶은 것이, 정세랑 작가의 상상력에 놀랐던 기억이 남아 있다.

장편 '시선으로부터' 또한 작가가 평소 세상의 온갖 삼라만상에 얼마나 많은 관심을 갖고서 깊게 사유하는 사람인지를 느낄 수 있었다. 등장인물의 숫자가 참 많은 것이 하나의 특징이기도 한 이 작품에서는, 주인공이라 할 만한 특정 인물이 소설의 중심 서사를 끌고 가고 있지 않았다. 등장인물 하나하나가 모두 각자의 독보적인 개성을 지니고 있으면서 각기 다른 이야기들을 하고 있으나 그렇다고 해서 산만하지는 않다. 오히려 하나의 큰 주제 하에 여러 편의 이야기들이 전개되는 옴니버스 형식과 같이, 각 캐릭터들의 각기 다른 사연을 담은 스토리들이 한데 어우러져서 소설 전체의 튼튼한 구조를 만들어냈다. 작가가 소설구조를 설계하는 기본기가 탄탄하고 긴 호흡으로 이야기를 재미있게 펼쳐내는 필력이 잘 갖추어진 작가라고 느껴져서 존경과 부러움의 마음이 동시에 일어났다.

이 소설이 젊은 여성 작가가 '심시선'이라는 주인공 여성의 삶에 초점을 맞추고 풀어나간 이야기라고 하여 페미니즘 문학으로 회자되기도 했다는 이야기를 들었다. 얼핏 '여성의 삶'이라는 관점에서 볼 때 이 사회로부터 남성에 비해 차별받고 여러 기회를 부여받지 못하는 현실 상황이 분명 존재하였고, 그런 불평등하고 모순된 구조 속에서 똑똑하고 의식 있는 여성이 자신의 꿈과 이상을 어떤 식으로 구현해 낼 수 있겠느냐에 대한 방법을 고민하게 만들어 주었다는 점에서 페미니즘의 굴레를 덧씌워 말하기 좋은 조건의 스토리이이긴 했다. 그러나 그건 좀 지엽적인 관점인 듯 하고, 인간의 삶과 사회구조의 모순이라는 큰 틀에서 다양한 주제 의식을 갖고서 세밀하게 바라볼 줄 아는 젊은 작가의 혜안

이 섬세하게 느껴져서 참 의미있는 작품이었다.

인간과 삶의 아름다움과 추함에 대해 다각도로 생각하게 만드는 힘을 갖고 있는 소설이므로 문학 자체로도 충분히 가치가 있으며, 여성과 가족/혐오와 차별/예술/생태 등 다양한 사회현상에 대한 논제를 던져주는 의식 있는 이야기라는 평가를 하는 것이 충분히 가능하다는 생각도 들었다.

이렇듯 다양한 이야깃거리를 담고 있으니 초판 이후 현재까지 쇄를 거듭하여 끝을 모르고 달려가는 중인 만큼 수많은 독자들로부터 꾸준한 사랑을 받고 있는 베스트셀러가 되었겠구나 충분히 이해가 되었다.

이 소설의 주인공인 '심시선'여사는 우리나라의 근현대사를 온몸으로 겪어내며 격변의 세월을 관통해 온 역사적 인물이라 해도 과언이 아닐 정도로 우리나라의 격동기를 살아낸 사람이었다. 꽃다운 청춘기의 심시선은 6.25 전쟁 통에 남한으로 피난을 내려왔으며 가족의 학살 소식을 들었다. 이후로 당시 새로운 삶을 찾아 희망의 땅이라고 알고 떠났던 수많은 하와이 이주 노동자들에게 성행했었던 '사진신부'를 매개로 낯선 땅 하와이로 떠나게 되었다. 막상 하와이에 도착해서는 병약해진 결혼상대자의 죽음으로 결혼하지 않았고, 세탁소 등에서 고된 막노동을 하며 생활해 나간다. 그러다가 도로에서 우연히 만나게 된 유명화가 마티아스를 따라 독일로 이주하게 된다. 총명하며 그림에 소질이 있었던 심시선을 딱 알아본 그 화가가 공부도 시켜주며 교육과 발전의 기회를 주겠노라는 달콤한 제안을 하니 따라나서지 않을 수 없었을 것이다. 그러나 진실성을 알 수 없었던 그는 심시선에게 노동을 비롯한 온갖 착취, 성차별, 인종차별에 이르기까지 갖가지 가학적인 일을 자행했다. 그런 가운데서도 절망하거나 포기하지 않고 몸을 낮추고 숨을 죽이는 가운데 자신이 할 수 있는 일들을 찾아 하면서 학업과 그림을 지속하여 일정한 성취를 이루어 낸 심시선의 의지력과 영민함이 대단했구나 짐작할 수 있었다. 이후로 독일인 전시기획자와 결혼을 하여 아이 셋을 낳았으나 그 결혼도 지속되지는 못했다. 한국인 남자와 또다시 결혼을 하게 되는데 그것이 심시선의 마지막 결혼이 된다.

그토록 하고 싶었던 미술작업은 독일에서의 고통스러웠던 나날들을 묻어버리고 싶었던 듯 한국으로 돌아와서는 더 이상 지속하지 않게 되었으며, 이후로 문학으로 전향하여 글을 쓰는 일에 매진하며 강연도 수차례 하게 된다. 그러나 한국사회의 보수성으로 인해 그녀의 범상치 않은 삶의 이력이 곱게만 비춰지지 않는다. 삶 자체가 주체적이었던 그녀는 어디 가서 무슨 말을 하든지 자신의 의견을 명확하고 거침없이 말하게 된다. 그런 그녀의 모습이 자기 의견을 너무 강하게 내세우며 나대고 시끄러운 여자 쯤으로 치부되기도 하고 목소리를 너무 낸다며 곱지 않은 시선으로 바라보는 사회적인 분위기가 감지되기도 하는것이 어쩔 수 없는 한국 사회의 현실이었던 것이다. 특히 한 TV토론에 나와 우리나라의 뿌리 깊은 제사 문화의 모순에 대해 강하게 비판하는 듯한 어조의 의견을 말하게 되는데, 의미는 온데간데 없고 형식만 강조된 제사 문화의 무의미성을 이야기함으로써 사람들의 고정관념을 흔들어 놓게 된다. 어머니 심시선의 파격적인 행보는 수없이 많았지만, 특히 제사에 관한 어머니의 이런 생각을 강렬하게 기억하게 된 탓이었는지, 심시선 사후에 그 후손들이 어머니의 제사를 지내지 않는다. 그러다가 10주기가 되는 시점에서 심시선으로부터 뻗어 나온 자손들, 즉 그녀의 딸들과 아들, 그리고 사위와 손주들이 모두 한자리에 모인다. 각자가 심시선 할머니와의 추억이 담긴 유형/무형의 어떤 것들을 가져와 가족들과 공유하면서, 주체적이고 독립적인 삶을 훌륭하게 살아냈던 고인을 기리는 특별한 시간을 공유하기로 한다. 그렇게 하여 여러 음식을 차려 놓고 절을 하는 기존의 형식적인 제사 이상의 특별한 의미를 내포하는 기일을 만들어 보자는 취지로 떠난 하와이 여행이 이 소설의 바탕이 되었다.

심시선은 두 번 결혼했고 배다른 자식을 포함해 네 명의 자녀를 두게 되었다. 또 그 자식들이 결혼해 얻게 된 다섯 명의 손주들까지 하여 일명 '심시선 일가'를 이루고 세상을 떠났다. 매우 가부장적이고 남성 위주의 사회라 해도 과언이 아닐 만큼 보수성이 강한 한국 사회의 풍토 속에서 어쩌면 모계 사회에서나 볼 수 있을 법한 어머니 심시선을 중심에 놓고 그녀로부터 뻗어 나온 일가의 이야기를 그려낸 작가의 관점이 상당히 진보적이라는 생각이 들었다. 그러면서도 한편으로는 이런 설정이 다분히 의도적이라는 확신도 들었다. 게다가 이 소설에 등장하는 인물들의 특성을 보자면 심시선을 비롯해 여자로 대표될 수 있는 딸들은 하나같이 독립적이고 자신만의 개성이 강한데 반해, 아버지와 아들,

사위에 이르기까지 남자들은 물렁하고 우유부단하고 존재감이 미약하며 참 쉬운 사람들로 그려지고 있다는 것이 살짝 웃음을 자아내기도 했다. 어쩌면 그간 남성 위주의 사회에서 억눌리고 핍박받으며 차별을 받아온 여성들의 한을 통쾌하게 날려주고 싶기라도 한 듯, 작가가 형평성을 잃었던 건 아닐까 싶을 만큼 뭔가 등장인물들 간의 균형은 맞춰지지 않고 기울어져 있는 상황이어서 조금은 비현실적이기도 하면서도 내심 통쾌한 해방감이 들기도 했다. 이렇게 비약적으로 표현하지 않는다면 언급하고 토론하며 변화를 꾀할 가능성이 희박해 질만큼, 우리 사회에 오랜 세월 쌓여온 남성 위주의 고정관점들이 대단히 견고하다는 사실을 드러내는 방증이기도 한 이야기였다.

이 소설의 제목처럼 이 소설의 이야기들은 '시선으로부터' 뻗어나온 줄기들에 주렁주렁 달려 엉글어갔다. 그러나 시선의 자손들을 통하여 작가가 하고자 했던 말들은 우리 사회 곳곳에서 일어나고 있는 다양한 문제들에 관해 관심을 가져야 한다는 의미임을 깨달을 수 있었다. 지금도 어디에선가 아무렇지도 않게 자행되고 있는 갖가지 차별과 폭력, 무분별한 묻지마 범죄와 테러, 진실의 왜곡, 집단따돌림, 갑과 을의 관계, 숨막히는 기업문화, 피해자를 가해자로 만드는 어리둥절하고 참 이상한 언론, 심각한 환경문제 등등 어쩌면 이렇게 다양한 문제들을 하나의 소설에 다 집어넣을 수 있었을까 신기할 정도였다. 작가가 우리 사회의 병폐를 논할 때 나올 수 있는 논제들을 다 끌어다 모아놓은 것 같다는 생각도 들었다. 그래서 대단한 작가라고 엄지척!을 하고 싶은 마음이 한 가득인 가운데 한편으로는 너무 많은 이야기를 한꺼번에 다 다루려는 작가의 욕심이 지나쳐서 자칫 산만해지기도 하였다. 어떤 문제에 집중해서 깊게 파고 들어갈 수 없이 수박겉할기 식으로 스치듯 지나쳐 버릴 여지도 있다는 안타까움이 살짝 들었다. 그러나 작가가 다루고 싶었던 우리 사회의 병폐와 각종 문제점들이 어제도 오늘도 내일도 끊임없이 일어나고 이어지고 있는 우리 모두의 문제이니만큼 어느 하나도 소홀히 간과할 수는 없다는 작가의 메시지는 충분히 느낄 수 있었다.

우리나라 역사를 생각하면 늘 슬픈 감정이 올라온다. 특히 우리의 근현대사는 참 힘든 격동기였고, 그 속에서 살아남기 위해 발버둥 쳐야 했던 사람들의 모습을 떠올리면 마치 내가 그 시절 속에 함께 서 있는 것과 같은 아픔이 느껴진다. 격동과 역경의 시대에 태어난 사람들, 특히 여자들, 더더욱이 예술가들! 그들의 삶을 생각하면 차라리 울고 싶어진다는 작가의 말에 크게 공감한다. 어려운 시절에 태어난 여자 예술가들이 그 여리고 예민한 감수성을 존중받지 못하고 제대로 발현할 기회조차 얻기 힘든 상황에서 자신의 고유성을 지켜낼 수 없었을 모진 삶을 온몸으로 받아내며 버티듯 살아내야만 했을 상황을 생각하면 마음이 숙연해진다.

여자로 태어나 누군가의 딸로, 아내로, 엄마로, 할머니로 살아가는 많은 여성들이 자신이 진정으로 원하는 것을 찾아 씩씩하게 집중하고 일정한 성취를 맛보며 삶의 기쁨을 누릴 수 있었으면 좋겠다. 주어진 역할에만 충실하느라 자신의 고유성을 잃어버리게 되는 일이 가장 슬픈 일인 것 같다. 이 땅의 많은 여성들에게 자신을 지나치게 희생시키면서 자기만의 특성과 개성을 잃어버리지 말고 세상의 풍파에 결코 굴하지 않으면서 자신을 지켜내라고, 그리고 모순된 세상에 용감하게 맞서서 한발한발 앞으로 나아가라고 작가가 응원의 메시지를 이 소설을 통해 보내주고 있는 듯했다.

한편 빠른 시간 안에 사회/경제/문화/예술 분야를 총망라하여 모든 것들이 괄목할 만한 발전을 이루어 낸 현재 우리나라의 모습을 보면 그저 대단하기만 하고, 내가 현재 누리고 사는 많은 것들에 대해 새삼 감사한 마음이 든다. 그러나 사실 큰 틀에서 생각해 보면 현재 우리 사회가 본질적으로는 그 옛날에 비해 그다지 많이 진보한 것도 딱히 없다는 냉철한 생각도 든다. 우리 사회 곳곳에서는 여전히 차별과 억압은 만연해 있고, 기회는 균등하지 않다. 혼자 어디 산골에 들어가 자연인으로 살 수도 없고, 사회라는 공동체 안에서 살아가는 이상 사회 구성원으로서 주어진 역할을 잘 해나가야 하는게 가장 중요하지만, 너무 기계적으로 주어진 역할에만 충실하면 한 인간의 고유성이 없어지면서 사람이 도구화될 것이다. 그렇다고 해서 이기적으로 자신만을 생각하고 살아가게 되면 여러 병폐가 쌓여서 결국에는 사회가 흔들거리다가 무너져 버리게 될 것이다. 그러니 서로를 보듬고 더불어 상생하는 방향으로 함께 나아가야 하는 것이 어렵고 더딘 길일지라도 마땅하며 바람직한 방향이라는 것을 늘 상기하여야 할 것 같다.

타인의 시선을 아예 무시할 수도 없고, 그 시선을 너무 의식하면서 살 수도 없다. 타인과 더불어 살아가면서 함께 행복할 수 있는 상생의 공동체를 이룰 수 있는 그런 사회를 지향해 나가되, 저마다 자신만의 고유한 특성을 결코 잃지 말고 굳건히 지켜내면서 한발씩 앞으로 나아가면서 적당한 때가 되면 활짝 꽃피울 수 있는 행복한 삶을 살아갈 수 있었으면 좋겠다.

코로나 상황이 자꾸만 어렵게 나아가고 있다. 개인적으로는 3차 부스터샷을 맞으면서도 언제까지 이 주사를 이렇게 이어 맞으며 살아야 하는 걸까 걱정과 두려움도 들고 회의감이 밀려들었다. 코시국이 너무 장기화되다 보니 사람들이 지쳐가기도 하고 특히 의료인들의 수고가 이만저만이 아닌 것이 미안하고 고맙다.

코로나 시국에도 불구하고 책모임을 진행하면서 어려운 시간을 쪼개고 서로의 스케줄에 맞춰 모여 북토크를 나누는 시간조차도 어렵게 된다면 얼마나 답답하고 안타까울까를 생각했다. 아무쪼록 회원님 모두가 개인 방역에 신경 쓰면서 건강한 생활을 유지해 나갈 수 있기를 바랄 뿐이다. 취미 친구들과 만나 책에 관한 이야기를 나누는 순간은 늘 즐겁다. 이번달 책모임에 함께 모여 즐거운 책수다를 나누어 주신 소중한 책친구님들께 진심으로 감사드린다.

Epilogue

♣ 길을 잘못 들어섰다고 해서 걱정하거나 후회할 필요는 없다.

녹음이 더욱 짙어지던 아름다운 늦여름의 어느 한가했던 휴일에 지인들과 산행을 다녀왔던 일이 문득 생각납니다.

평소 운동부족인데다가 체력도 좋은 편이 아닌 저는 등산에는 호감도 취미도 없으며, 기껏해야 가까운 공원이나 평탄한 평지길을 산책하듯 살방살방 걷는 것은 좋아합니다.

함께 가면 산 정상에 어렵지 않게 오를 수 있고 완주하면 재미와 보람을 느낄 수 있을 거라는 지인들의 거듭된 권유와 설득에 넘어가 집을 나서기는 했는데, 내가 과연 이 다이내믹한 코스를 완주할 수 있을까 반신반의했습니다. 하지만 든든한 동행자들을 믿고 도전하는 마음으로 적어도 민폐는 되지 말아야겠다 생각하며 즐겁게 참여했었습니다.

그날 산행에는 반백살을 넘어선 중년의 네 여자들이 함께 하였는데, 푸르른 녹음이 더욱 짙어진 산어귀에 도착하여 편안한 동행님들과 함께하는 길은 설렘과 행복감을 가져다주었습니다.

허덕거리며 산길을 걸으면서도 끊임없이 오가는 대화들이 정겨웠고, 산허리 샛길에 내려놓듯 툭툭 터놓는 솔직담백한 개인사들을 통해 사람 사는 다양한 세상 이야기들을 나누며 생각을 교류할 수 있었던 시간이 참 좋았습니다.

아름다운 자연의 풍광이 전해주는 한가함과 평화로움은 그간 쌓여있던 마음의 피로와 긴장감을 자연스럽게 녹여주었고, 개인적 친분이기보다는 사회적인 관계에 더 가까웠던 동행님들에 대한 부담감을 풀어주면서 서로의 경계를 무너뜨리고 진솔한 대화와 소통을 가능하게 만들어 주었습니다.

비교적 평탄한 길이 이어질 때에는 재잘재잘 떠들다가, 가파른 길을 오를 때에는 너나 할 것 없이 어느새 말이 없어지고 웃음기가 사라지는 것도 재미있었습니다. 숨을 허덕거리고 다리가 풀리는 느낌을 애써 참으며 천신만고 끝에 산정상에 올랐는가 싶었던 순간에, 그날 산행의 리더가 저 멀리 굽이굽이 봉우리 너머 보이는 팔각정을 가리키며 우리는 곧이어 저곳으로 갈 거라고 안내해 주었습니다. 그곳은 마치 하나의 점처럼 보일 정도로 너무 멀게만 느껴졌는데, 활기차게 앞서는 리더와 동행님들을 따라 산길을 내려가고 또다시 올라가며 이런저런 대화를 나누다 보니 어느새 목적지에 도착할 수 있었습니다. 산길을 오르고 내려오는 길 어디에나 우거져 있었던 늦여름의 짙어진 녹음이 맑은 산공기를 무한 공급해 주었고 정상에 올랐을 때는 시원한 산바람을 만끽할 수 있었으니, 아무런 대가를 치르지 않고도 이렇듯 좋은 것들을 마음껏 누릴 수 있다는 게 뜻밖의 선물 같기만 했습니다.

그때 산길을 걸으며 나눈 대화의 상당 부분을 차지했던 주요 화두가 '건강'이었을 만큼, 어느새 중년의 나이가 된 여자들이 그간 살아온 이야기와 앞으로 살아갈 날들에 대한 각자의 마음과 생각들을 허심탄회하게 내어놓았습니다. 그렇게 진솔했던 대화들을 자연스럽게 나눌 수 있었던 것은 바로 자연이 준 평안함 덕분이 아니었을까 싶습니다. 한 사람에게는 그의 인생 여정 만큼의 소설책이 여러 권씩 있게 마련입니다. 그런 만큼 그날 각자가 내어놓은 삶의 스토리들이 다채로웠고 흥미로웠습니다.

그런데 그날 등산과 트래킹 과정에서 길을 잘못 들어서서 힘들게 갔던 길을 되돌아온 순간이 있었습니다. 산길을 내려갔다가 다시 되돌아 올라오기를 반복하고 수많은 계단지옥도 경험하면서 너무 힘들어 그 자리에 털썩 주저앉아 버리고 싶게 현타가 오는 순간을 경험해야 했었고, 가쁜 숨을 허덕거리면서도 상황이 어떻게 될지 모르니 아껴 먹었음에도 불구하고 조금밖에 남지 않은 생수를 모두 다 마셔버리기도 하였습니다. 그렇지만 길을 찾느라 더 많이 걸었던 만큼 점진적으로 폐활량이 증가하는 느낌이었고, 손목에 차고 있던 스마트워치에 근래 기록되었던 걸음수의 최고기록을 가볍게 갱신하면서 운동량이 훨씬 커졌습니다.

길을 잘못 들어서 헤매면서 휴대폰의 나침반과 네비게이션을 활용해 벗어난 노선에서 다시 정상궤도를 찾아가고자 노력하였고, 혹시나 길을 물어볼 수 있는 다른 등산객을 만날 수 있지는 않을까 하여 열심히 주변을 두리번거리기도 하였습니다. 그 과정에서 동행들은 심하게 걱정하거나 힘들다며 짜증스러워하기보다는 낯선 산길에서 길을 잃은 것에 대한 황당함과 어이없음에 깔깔 웃으며 '지금 우리 미아 된 거야?!', '해가 저물면 어쩌지?!', '뭐, 어떻게든 되겠지?!', '설마 여기서 죽기야 하겠어?!', '나만 버리고 가면 안돼?!' 하는 농담을 섞어가며 길고 긴 수다를 더 연장하고 있었습니다. 길을 못찾고 헤매는 시간이 자꾸 길어질수록 엄습하는 공포감을 상쇄시키기 위해 서로를 다독이는 가운데 어느새 깊은 동지애를 다지게 되는 뜻밖의 효과도 누리고 있었습니다.

또한 잘못 길을 들어선 덕분에 인적이 드문 산길에 핀 야생화 군락지를 발견하여 진한 꽃향기를 만끽하였고, 그 와중에도 야생화가 흐드러지게 핀 장관을 놓칠 수 없다며 서둘러 찍은 인생사진을 득템하기도 하였습니다. 그리고 트래킹을 할 때 참고할 수 있는 스마트폰 네비게이션 어플과 지도엡은 물론 나침반 사용법을 다양하게 공유하며, 결국 길을 찾아 무사히 하산 할 수 있었습니다.

이렇듯 그날 함께 산행을 하며 어쩌다가 잘못된 길로 들어서게 되면서 꽁꽁 숨겨져 있던 아름다운 자연을 덤으로 만끽하였던 힐링의 시간과, 평화로운 자연 속에서 동행님들이 내어놓은 각자의 삶에 얽힌 진솔한 스토리들을 함께 나눌 수 있는 소중한 하루를 보낼 수 있었으니, 그날의 경험은 아름다운 추억으로 남게 되었습니다.

길을 잘못 들어섰다고 해서 걱정하거나 후회할 필요는 없습니다. 잘못 들어선 길을 통해 실수하기도, 좌충우돌하기도, 헷갈리기도, 힘들기도, 고생스럽기도 했던 저마다의 수많은 시행착오를 거치며 더욱 성숙해지고 단단해질 것이고, 또다른 방향으로 새롭게 열리는 기회로 건강하게 나아갈 수 있는 방법은 잘 찾아보면 얼마든지 발견할 수 있기 때문입니다. 어쩌다 길을 잘못 들어섰다고 해도 나만 긍정적이라면 결과는 달라질 수 있다는 것을 믿어야 한다고 생각합니다.

언제나 예측 가능하고 정해진 수순이 예비되어 있어서 누구나 안전하다고 믿을 수 있는 길로만 가다 보면, 인생의 다양한 경험을 할 수 있는 다이내믹한 기회를 놓치게 될 것입니다. 어쩌면 왜곡된 신념을 부여잡고 그것만이 맞다고 잘못 확신한 채, 실제로는 결코 옳지도 않은 한 가지만 붙들고 있느라 나머지 아흔아홉가지를 허무하게 흘려보내게 될지도 모릅니다.

중년의 나이가 되도록 살아보니 사실 절대 안전하다고 믿었던 그 길이 꼭 최상의 길이라는 보장도 딱히 존재하지 않았다는 것을 깨닫게 되었습니다. 삶의 여정 곳곳에서 만나는 크고 작은 일들에 유연하게 적응하며 긍정의 희망으로 의연하게 대처하는 것이, 생각하지도 못했던 더 큰 가능성과 다채로운 기회를 가져다 주면서 새로운 방법을 깨닫게 만들어 줄 수도 있다는 것을, 지금껏 좌충우돌하며 살아오면서 겪었던 수많은 시행착오에서 자연스럽게 알게 되었습니다.

한때 내 인생을 진정으로 내가 원하는 방향으로 살아오지 못했다는 후회와 자책을 한 적도 있었습니다. 여러가지 회한 중에서도 가장 큰 부분이 바로 글을 쓰는 것에 관한 목마름과 아쉬움이었습니다. 저는 어린 날부터 어느 구석에 틀어박혀서 책읽기를 즐기고 일기를 비롯하여 뭔가를 꾸준히 쓰는 아이였고, 초중고 시절의 생활기록부 취미란에는 '독서'와 '글쓰기'가 빠지지 않는 편이었습니다. 게다가 각종 교내외 글쓰기 상을 휩쓸던 나름 문학소녀였으며, 여고때는 교지 편집장으로 활동한 바 있었고 대학시절에는 학보사 문화부에서 기사를 썼던 시절도 있었습니다.

그랬던 제가 작가도, 국어교사도, 언론인도, 출판업계 종사자도 아닌 그저 그런 평범한 현실 생활인으로서 직장 일하고 살림살이

하며 아이 키우다 청춘을 다 보내고, 어느덧 '건강'이 화두일 뿐인 중년의 아줌마가 되어버렸습니다. 때때로 슬픈 듯한 마음이 올라올 때도 있었습니다. '누구 자식, 누구 아내, 누구 엄마'로만 살아가게끔, 본래의 고유성을 가진 나를 무심하게 방치했었던 나의 지난날들에 대해 아쉬움과 후회와 연민도 느끼고 있었습니다.

사람이 살아가면서 겪게 되는 일들 중에는 '이게 정말 실화냐?' 싶을 정도로 최악 또는 최선과 같이 극과 극의 사안들이 비일비재합니다. 하지만 반백의 나이를 살면서 그나마 얻게 된 '생활철학'이라고 할 수 있고 '삶의 통찰'이라고 생각되는 것이 있다면, 세상의 모든 일들은 온통 다 나쁠 수만도, 전체가 다 좋을 수만도 없다는 만고의 진리에 대한 깨달음입니다.

제 인생의 일명 '리즈시절'이었다고 생각될 만큼 삶의 최전성기였던 한창때에 비해서는 체력도 두뇌회전도 이른바 '글빨'도 모두 시원치가 않아진 데다가, 더욱이 책을 읽고 글을 쓰기에 악조건이라 할 수 있는 부실해진 시력을 방증하는 노안의 역습에 시달리는 현재의 제 상태를 누구보다도 스스로가 가장 잘 인식하고 있습니다. 그렇다고 해서 서글프거나 비관적인 것은 전혀 아닙니다. 왜냐하면 길을 잘못 들어섰다고 해서 걱정하거나 후회할 필요는 없다는 것을 이제는 잘 알고 있기 때문입니다.

되지도 않는 체력으로 등산길에 올랐다가 길을 잃고 헤매었던 경험과 같이, 지금껏 살아온 삶의 곳곳에서 숨이 턱까지 차올라 죽을 것만 같이 허덕거리게 만들었던 높고 험한 산길처럼 괴롭고 힘든 고비를 기꺼이 넘어서기도 했었습니다. 굽이굽이 이어져 녹록지 않았던 산 뿐만이 아니라, 때로는 허우적거리다 빠져 버릴 듯한 고해의 바다도 헤엄쳐야 했습니다.

그런데 내가 그 산봉우리들과 그 파도들을 어떻게 감당하며 오늘에 이르렀는지를 다른 사람들은 모른다 할지라도 나 자신은 잘 알고 있습니다. 내가 그 산의 봉우리들을 어떤 마음으로 넘었고, 그 바다의 너울대는 파도들을 어떤 방법으로 헤엄쳐 살아왔는지를 어느 누구보다도 나 자신은 잘 알고 있습니다.

주어진 상황에서 부족하나마 할 수 있는 것들을 하느라고 하면서 나름대로 최선을 다하며 살아왔습니다. 때로는 어설펐고 미숙해서 실패하고 좌절하며 무참히 깨지고 만신창이가 되었을지언정, 결코 포기하거나 절망하지 않고 묵묵히 걷고 또 걸어왔습니다. 그런 만큼 나도 모르게 조금씩 성장해 왔을 것이고 어딘가 모르게 깊어지면서 단단해져 왔다고 저는 믿고 있습니다.

앞으로 남은 생을 뭔가 의미로운 것들을 찾아 뭐라도 부여잡고 행복하게 살고 싶습니다. 그런 활동의 일환으로 책을 읽고, 영화를 보고, 이야기를 나누고, 글을 쓰며 사는 삶이 본연의 내가 오롯이 나 자신으로 존재하며 가장 편안하게 즐길 수 있고 또 간절하게 바라는 것이라고 느끼고 있습니다. 이런 저에게 이번 책출간 과정이 참 좋은 기회가 되어 주었습니다. 그에 앞서 '브런치 작가'로서 글을 쓸 수 있는 명분과 자극을 선물 받았던 이전의 경험은 더더욱 감사한 일이었습니다.

이전에는 차분하게 앉아 글을 쓸 시간을 가질 현실적인 여유가 별로 없었고, 글을 쓰고도 원고 관리도 잘 안되었을 정도로 글쓰기가 체계적이지도 않았습니다. 그런 중에도 어쩌다 쓴 글들은 문득 떠오르는 순간의 생각들을 글로 써서 기록으로 남긴다는 의미로만 개인 계정에 단순하게 모아놓는 그저 그런 자기만족의 행위였을 뿐, 쓴 글들을 누군가와 나눌 기회도 딱히 없었습니다.

50을 넘어서며 신체 컨디션이 자꾸 저하되는 것을 느끼는 데다가 총기가 예전같지 않게 되고 부쩍 깜박깜박 잊어버리는 일이 잦아져서 그런지 '기록은 기억을 지배한다.'는 말에 대한 나름의 믿음이 생겼습니다. 시간이 날 때마다 수시로 글을 쓰면 어쨌든 그 글들이 기록으로 남게 될 터이니, 그 자체로도 좋은 일이라고 생각했습니다. 언젠가 내가 먼 여행을 떠나간 이후에라도 그렇게 남겨진 내 글들을 사랑하는 내 아들아이가 들춰보면서 엄마를 추억해 줄 수 있다면 참 고마운 일인 것이고, 단지 '내 삶의 흔적'이라는 것만으로도 충분히 의미로울 수 있다고 자기 암시를 했을 뿐이었습니다.

저는 브런치에 첫 글을 올리던 시점에, 일상 속에서 경험하고 발견하는 작은 소재거리를 통해 떠오르는 단상들이 무심하게 휘발되어 버리는 것에 대한 안타까운 마음들을 상쇄시킬 수 있다면, 나의 글쓰기의 의미는 충분하다고 생각했었습니다. 일상의 소소한 글쓰기일지라도 차차 재미가 붙게 되어 거기서 한발 더 나아갈 수 있게 된다면, 일상의 기록을 정리된 글로 작성하여 브런치 계정에 올림으로써 독자나 다른 브런치 작가님들과 더불어 공감하고 싶다는 바람이 있었습니다.

그간 취미생활로 책과 영화를 좋아하는 책/영화 친구님들과 '북토크'와 '영화토크'를 해오고 있었는데, '책/영화 모임'에서 다루게

됨으로써 개인적으로 더욱 특별한 작품으로 남게 된 책과 영화에 대한 감상을 바탕으로 좋은 작품을 리뷰하는 글쓰기도 지속적으로 하고 싶었습니다. 또한 갈수록 실감하는 체력저하를 조금이나마 지연시켜 보고자 최소한의 운동으로 시작한 걷기 활동에서의 느낌과 함께 걸으며 눈에 들어오는 풍광사진을 결합하여 쓰는 '걷기에 대한 단상'과 일상생활 속에서 느끼고 생각하는 것들에 관한 '일상을 사유하는 에세이'도 쓰고, 평소 좋아하는 전시/공연의 리뷰도 꾸준히 쓰겠다고도 했었습니다.

그리고 여태껏 개인계정에 혼자서 끄적거려 놓았던 책과 영화에 관한 리뷰와 감상문들도 다시 소환해 와 좀 더 틀을 갖춘 글쓰기로 리라이팅하여, 저와 결이 비슷한 브런치의 친구님들과 소통하고도 싶다고도 생각했었습니다.

그런데 좀 더 솔직한 저의 바람을 말해 보자면, 사실 저는 무엇보다도 소설을 쓰고 싶습니다. 어린 시절부터 사람에 대한 호기심과 관심이 많았기 때문에 제 삶의 곳곳에서 경험한 일들과 지금까지 살아오면서 만났던 사람들을 캐릭터화하여 재미도 있고 의미도 있는 서사로 잘 버무려 낸 소설을 쓰고 싶습니다.

이 에필로그에 사실은 소설을 쓰고 싶다고 이렇게 고백하는 이유는 아마도 너무 머지 않은 시일 내에 소설 쓰기 작업에 입문해야 할 구체적인 이유와 동력을 저 자신에게 약간의 압박으로 되돌리기 위한 무의식의 발로인지도 모르겠습니다.

다른 저자님들과 연합하여 집필한 공동문집은 출간한 바 있지만, 단독으로는 처음인 이번 개인책 출간을 하게 되면서, 돌고 돌아

중년이 된 지금 이 시점에서야 제대로 글쓰기를 해볼 만한 계기를 마련한 기분이 듭니다.

'어쩌다 나는 소싯적 문학소녀로서의 추억은 저 멀리 안드로메다로 보내버리고, 이렇게 어정쩡한 상태로 그럭저럭 적당히 살다가 떠나가겠구나.' 하던 불안하고 안타까운 마음을 애써 외면하고 현실에 순응하며 구석탱이 어딘가로 숨어버리려 했던 내 소심한 '작가부캐'를 다정하게 토닥이며 일으켜 세워, 다시금 글쓰기의 장으로 데려와 주고 소통하는 글쓰기를 재개할 기회를 준 고마운 브런치팀의 작가 수락 이메일을 받았던 그날의 기쁨을 새삼스럽게 떠올려 보게 됩니다.

브런치팀으로부터 온 이메일을 열어보았을 때 문득 1997년 개봉작인 영화 '접속'이 생각났었습니다. "삶은 때론 먼 길을 원한다."라는 영화 속 라디오 DJ의 멘트가 떠올랐고, 한석규 배우와 전도연 배우가 주고받는 대화 중 '다시 만날 사람은 꼭 만난다는 걸 믿는다'라는 대사도 기억났었습니다.

'나에게 글쓰기란 먼 길을 돌고 돌아와 또다시 꼭 재회할 운명과도 같은 어떤 것일까'라는 생각을 해보았고, 뭔가가 울컥하고 감동스럽기도 했었습니다.

'어쨌든, 책'

살아오면서 마음껏 누릴 수 있다면 어쨌든, 책이었습니다.

위로와 지혜가 필요했던 내 삶의 곳곳에서 가장 편안한 친구이자 현명한 스승이 되어 주었던 수많은 책들에 대해 진심으로 고마움을 느낍니다. 또한 삶을 살아가는데 필요한 나만의 독특한 가치관을 형성할 수 있도록 직/간접적으로 많은 영향을 끼치며 큰 도움을 주었던 훌륭한 작가님들께 경의를 표하며 존경의 마음을 고백합니다.

오늘 첫 책출간을 하게 된 저는 감사하게도 가장 마음에 드는 '부캐'를 얻게 되었습니다. 오롯이 내 글로 꽉 채워 직접 만든 책을 갖게 되어, 일명 '출간작가'에 입문하는 것이 정말 기쁩니다.

시작은 비록 미약하기 그지없지만, 언젠가는 '작가'가 '부캐'가 아닌 '본캐'라고 인식하게 될 미래의 그 어느 날까지, 중년의 체력 저하와 노안의 역습에도 불구하고, 유유히 흐르는 강물처럼 조용하지만 꾸준한 글쓰기를 지속해 나갈 수 있도록 노력하렵니다.

어느 날 느닷없이 받은 뜻밖의 선물처럼, 누군가와 소통하며 공유할 수 있는 참 좋은 글쓰기 기회의 출발선상에 저를 세워주었고, 글을 업데이트하는 간격이 길어질 때마다 운동선수가 근육을 키우듯 꾸준히 글을 쓰라고 독려의 메시지를 수시로 보내주며 제게으름과 나태함에 압박 아닌 압박을 가해주는 '브런치팀'에 다시 한번 감사의 뜻을 표현하고 싶습니다.

또한 관심의 공통분모가 있어서 대화가 통하고 결이 비슷한 취미 친구님들을 만나는 일이 결코 쉬운 것이 아닌데, 인연이 닿아 책과 영화에 대해 즐거운 수다를 함께 나누었던 책친구님들과 영화친구님들께도 즐거웠고 고마웠던 마음을 전합니다.

2023년 12월 커피향이 그득한 까페에서
김선(金仙)